R. Dehmel.

RICHARD DEHMEL

Dichtungen · Briefe · Dokumente

Herausgegeben
und mit einem Nachwort versehen
von Paul Johannes Schindler

HOFFMANN UND CAMPE VERLAG

Erschienen anläßlich der 100. Wiederkehr
des Geburtstages von Richard Dehmel am 18. November 1963

© 1963 Hoffmann und Campe Verlag, Hamburg
Gesamtherstellung Clausen & Bosse, Leck
Printed in Germany

Der Stern, um den ich damals bewundernd kreiste, hieß Richard Dehmel. Was dieser drängende, ewig um Klarheit ringende Geist einer suchenden Jugend bedeutet hat, wie er uns führend verführte, wie er uns manches zu schwer, manches allzu leicht machte, welche Mächte man anrufen mußte, um sich ihm zu entwinden, dieses alles im einzelnen aufzuzeigen, wäre auch für die Kommenden lehrreich.

HANS CAROSSA

... aber wie viele derer, die groß waren, sind eingefroren in der Starre ihres Ruhms, der Maske ihres Namens! Ich darf es Ihnen ohne Schamhaftigkeit sagen, daß Sie um dieser lebendigen Art, die Sie fast als Einziger jener Generation sich bewahrt haben, uns heute wie einst der Wichtigste sind, weil Ihnen Problematik noch ins Blut dringt, eines andern Anspannung Ihre Muskeln weckt und die Jugend sich von Ihnen noch immer am stärksten verstanden fühlt.

STEFAN ZWEIG

Es gab Zeiten, da die Worte und der Rhythmus seiner Gedichte unsere stillen Stunden begleiteten, unser Blut bewegte, das Auge dankbarer, das Gehör reicher machte, da er uns irgendwie mit dem Mittel der Kunst lebendiger, freier, gegenwärtiger machte ...
Er lebte zwischen uns als einer der wenigen großen repräsentativen Deutschen unserer Epoche, in ganz anderem und tieferem Sinn als fast alle übrigen, die Dramen, Romane oder Verse schreiben.

THEODOR HEUSS

Gedichte

Denn dichten heißt: die Welt mit Liebe umfassen und zu Gott emporheben. Alles Böse wird dadurch gut, alles Häßliche schön. Diese alles verklärende Liebe kennt nur Ein Gebot, das Verheißung hat: du sollst der Phantasie gehorchen, d. h. der unmittelbarsten Stimme Gottes. Sie ist das »Wort, das im Anfang war«, das immer wieder neue »Es werde«, das unerschöpfliche Schöpfergebot.

RICHARD DEHMEL

Erlösungen

DENKZETTEL FÜR DEN VEREHRTEN LESER

Verehrter Leser! Mensch! ich beschwör dich:
lies mich richtig, Mensch, oder scher dich!
Nämlich das Lesen von Gedichten
ist zwar sehr einfach zu verrichten,
aber gerade die einfachen Sachen
pflegt bekanntlich der Mensch sich schwer zu machen.
Vor allem: such keinen »Grundgedanken«!
sonst kommen deine paar Sinne ins Wanken.
Will ich dir meine Gedanken reichen,
schreib ich Sprüche, Aufsätze und dergleichen.
Gedichte sind keine Abhandlungen;
meine Gedichte sind Seelenwandlungen.
Selbe vollziehen sich aus Gefühlen,
die den ganzen Menschen aufwühlen.
Solch ein Gefühl, das steigt dann zu Kopfe,
sträubt mir manchmal die Haare vom Schopfe,
setzt mir meine paar Sinne in Schrecken,
daß sie plötzlich Luftbilder hecken;
die greifen einander in buntem Lauf,
jagen wohl auch Gedanken mit auf,
die dann über dem Grunde schaukeln,
etwa wie Schmetterlinge gaukeln
um eine große glühende Blume
über dem Brodem der Ackerkrume,
und so fang ich sie auf im Nu,
weiß wohl wie, weiß nicht wozu,
ist eine planvoll zwecklose Geschichte,
kurz — ich erlebe meine Gedichte.
Und, merk dirs, kein Erleben geschieht aus Gedanken;
ach, die Gedanken sind nur Ranken,
die wir arabeskenhaft flechten
um Manifeste von grundlosen Mächten.
Denn das Leben hat kein Gehirn,
verwirrt dir höchstens Dein Gehirn,

wird dir nur mit Schmerz oder Lust
als ein beseelender Wille bewußt,
der dich unsinnig treibt und lockt,
und den zu verdauen, Mensch, unverstockt,
mit unsern paar Sinnen, für Heid wie Christ
die wahre Seligkeit ist.
Drum, verehrter Leser, Mensch, ich beschwör dich:
verdau mich ebenso! sonst scher dich!
Und verwirrt dich doch mal mein Gewühl,
so schieb's nur, bitte, aufs Grund*gefühl*!
Wie ich auch hier nur, möglichst hold,
einem törichten Ingrimm Luft machen wollt.

AN MEIN VOLK

Ich möchte wohl geliebt von Vielen sein,
und auch geehrt; ich weiß es wohl.
Aber niemals soll
mein Stolz und Wert mir drum gemein
mit hunderttausend Andern sein.

Ich hab ein großes Vaterland:
zehn Völkern schuldet meine Stirn
ihr bißchen Hirn.
Ich habe nie das Volk gekannt,
aus dem mein reinster Wert entstand.

In meiner Heimat steht ein Baum,
den liebe ich, der steht sehr stolz
mitten im Mittelholz.
Da träumt ich manchen jungen Traum;
er wurzelt tief, der hohe Baum.

Da träumt ich, daß der Mensch allein
dem hunderttausendfachen Bann
entwachsen kann:
bis auch die Völker sich befrein
zum Volk! — mein Volk, wann wirst du sein?

BEKENNTNIS

Ich will ergründen alle Lust,
so tief ich dürsten kann;
ich will sie aus der ganzen Welt
schöpfen, und stürb' ich dran.

Ich wills mit all der Schöpferwut,
die in uns lechzt und brennt;
Ich *will* nicht zähmen meiner Glut
heißhungrig Element.

Ward ich durch frommer Lippen Macht,
durch zahmer Küsse Tausch?
Ich ward erzeugt in wilder Nacht
und großem Wollustrausch!

Und will nun leben so der Lust,
wie mich die Lust erschuf.
Schreit nur den Himmel an um mich,
ihr Beter von Beruf!

KRÄMERSEELEN

O wie sie lieben! wie sie maßvoll bleiben!
nur ja den lieben Nächsten nicht bereichern!
Wie sie gewissenhaft Tauschhandel treiben
und brav Gefühlchen zu Gefühlchen speichern!

Und hier steht Einer, der mit tausend Händen
sich selbst wie Saat ins Weltall möchte streuen,
um tausendfach sein Dasein zu vollenden,
um tausendfach sein Dasein zu erneuen.

Nein nein, ich passe nicht in euer Streben,
ich kann nicht vorsichtig mein Herz verschachern!
Lieber mit Huren um die Wette leben,
als herzlich tun mit euch Geschäftemachern!

SELBSTZUCHT

Mensch, du sollst dich selbst erziehen.
Und das wird dir mancher deuten:
Mensch, du mußt dir selbst entfliehen.
Hüte dich vor diesen Leuten!

Rechne ab mit den Gewalten
in dir, um dich. Sie ergeben
zweierlei: wirst Du das Leben,
wird das Leben dich gestalten?

Mancher hat sich selbst erzogen;
hat er auch ein Selbst gezüchtet?
Noch hat Keiner Gott erflogen,
der vor Gottes Teufeln flüchtet.

AN DIE ERSEHNTE

Ich habe dich Gerte getauft, weil du so schlank bist
und weil mich Gott mit dir züchtigen will,
und weil eine Sehnsucht in deinem Gang ist
wie in schmächtigen Pappeln im April.

Ich kenne dich nicht — aber eines Tages
wirst du im Sturm an meine Türe klopfen,
und ich werde öffnen auf dies Klopfen,
und meine zuchtlose Brust wird gleichen Schlages
an Deine zuchtlosen Brüste klopfen.

Denn ich kenne dich — deine Augen glänzen wie Knospen
und du willst blühen, blühen, blühen!
und deine jungen Gedanken sprühen
wie gepeitschte Sträucher an Sturzbächen;
und du möchtest wie ich den Stürmen Gottes trotzen
oder zerbrechen!

ANDERS

Du hast mir wundervoll beschrieben,
wie dich die Liebe fast zerbricht;
mich aber, du, mich liebst du nicht,
sonst würdest du mich anders lieben.

Sonst würdest du den Freund beglücken
und dächtest nicht an Ruf und Pflicht,
und dankbar würd' ich mein Gesicht
in deine seligen Brüste drücken.

Sonst wär ich nicht so stumm geblieben,
wenn mir dein Mund von Liebe spricht.
Ich nicht! — Nein, nein, du liebst mich nicht;
sonst — o, wie anders würd' ich lieben!

ENTBIETUNG

Schmück dir das Haar mit wildem Mohn,
die Nacht ist da,
all ihre Sterne glühen schon.
All ihre Sterne glühn heut Dir!
du weißt es ja:
all ihre Sterne glühn in mir!

Dein Haar ist schwarz, dein Haar ist wild
und knistert unter meiner Glut;
und wenn die schwillt,
jagt sie mit Macht
die roten Blüten und dein Blut
hoch in die höchste Mitternacht.

In deinen Augen glimmt ein Licht,
so grau in grün,
wie dort die Nacht den Stern umflicht.
Wann kommst du?! — Meine Fackeln lohn!
laß glühn, laß glühn!
schmück mir dein Haar mit wildem Mohn!

FRECHER BENGEL

Ich bin ein kleiner Junge,
ich bin ein großer Lump.
Ich habe eine Zunge
und keinen Strump.

Ihr braucht mir keinen schenken,
dann reiß ich mir kein Loch.
Ihr könnt euch ruhig denken:
Jottedoch!

Ich denk von euch dasselbe.
Ich kuck euch durch den Lack.
Ich spuck euch aufs Gewölbe.
Pack!

ERMUTIGUNG

Nimm dein Schicksal ganz als deines!
Hinter Sorge, Gram und Grauen
wirst du dann ein ungemeines
Glück entdecken: Selbstvertrauen.

MÄDCHENFRÜHLING

Aprilwind.
Alle Knospen sind
schon aufgesprossen;
rings sprießt der Grund.
Und *sein* Mund
bleibt verschlossen? —

Maisonnenregen.
Alle Blumen langen,
heimlich aufgegangen,
dem Licht entgegen,
dem lieben Licht.
Fühlt ers nicht? —

Aber komm mir nicht im langen Kleid!
komm gelaufen, daß die Funken stieben,
beide Arme offen und bereit!
Auf mein Schloß führt keine Galatreppe;
über Berge gehts, reiß ab die Schleppe,
nur mit kurzen Röcken kann man lieben!

Stell dich nicht erst vor den Spiegel groß!
Einsam ist die Nacht in meinem Walde,
und am schönsten bist du blaß und bloß,
nur beglänzt vom schwachen Licht der Sterne;
trotzig bellt ein Rehbock in der Ferne,
und ein Kuckuck lacht in meinem Walde.

Wie dein Ohr brennt! wie dein Mieder drückt!
rasch, reiß auf, du atmest mit Beschwerde;
o, wie hüpft dein Herzchen nun beglückt!
Komm, ich trage dich, du wildes Wunder:
wie dich Gott gemacht hat! weg den Plunder!
und dein Brautbett ist die ganze Erde.

IM REGEN

Es stimmt zu mir, es ist ein sinnreich Wetter;
mein Nacken trieft, denn Baum und Borke triefen.
Die Tropfen klatschen durch die schlaffen Blätter;
die nassen Vögel tun, als ob sie schliefen.

Der Himmel brütet im verwaschnen Laube,
als würde nie mehr Licht nach diesem Regen;
nun kann er endlich, ungestört vom Staube,
das Los der Erde gründlich überlegen.

Die Welt fühlt grämlich ihres Alters Schwere:
kein Fünkchen Freude, keine Spur von Trauer.
Und immer steter schwemmt sie mich ins Leere:
kein Staub, kein Licht mehr — grau — und immer grauer.

TIEF VON FERN

Aus des Abends weißen Wogen
taucht ein Stern;
tief von fern
kommt der junge Mond gezogen.

Tief von fern,
aus des Morgens grauen Wogen,
langt der große blasse Bogen
nach dem Stern.

JETZT UND IMMER

Seit wann du mein — ich weiß es nicht;
was weiß das Herz von Zeit und Raum!
Mir ist, als wärs seit gestern erst,
daß du erfülltest meinen Traum,

mir ist, als wärs seit immer schon,
so eigen bist du mir vertraut:
so ewig lange schon mein Weib,
so immer wieder meine Braut.

ALLGEGENWART

Du gehst nie von mir,
ich bleibe bei dir;
denn du bist in mir
fern wie nah.

In jedem Herzschlag,
der mich belebt,
bist du's, die mit mir
durchs Leben strebt.

Mit jedem Atemzug,
der mir die Seele klärt,
fühl ich, wie deine
Seele mich nährt,

die mir allinnerlich
Seele der Welt ist,
in Allem such ich dich,
du Welt mit mir!

In Allem find ich dich:
dich in dem bangen
Hinausverlangen
des Winds im Wald,

dich in dem Widerstreit
der Blätter über mir,
dich in der Innigkeit
der Gräser hier,

dich in der Wolke dort,
aus der die Sonne quillt,
wie du so lauter,
so warm und mild,

dich in der Träne,
die jetzt von Herzen still
aus meinen Augen
zu dir will.

WALDSELIGKEIT

Der Wald beginnt zu rauschen,
den Bäumen naht die Nacht;
als ob sie selig lauschen,
berühren sie sich sacht.

Und unter ihren Zweigen,
da bin ich ganz allein,
da bin ich ganz mein eigen,
ganz nur dein.

DIE GETRENNTEN

Nie mehr bin ich allein,
gleich bebt in mir deine Stimme:
Du, wie ist dir ums Herz?
Du, wie ist dir ums Herz?

Wie dem Schwanenpaar damals,
das wir beim Nestbau belauschten,
Beide wie Ein Herz bewegt,
Beide wie Ein Herz bewegt.

Oh, jetzt bin ich allein,
jetzt bebt in mir deine Stimme:
Oh, wo bist du, mein Herz?
Du, wo bist du, mein Herz!

ANSTURM

O zürne nicht, wenn mein Begehren
brausend aus seinem Dunkel bricht.
Soll es mich selber nicht verzehren,
muß ich's aussprühn! ans Licht, ans Licht!

Fühlst ja, wie all mein Innres brandet.
Und wenn herauf der Aufruhr bricht,
jäh über deinen Frieden strandet,
dann bebst du — aber zürnst mir nicht.

NACHTGEBET DER BRAUT

O mein Geliebter — in die Kissen
bet ich nach dir, ins Firmament!
O könnt ich sagen, dürft er wissen,
wie meine Einsamkeit mich brennt!

O Welt, wann darf ich ihn umschlingen!
O laß ihn mir im Traume nahn,
mich wie die Erde um ihn schwingen
und seinen Sonnenkuß empfahn

und seine Flammenkräfte trinken,
ihm Flammen, Flammen widersprühn,
o Welt, bis wir zusammensinken
in überirdischem Erglühn!

O Welt des Lichtes, Welt der Wonne!
O Nacht der Sehnsucht, Welt der Qual!
O Traum der Erde: Sonne, Sonne!
O mein Geliebter — mein Gemahl —

BALLNACHT

Prunkende Klänge,
Tanz und Geflirre;
stumm im Gedränge
steh ich und irre.
Steh ich und starre, suche nach dir,
und weiß und weiß doch, du bist nicht hier.

Alle die Blicke,
was sie wohl plaudern,
die Händedrücke,
die Hast, das Zaudern.
Immer verworrener, wie im Traum,
fremder und fremder rauscht der Raum.

Köpfe wiegen sich,
Füße schweben,
Arme biegen sich;
sinnlos Leben.
Sterbende Blumen, weh tuendes Licht,
seltne Juwelen, nur Seelen nicht.

Wie blaß die Sterne
durchs Fenster blinken!
O könnt ich ferne
jetzt hinsinken
mit ihren Strahlen zu Dir, zu Dir,
die du im Traum noch fühlst mit mir!

LANDUNG

Mein weißer Schwan vor mir, noch ziehn wir leise
auf dunkler Flut durch unser Morgengrauen
zur blassen Ferne, wo die Wellenkreise
dem jungen Tage hoch entgegenblauen.

So lassen wir uns tragen, weiter tragen,
und golden wird der dunkle Wasserbogen,
bis wir die seligen Inseln sehen ragen
im Glanz der Frühe aus den stillen Wogen.

Da wirst du losgeknüpft von meinen Zügeln,
der Nachen säumt, wir sind am Heimatlande;
da dehnst du dich mit ausgespannten Flügeln
und steigst hinauf mit mir zum hellen Strande.

Und von den Höhen wird ein Singen wehen,
die Bahn zum Licht zu weisen auch den Brüdern,
und durch die Tiefen wird ein Klingen gehen
von großem Glück: aus meinen Schwanenliedern.

DANTE GUIDANTE

Wer sich durch eine Hölle hat gesungen,
den fragt, welch Paradies ihm endlich tagte!
Doch wer an seinem Leben nie verzagte,
hat um das höchste Leben nie gerungen.

WAHRSPRUCH

Ob wir verdienen, daß wir glücklich sind?
Was zweifelst du? Verdienst du, gut zu sein?
Durch Zweifel wird das wahrste Wesen Schein.
Glück ist des Menschen schönste Tugend, Kind;
Wer glücklich ist, verdients zu sein.

Wie das Meer
ist die Liebe:
unerschöpflich,
unergründlich,
unermeßlich:
Woge zu Woge
stürzend gehoben,
Woge in Woge
wachsend verschlungen,
sturm-und-wetter-gebärdig nun,
sonneselig nun,
willig nun dem Mond
die unaufhaltsame Fläche —
doch in der Tiefe
stetes Walten ewiger Ruhe,
ungestört,
undurchdringbar dem irdischen Blick,
starr verdämmernd in gläsernes Dunkel —
und in der Weite
stetes Wirken ewiger Regung,
ungestillt,
unentwirrbar dem irdischen Blick,
wild verschwimmend im Licht der Lüfte:
Aufrausch der Unendlichkeit
ist das Meer,
ist die Liebe.

WEIHSPRUCH

Klage und juble, Dichter,
wie du willst;
das wirkt Seele ins All,
du bist Gott.
Aber beklage nicht!
bejuble nicht!
nichts!
Du bist Gottes Werk;
brüste dich nicht!

WERKSPRUCH

Mensch, was dir leicht fällt, das nimm schwer!
Natur gibt viel; entnimm ihr mehr!

REINERTRAG

Was wir sammeln, was wir speichern,
mag's die Erben noch bereichern,
    einst vergeht's.
Nur der Schatz der Seelenspenden
wächst, je mehr wir ihn verschwenden,
    jetzt und stets.

ZWECKSPRÜCHE

1

Lebe mit Zweck,
wirft dich nicht weg,
gib dich den andern hin
mit eignem Sinn!

2

Mit Lust und Liebe sein Werk anpacken,
macht frei von allem Zweckzwickzwacken.

HELDENTÜMLICHES

1

Die misera Plebs begreift es nie:
wer für sie kämpft, ist wider sie.

Ihr meint, ihr hättet euch ermannt,
weil ihr euch hart wie Brutus stellt?
Jesus kam mit weichster Hand
und brachte Schwerter in die Welt.

HUMANER KONFLIKT

»Du bester Mensch, den's gibt,
willst von der Menschheit lassen?«
Ach, wer die Menschheit liebt,
der lernt die Menschen hassen.

SPRUCH IN DIE EHE

Ehret einander,
wehret einander!

EINZIGER GRUND

Es ist zum Lachen wie zum Weinen,
wir mögen lieben oder hassen,
es wurzelt alles in dem einen:
das Herz *will* sich erschüttern lassen.

SPRÜCHE DER ZEIT

I

Ich weiß ein Wort,
das setzt mich über alles fort,
über Raum und Zeit
und Traurigkeit:
Ich und die Zukunft!

Daß du über der Zukunft
nur nicht ihr stetes Dasein vergißt!
Es gibt eine Gegenwart,
die ewig ist.

DEN QUERKÖPFEN

Sie möchten Kunst genießen, ach,
und kauen Schönheitsregeln nach.
Es ist das alte Leid, daß Gott erbarm:
stark ist der Hunger, schwach ist der Darm.

DICHTERSPRACHE

1

Dichter kann man nicht ergründen;
seid nur, Freunde, recht erhoben!
Jede Flamme schlägt nach oben,
jeder Geist wird weiterzünden.
Durch den Rauch der Worte steigen
alle auf ins blaue Schweigen.

2

Was sind Worte, was sind Töne,
all dein Jubeln, all dein Klagen,
all dies meereswogenschöne
unstillbare laute Fragen —
rauscht es nicht im Grunde leise,
Seele, immer nur die Weise:
still, o still, wer kann es sagen!

DEN HERREN KRITIKERN

Der Kritiker hat immer recht,
unfehlbar wie der Kletterspecht:
die Eiche trotzt dem stärksten Sturm,
der Specht entdeckt in ihr den Wurm.

Hieroglyphe

In allen Tiefen
mußt du dich prüfen,
zu Deinen Zielen
dich klarzufühlen.
Aber die Liebe
ist das Trübe.

Jedweder Nachen,
drin Sehnsucht singt,
ist auch der Rachen,
der sie verschlingt.
Aber ob rings von Zähnen umgiert,
das Leben sitzt und jubiliert:
Liebe! —

Der befreite Prometheus

Vom Kaukasus hernieder schritt Prometheus;
er war erlöst, Zeus gab ihn frei.
Der Riese durfte endlich von dem Gletscher
herunter, drauf er büßend lag;
er durfte nun hinab auf seine Erde,
hin zu den Menschen, die er so geliebt,
daß er, der eignen Seligkeit zum Trotz,
das Feuer des Olympos für sie stahl.

Nicht dauerte den Götterkönig
der Himmelsgünstling, der abtrünnige.
Warum auch lockte die Versuchung ihn,
den Menschen Göttergut hinabzutragen;
er hatte seinen Lohn dahin,
den Heilandslohn,
nach der Olympier unerbittlichem Gesetz.

Verraucht nur endlich war der Zorn des Zeus,
und Laune wars und Gnade, daß sein Blitz
vom Leib des Märtyrers die Fesseln sprengte,
die lavastarr gehärteten.

O lange Qual! o Leib, zerfleischt, entstellt!
Noch deckten Schwären die zerschundenen Knöchel;
kaum konnten die verkrümmten knorrigen Finger
das große Wundmal unterm Herzen schützen,
das frisch noch glänzte von den Schnabelschlägen
des Tag für Tag drin wühlenden Geierpaars.
O Tage voller Wut und Ohnmacht!
o Tag der Bitternis, da ihm die Hand,
die einst mit Bergen wie mit Würfeln spielte,
zum ersten Male
erlahmte vor der Übermacht des Neides,
des weltbeschattenden, der Götter all!
o Tag, als in Verzweiflung starb sein Trotz!

Doch nun war alles überwunden.
Erstickt die Kampfglut in den tiefen Augen.
Erloschner Gram, verlohte Leidenschaft
der einzige Ausdruck der zerfurchten Züge,
als trüg' er in sich, wie ein Fremder kalt,
nur die verbrannten Wurzeln seiner Kraft.
Um seine schmerzgeübte Stirne zauste
der eisige Wind des Haars ergraute Büschel.
So schritt er abwärts, der gebeugte Riese.

Nur ruhen wollt er, ausruhn bei den Menschen.
Sie um sich sammeln, wie ein alter Vater seine Kinder.
Ihr Glück genießen, das sie ihm ja dankten.
Den Frieden sehn, der lichtfroh aufgegangen,
seit er den Himmelsfunken ihnen schenkte,
seit er den unstät Irrenden
den ersten warmen festen Herd gebaut.
Sich jetzt erfreun an den Geschöpfen,
die tierisch wild in Hader, Haß und Habgier
einst um das nackte Leben markteten,
die seine Tat ja erst zu Menschen schuf.

Und nieder kam er in die mildern Lüfte,
ins ebne Land; da sah er blühende Triften,
bebaute Äcker, wohlgehegte Gärten,
und ringsum lugten Dörfer aus dem Grün,
und weither prangten Zinnen sichrer Städte.
Da lachte seine Seele: Sieh doch, Zeus,
war das nicht wert der tausendjährigen Pein?
Ja, meine Menschen will ich wiedersehn!

Und in die Dörfer ging er, in die Städte,
und sah die Menschen, sah sie leben, streben,
und ging und ging, und suchte hin und her,
und fand:
weh, weh des Anblicks: alles wie zuvor!
Haß, Hader, Habgier! Nichts war aufgegangen
als andre Habgier, andrer Hader, andrer Haß.
Nur eines fand er auf der Erde neu: den Neid —
den knechtischen, lichtscheuen Neid, o Ekel,
den Neid der Menschen um Besitz —
und war genug doch da, genug für alle.
In Hütten sah er, in die Burgen sah er;
doch es war alles eines,
war alles wie zuvor — und schlimmer noch.

Zuletzt und matt betrat er eines Priesters
entlegnen Hof. Da wohnte ja der Friede,
den er vergebens bei den andern suchte;
dort am geweihten Herd, wo hell des Dankes
heiliges Sinnbild glomm, die ewige Lampe,
wollt er noch einmal unter Menschen rasten
und dann auf immer in die Einsamkeit.
Zum Hausherrn, der die Flamme schürte, sprach er:
»Ich bin Prometheus, laß mich ein bei dir!«

Der wandte sich erschrocken, blickte scheu
dem großen Mann ins seltsame Gesicht,
und schlich geduckt davon, und schloß sich ein,
und durch die Tür quoll eine fette Stimme:
»Ich brauch mein bißchen selbst, verrückter Graubart!
Prometheus, der ist tot — und kommt nicht wieder.
Ja, damals waren bessre Zeiten noch
als heute!«
Dann schlurften Schritte tiefer ins Gemach.

Noch stand der Wandrer. Da: ein Wanken, und
der Qualgewohnte, auf die heilige Schwelle
schlug er lang hin, zum ersten Mal laut schluchzend,
und wehklagte: »O Zeus! sehr furchtbar strafst du!
so nicht, so brauchtest du dich nicht zu rächen!
das war das Letzte! ich will sterben gehn!«
Und jäh und gellend riß sich
ein Lachen los aus der vernarbten Brust,
und brüllend, rasend rannt er weg, der Riese:
»Weg von den Menschen! weg! zum Meer! ins Meer!
im Meer, da find' ich Ruhe! endlich Ruhe!«
Nun stand er oben, starr, auf steiler Klippe.

Und wieder sah er im Gelände unten
die blühenden Fluren, die beglänzten Triften,
bebaute Äcker, wohlgehegte Gärten,
und ringsum lugten Dörfer aus dem Grün,
und weither prangten Zinnen sichrer Städte.
Da überfiel ihn totgeglaubter Gram,
da überfuhr ihn nie erlebter Grimm,
brüllend vom Felsgrat brach er Stück um Stück, und
in rasender Blindheit Stück auf Stück anspeiend
schmiß er's hinab, spie, schmiß, und tobend
flog übers Meer sein weinendes Gelächter:
»O könnt ich so die ganze Brut zerschmeißen,
die mir mein Gut, mein göttliches, *veraast!*
Ha, meine Menschen, hahahah« —

Da horch, was scholl da? drang da nicht ein Schrei,
ein Menschenschrei, ein Hilferuf herauf?
Er stierte; dunkel rollend ging die See,
von seinen Würfen sturmgleich aufgerührt,
und auf dem Gischt trieb halb zerschellt ein Kahn,
und in den Strudeln rang ein Mensch ums Leben.
Doch jetzt: schon schäumte von der stillern Flut
ein andres Boot heran, draus warf sich
ein zweiter Fischer in die Brandung.

Und oben auf der Klippe stand Prometheus
und stierte, stierte, und erkannte sie:
auf seiner Wandrung hatt' er sie gesehn,
die ersten Menschen warens, die er traf:

Todfeinde warens — und jetzt kämpfte dort
der Feind, dem Feind vereint, um Feindes Leben!
Und endlich siegten sie den schweren Sieg,
und schleppten sich zum Strand, und fielen keuchend,
sprachlos vor Glück, Geretteter und Retter,
einander in die Arme.

Und oben auf der Klippe stand Prometheus,
und sah ihr Hab und Gut im Meer versinken,
und sah sie lachen — und nun jauchzten sie.
Da überfuhr ihn totgeglaubter Mut,
da überfiel ihn nie erlebte Demut,
und in die Knie taumelte Prometheus
und auf zum Himmel stammelte Prometheus:
»O Zeus! ich danke dir! du armer Gott!
Ich bin so reich, ich fühle wieder Liebe!
O laß mich leben, laß mich leiden!
Ich will noch einmal zu den Menschen hin!«

TRAGISCHE ERSCHEINUNG

In einer Wüste lagen viele Menschen,
die fast verschmachteten; sie wimmerten.
Ein schönes Mädchen nur,
mit hilflos braunen Augen,
litt stumm den Durst; denn gieriger als der Durst
brannte ihr seliges Mitleid.
Da trat, vom glühenden Horizont herwachsend,
ein fremder Mann vor dieses Volk;
der hob den Zeigefinger ihnen dar.
Aus der gereckten zitternden Spitze quoll
ein großer Tropfen Blut, quoll, hing, und fiel,
fiel in den Sand;
verwundert sah das Volk den fremden Mann.
Der stand und stand, Tropfen auf Tropfen fiel
aus seinem Finger in den Sand;
und immer, wenn die rote Quelle troff,
erbleichte schauernd Er, sie aber staunten,
und einige ächzten: er verhöhnt uns.
Da schrie er laut mit seiner letzten Glut:

so kommt doch, trinkt! für euch verblut ich mich!
Doch jenes Mädchen sprach, indeß er hinlosch:
sie brauchen Wasser...

WEIHNACHTSGLOCKEN

Weihnachtsglocken. Wieder, wieder
sänftigt und bestürmt ihr mich.
Kommt, o kommt, ihr hohen Lieder,
nehmt mich, überwältigt mich!

Daß ich in die Knie fallen,
daß ich wieder Kind sein kann,
wie als Kind Herr-Jesus lallen
und die Hände falten kann.

Denn ich fühl's, die Liebe lebt, lebt,
die mit Ihm geboren worden,
ob sie gleich von Tod zu Tod schwebt,
ob gleich Er gekreuzigt worden.

Fühl's, wie alle Brüder werden,
wenn wir hilflos, Mensch zu Menschen,
stammeln: Friede sei auf Erden
und ein Wohlgefalln am Menschen!

DIE MAGD

Maiblumen blühten überall;
er sah mich an so trüb und müd.
Im Faulbaum rief die Nachtigall:
die Blüte flieht; die Blüte flieht!
Von Düften war die Nacht so warm,
wie Blut so warm, wie unser Blut;
und wir so jung und freudenarm.
Und über uns im Busch das Lied,
das schluchzende Lied: die Glut verglüht!
Und er so treu und mir so gut.

In Knospen schoß der wilde Mohn,
es sog die Sonne unsern Schweiß.
Es wurden rot die Knospen schon,
da wurden meine Wangen weiß.
Ums liebe Brot, ums teure Brot
floß doppelt heiß ins Korn sein Schweiß.
Der wilde Mohn stand feuerrot;
es war wohl fressendes Gift der Schweiß,
auch seine Wangen wurden weiß,
und die Sonne stach im Korn ihn tot.

Die Astern schwankten blaß am Zaun
im feuchten Wind; die Traube schwoll.
Am Hoftor zischelten die Fraun;
der Apfelbaum hing schwer und voll.
Es war ein Tag so regensatt,
wie einst sein Blick so trüb und matt;
die Astern standen braun und naß,
naß Strauch und Kraut, der Nebel troff,
da stieß man sie voll Hohn und Haß,
die sündige Magd, hinaus vom Hof.

Nun blüht von Eis der kahle Hain,
die Träne friert im schneidenden Wind.
Aus flimmernden Scheiben glüht der Schein
des Christbaums auf mein wimmernd Kind.
Die hungernden Spatzen schrein und schrein,
von Dach zu Dach; die Krähe krächzt.
An meinen schlaffen Brüsten ächzt
mein Kind, und keiner läßt uns ein.
Wie die Worte der Reichen so scharf und weh
knirscht unter mir der harte Schnee.

So weh, oh, bohrt es mir im Ohr:
du Kind der Schmach! du Sündenlohn!
Und dennoch beten sie empor
zum Sohn der Magd, dem Jungfraunsohn?!
Oh, brennt mein Blut. Was *tat* denn ich?
wars Sünde *nicht*, daß *sie* gebar? —
Mein Kind, mein Heiland, weine nicht:
ein Bett für dich, dein Blut für mich,
vom Himmel rieselt's silberklar.

31

Wie träumt es sich so süß im Schnee.
Was tat ich denn? — So süß. So weh.
Wars Liebe nicht? — Wars — Liebe — nicht —

Anno Domini 1812

Über Rußlands Leichenwüstenei
faltet hoch die Nacht die blassen Hände;
funkeläugig durch die weiße, weite,
kalte Stille starrt die Nacht und lauscht.
Schrill kommt ein Geläute.

Dumpf ein Stampfen von Hufen, fahl flatternder Reif;
ein Schlitten knirscht, die Kufe pflügt
stiebende Furchen, die Peitsche pfeift,
es dampfen die Pferde, Atem fliegt,
flimmernd zittern die Birken.

»Du — was hörtest du von Bonaparte« —
Und der Bauer horcht und wills nicht glauben,
daß da hinter ihm der steinern starre
Fremdling mit den harten Lippen
Worte so voll Trauer sprach.

Antwort sucht der Alte, sucht und stockt,
stockt und staunt mit frommer Furchtgebärde:
aus dem Wolkensaum der Erde,
brandrot aus dem schwarzen Saum,
taucht das Horn des Mondes hoch.

Düster wie von Blutschnee glimmt die lange Straße,
wie von Blutfrost perlt es in den Birken,
wie von Blut umtropft sitzt der im Schlitten.
»Mensch, was *sagt* man von dem großen Kaiser?«
Düster schrillt das Geläute.

Die Glocken rasseln; es klingt, es klagt;
der Bauer horcht, hohl rauscht's im Schnee.
Und schwer nun, feiervoll und sacht,
wie uralt Lied, so stark und weh,
tönt sein Wort ins Öde:

»Groß am Himmel stand die schwarze Wolke,
fressen wollte sie den heiligen Mond;
doch der heilige Mond steht noch am Himmel,
und zerstoben ist die schwarze Wolke.
Volk, was weinst du?

Trieb ein stolzer kalter Sturm die Wolke,
fressen sollte sie die stillen Sterne.
Aber ewig blühn die stillen Sterne;
nur die Wolke hat der Sturm zerrissen,
und den Sturm verschlingt die Ferne.

Und es war ein großes schwarzes Heer,
und es war ein stolzer kalter Kaiser.
Aber unser Mütterchen, das heilige Rußland,
hat viel tausend tausend stille warme Herzen;
ewig, ewig blüht das Volk.«

Hohl verschluckt der Mund der Nacht die Laute,
dumpfhin rauschen die Hufe, die Glocken wimmern;
auf den kahlen Birken flimmert
rot der Reif, der mondbetaute.
Den Kaiser schauert.

Durch die leere Ebne irrt sein Blick:
über Rußlands Leichenwüstenei
faltet hoch die Nacht die blassen Hände,
glänzt der dunkelrot gekrümmte Mond,
eine blutige Sichel Gottes.

DIE STILLE STADT

Liegt eine Stadt im Tale,
ein blasser Tag vergeht;
es wird nicht lange dauern mehr,
bis weder Mond noch Sterne,
nur Nacht am Himmel steht.

Von allen Bergen drücken
Nebel auf die Stadt;
es dringt kein Dach, nicht Hof noch Haus,
kein Laut aus ihrem Rauch heraus,
kaum Türme noch und Brücken.

Doch als den Wandrer graute,
da ging ein Lichtlein auf im Grund;
und durch den Rauch und Nebel
begann ein leiser Lobgesang
aus Kindermund.

DER ARBEITSMANN

Wir haben ein Bett, wir haben ein Kind,
mein Weib!
Wir haben auch Arbeit, und gar zu zweit,
und haben die Sonne und Regen und Wind.
Und uns fehlt nur eine Kleinigkeit,
um so frei zu sein, wie die Vögel sind:
Nur Zeit.

Wenn wir sonntags durch die Felder gehn,
mein Kind,
und über den Ähren weit und breit
das blaue Schwalbenvolk blitzen sehn,
oh, dann fehlt uns nicht das bißchen Kleid,
um so schön zu sein, wie die Vögel sind:
Nur Zeit.

Nur Zeit! wir wittern Gewitterwind,
wir Volk.
Nur eine kleine Ewigkeit;
uns fehlt ja nichts, mein Weib, mein Kind,
als all das, was durch uns gedeiht,
um so kühn zu sein, wie die Vögel sind.
Nur Zeit!

EIN FREIHEITSLIED

Es ist nun einmal so,
seit wir geboren sind:
die Blumen blühen wild und bunt,
wir aber mauern Wände
gegen den Wind.

Es wird wohl einmal sein,
wenn wir gestorben sind:
dann blühen die Blumen noch immer so,
und über unsre Mauern
lacht der Wind.

MAIFEIERLIED

Es war wohl einst am ersten Mai,
viel Kinder tanzten in einer Reih,
arme mit reichen,
und hatten die gleichen
vielen Stunden zur Freude frei.

Es ist auch heute erster Mai,
viel Männer schreiten in einer Reih,
dumpf schallt ihr Marschgestampf,
heut hat man ohne Kampf
keine Stunde zur Freude frei.

Doch kommt wohl einst ein erster Mai,
da tritt alles Volk in eine Reih,
mit einem Schlage
hat's alle Tage
ein paar Stunden zur Freude frei.

ERNTELIED

Es steht ein goldnes Garbenfeld,
das geht bis an den Rand der Welt.
Mahle, Mühle, mahle!

35

Es stockt der Wind im weiten Land,
viel Mühlen stehn am Himmelsrand.
Mahle, Mühle, mahle!

Es kommt ein dunkles Abendrot,
viel arme Leute schrein nach Brot.
Mahle, Mühle, mahle!

Es hält die Nacht den Sturm im Schoß,
und morgen geht die Arbeit los.
Mahle, Mühle, mahle!

Es fegt der Sturm die Felder rein,
es wird kein Mensch mehr Hunger schrein.
Mahle, Mühle, mahle!

HOHES LIED

Fern dem Menschenschmerz,
zwischen Eis und Stein:
reines Herz, nun lausche,
du bist nicht allein!
Horch, die Gletscher-Adern rauschen,
Quellen singen — und ein Geist stimmt ein:

Meine Kinder werden einst
auf dem Regenbogen spielen.
Folgt dem Vater denn, ihr vielen,
bis ihr oben über den schwülen
Schluchten der Berge, durch die er muß,
schimmern dürft!

In die Niederungen
führ ich euch gezwungen,
der ich mit dem Erdreich ringen muß.
Seht, da gibt es Herzen,
die das Reinste schwärzen;
Gift und Geifer tropft in meinen Fluß.

Aber weiter, weiter,
Kinder, auf vom Grund!
Seht, mein Herzschlag läutert
jeden Tropfen — und
alle, alle werden einst
oben auf dem Regenbogen spielen!

OHNMACHT

Doch als du dann gegangen,
da hat sich mein Verlangen
ganz aufgetan nach dir.
Als sollt ich dich verlieren,
schüttelte ich mit irren
Fingern deine verschlossene Tür.

Und durch die Nacht der Scheiben,
ob du nicht würdest bleiben,
bettelten meine Augen; und
du gingst hinauf die Stufen
und hast mich nicht gerufen,
mich nicht zurück an deinen Mund.

Vernahm nur noch mit stieren
Sinnen dein Schlüsselklirren
im schwarzen Flur, und dann
stürzten auf mich die Schatten,
die mir im Park schon nahten,
als wir den Mond versinken sahn.

STROMÜBER

Der Abend war so dunkelschwer,
und schwer durchs Dunkel schnitt der Kahn;
die andern lachten um uns her,
als fühlten sie den Frühling nahn.

Der weite Strom lag stumm und fahl,
am Ufer floß ein schwankend Licht,
die Weiden standen starr und kahl.
Ich aber sah dir ins Gesicht

und fühlte deinen Atem flehn
und deine Augen nach mir schrein
und — eine andre vor mir stehn
und heiß aufschluchzen: Ich bin dein!

Das Licht erglänzte nah und mild;
im grauen Wasser, schwarz, verschwand
der starren Weiden zitternd Bild.
Und knirschend stieß der Kahn ans Land.

BITTE

Nur sage »Du« ... ich will ja nie,
nie wieder deine Lippen küssen,
nun wir's gefühlt, so Knie an Knie
gefühlt, daß wir uns lieben müssen.

Das Abendrot umarmte brennend
der Eichen hohe Knospenkette;
wir aber sahen nur, uns trennend,
die schwarz aufragenden Skelette.

Und nickten doch von vielen Bäumen
schon Blüten unsrer Liebe zu,
im keusch verträumten Grün; so träumen,
so nicken Kinder ... sage »Du«.

GOTTES WILLE

Du hungerst nach Glück, Eva,
und fürchtest dich den Apfel zu pflücken,
den dein Gott dir verboten hat
vor dreitausend Jahren,
du junges Geschöpf!

38

Jeden Abend ahn' ich dich,
wie du die mageren Händchen
in deinem einsamen Bette
emporringst zu dem Gott der alten Leute:
Gib ihn, gib ihn mir!

Du arme Geduld!
Er hat noch nie die Furchtsamen beglückt,
der alte Gott.
Er gab dir deinen Hunger, deine Hände:
greif zu und iß — dann dulde!

ÜBERMACHT

Wenn du fliehn willst, flieh! du kannst es noch;
bald ist es auch für dich zu spät.
Denn siehst du: Ich, ich brenne nach dir
mit einer Kraft, die mich schwach macht,
ich *zittre* nach dir.
Wie du nach mir! ja, Du! o Du!
du bist noch schwächer,
wehre dich nicht!
Über die grüne Wiese wolln wir rennen,
in den Wald,
Hand in Hand,
nackt,
unsre brennenden Stirnen bekränzt
mit den flatternden Blüten des wilden Mohns,
der glühenden Blume des Leichtsinns!

NUR

Und der Abschied war kein Ende,
und mein Blick bewegte dich;
und es war, als legte sich
still dein Herz in meine Hände.

Aber wenn du wiederkehrst,
will ich deine Hand nicht küssen;
will es nur empfinden müssen,
wie du deinem Herzen wehrst.

ABSCHIED OHN END

Und so muß ich dich nun doch beschwören:
flieh, o flieh mich — mich!
Ich — o sieh mich: ich
weiß, ich will und würde dich betören,
und du darfst, du darfst mir nicht gehören.
Flieh auch dich!

Kind mit deinen jetzt schon grauen Haaren,
sehr lieb klingt es: »wir« —
sehr trüb klingt es mir.
Deine Sehnsucht zählt noch nicht nach Jahren,
aber ich bin längst in mir erfahren
und in dir.

Alles will sich dir zu mir empören,
dir! Du freilich, sieh,
du glaubst heilig: nie!
Und ich weiß, es würde dich zerstören,
wenn wir diese Sehnsucht dann verlören.
Flieh mich! Flieh!

DANN

Wenn der Regen durch die Gosse tropft,
bei Nacht, du liegst und horchst hinaus,
kein Mensch kann ins Haus,
du liegst allein,
allein: o käm er doch! Da klopft
es, klopft, laut — hörst du? — leise, schwach
tönt's im Uhrgehäuse nach;
dann tritt Totenstille ein.

Noch eine Stunde, dann ist Nacht;
trinkt, bis die Seele überläuft,
    Wein her, trinkt!
Seht doch, wie rot die Sonne lacht,
die dort in ihrem Blut ersäuft;
    Glas hoch, singt!
Singt mir das Lied vom Tode und vom Leben,
djagloni gleia glühlala!
Klingklang, seht: schon welken die Reben.
Aber sie haben uns Trauben gegeben!
    Hei! —

Noch eine Stunde, dann ist Nacht.
Im blassen Stromfall ruckt und blinzt
    ein Geglüh:
der rote Mond ist aufgewacht,
da kuckt er übern Berg und grinst:
    Sonne, hüh!
Singt mir das Lied vom Tode und vom Leben:
Mund auf, lacht! Das klingt zwar sündlich,
klingklang, sündlich! Aber eben:
trinken und lachen *kann* man bloß mündlich!
    Hüh! —

Noch eine Stunde, dann ist Nacht;
wächst übern Strom ein Brückenjoch,
    hoch, o hoch.
Ein Reiter kommt, die Brücke kracht;
saht ihr den schwarzen Reiter noch?
    Dreimal hoch!!!
Singt mir das Lied vom Tode und vom Leben,
djagloni, Scherben, klirrlala!
Klingklang: neues Glas! Trinkt, wir schweben
über dem Leben, an dem wir kleben!
    Hoch! —

Weib und Welt

DAS IDEAL

Doch hab ich meine Sehnsucht stets gebüßt;
ich ging nach Liebe aus auf allen Wegen,
auf allen kam die Liebe mir entgegen,
drum hab ich meine Sehnsucht stets gebüßt.

Es stand ein Baum in einem Zaubergarten,
mit tausend Blüten gab er Duft und Schein,
und eine leuchtete vor allen rein;
es stand ein Baum in einem Zaubergarten.

Und aus den tausend pflückte ich die eine,
sie war noch schöner mir in meinen Händen,
so daß ich kniete, Dank dem Baum zu spenden,
von dem aus tausend ich gepflückt die eine.

Ich hob die Augen zu dem Zauberbaume,
und wieder schien vor allen Eine licht,
und meine welkte schon — ich dankte nicht;
ich hob die Augen zu dem Zauberbaume.

Doch hab ich meine Sehnsucht nie verlernt;
ich ging nach Liebe aus auf allen Wegen,
auf jedem glänzte mir ein andrer Segen,
drum hab ich meine Sehnsucht nie verlernt.

STIMME DES ABENDS

Die Flur will ruhn.
In Halmen, Zweigen
ein leises Neigen.
Dir ist, als hörst du
die Nebel steigen.

Du horchst — und nun:
dir wird, als störst du
mit deinen Schuhn
ihr Schweigen.

MANCHE NACHT

Wenn die Felder sich verdunkeln,
fühl ich, wird mein Auge heller;
schon versucht ein Stern zu funkeln,
und die Grillen wispern schneller.

Jeder Laut wird bilderreicher,
das Gewohnte sonderbarer,
hinterm Wald der Himmel bleicher,
jeder Wipfel hebt sich klarer.

Und du merkst es nicht im Schreiten,
wie das Licht verhundertfältigt
sich entringt den Dunkelheiten.
Plötzlich stehst du überwältigt.

AUS BANGER BRUST

Die Rosen leuchten immer noch,
die dunkeln Blätter zittern sacht;
ich bin im Grase aufgewacht,
o kämst du doch,
es ist so tiefe Mitternacht.

Den Mond verdeckt das Gartentor,
sein Licht fließt über in den See,
die Weiden schwellen still empor,
mein Nacken wühlt im feuchten Klee;
so liebt ich dich noch nie zuvor!

So hab ich es noch nie gewußt,
so oft ich deinen Hals umschloß
und blind dein Innerstes genoß,
warum du so aus banger Brust
aufstöhntest, wenn ich überfloß.

O jetzt, o hättest du gesehn,
wie dort das Glühwurmpärchen kroch!
Ich will nie wieder von dir gehn!
O kämst du doch!
Die Rosen leuchten immer noch.

AUFBLICK

Über unsre Liebe hängt
eine tiefe Trauerweide.
Nacht und Schatten um uns beide.
Unsre Stirnen sind gesenkt.

Wortlos sitzen wir im Dunkeln.
Einstmals rauschte hier ein Strom,
einstmals sahn wir Sterne funkeln.
Ist denn Alles tot und trübe?
Horch —: ein ferner Mund —: vom Dom —:

Glockenchöre... Nacht... Und Liebe...

KLAGE

In diesen welken Tagen,
wo Alles bald zu Ende ist,
sturmzerfetzte Sonnenblumen
über dunkle Zäune ragen,

Wolken jagen,
und den Boden flammenfarbne
Blätterstürze schlagen:

da müssen wir nun tragen,
was wir uns mußten sagen
in diesen welken Tagen.

DER FRÜHLINGSKASPER

Weil nun wieder Frühling ist,
Leute,
streu ich butterblumengelber Kasper
lachend
lauter lilablaue Asternblüten
hei, ins helle Feld!

Lilablaue Astern, liebe Leute,
Astern
blühn im deutschen Vaterland bekanntlich
bloß im Herbst.

Aber Ich, ich butterblumengelber Kasper,
streue,
weil nun wieder heller Frühling ist,
tanzend
tausend dunkelblaue Asternblüten
hei, in alle Welt!

GESANG VOR NACHT

Im großen Glanz der Abendsonne
schauert die See; sacht steigt die Flut.
Im großen Glanz der Abendsonne
ergreift auch mich die weite Glut.
Im großen Glanz der Abendsonne
braust immer feuriger mein Blut:
Noch steigt die Flut —
im großen Glanz der Abendsonne.

DER SCHWIMMER

Gerettet! Und er streichelt den Strand,
um den er rang mit dem wilden Meer;
noch peitscht der weiße Gischt seine Hand.
Und er blickt zurück aufs wilde Meer.

Und blickt um sich ins graue Land;
das liegt im Sturm, wie's vorher lag,
fest und schwer.

Da wirds nun sein wie jeden Tag.
Und er blickt zurück aufs wilde Meer ...

NACH EINEM REGEN

Sieh, der Himmel wird blau;
die Schwalben jagen sich
wie Fische über den nassen Birken.
Und du willst weinen?

In deiner Seele werden bald
die blanken Bäume und blauen Vögel
ein goldnes Bild sein.
Und du weinst?

Mit meinen Augen
seh ich in deinen
zwei kleine Sonnen.
Und du lächelst.

MEIN WALD

Der Herbst stürmt seine Tänze.
Durch dürre Blätter muß ich gehn
in meinen Wald.

In meinem lieben Wald,
wo nicht ein Baum mein eigen ist,
gehn fremde Leute durch den Wind
und sagen: es ist kalt.

Und da steht auch mein Stein,
auf dem ich manchmal sitze,
wenn mein Herz stürmt.

Unruhig steht der hohe Kiefernforst;
die Wolken wälzen sich von Ost nach Westen.
Lautlos und hastig ziehn die Krähn zu Horst;
dumpf tönt die Waldung aus den braunen Ästen.
Und dumpfer tönt mein Schritt.

Hier über diese Hügel ging ich schon,
als ich noch nicht den Sturm der Sehnsucht kannte,
noch nicht bei euerm urweltlichen Ton
die Arme hob und ins Erhabne spannte,
ihr Riesenstämme rings.

In großen Zwischenräumen, kaum bewegt,
erheben sich die graugewordnen Schäfte;
durch ihre grüngebliebnen Kronen fegt
die Wucht der lauten und verhaltnen Kräfte
wie damals.

Und eine steht, wie eines Erdgotts Hand
in fünf gewaltige Finger hochgespalten;
die glänzt noch goldbraun bis zum Wurzelstand
und langt noch höher als die starren alten
einsamen Stämme.

Durch die fünf Finger geht ein zäher Kampf,
als wollten sie sich aneinanderzwängen;
durch ihre Kuppen wühlt und spielt ein Krampf,
als rissen sie mit Inbrunst an den Strängen
einer verwunschnen Harfe.

Und von der Harfe kommt ein Himmelston
und pflanzt sich mächtig fort von Ost nach Westen.
Den kenn ich tief seit meiner Jugend schon:
dumpf tönt die Waldung aus den braunen Ästen:
komm, Sturm, erhöre mich!

Wie hab ich mich nach einer Hand gesehnt,
die mächtig ganz in meine würde passen!
wie hab ich mir die Finger wund gedehnt!
die ganze Hand, die konnte Niemand fassen!
Da ballt ich sie zur Faust.

Ich habe mit Inbrünsten jeder Art
mich zwischen Gott und Tier herumgeschlagen.
Ich steh und prüfe die bestandne Fahrt:
nur Eine Inbrunst läßt sich treu ertragen:
zur ganzen Welt.

Komm, Sturm der Allmacht, schüttel den starren Forst!
schüttelst auch mich, du urweltliches Treiben.
In scheuen Haufen ziehn die Krähn zu Horst.
Gib mir die Kraft, einsam zu bleiben,
Welt! —

STÖRUNG

Und wir gingen still im tiefen Schnee,
still mit unserm tiefen Glück,
gingen wie auf Blüten,
als die arme Alte
uns anbettelte.
Und du sahst wohl nicht,
als du ihr die Hände drücktest
und dich liebreich zu ihr bücktest,
wie durch ihr zerrissenes Schuhzeug
ihre aufgeborstnen
blauen Füße glühten.
Ja, ein Mensch geht barfuß
im eignen Blut durch Gottes Schnee,
und wir gehen auf Blüten.

ENTHÜLLUNG

Du sollst nicht dulden, daß dein Schmerz dich knechte;
du bist so gern vor Freude wild.
Komm vor den Spiegel! — O, wie schwillt
dein düstres Haar, wie lebt dein Bild,
wie blüht dein Mund —: als wenn durch Nächte
der Blitze bläuliches Geflechte,
der Honigduft der roten Disteln quillt!

Dein weißes Kleid ist wie zum Hohne
mit türkischen Märchenblumen toll durchzackt.
Ich träume dich auf schwarzem Throne.
Du bist verschleiert bis zur Krone.
Doch wärst du keusch wie Magelone,
wir Träumer sehen alles nackt!

Gib her, gib her den Trauerschleier,
ich reiß ihn lachend dir entzwei!
Ich bin dein Einziger, dein Befreier,
dein Herr! — Was starrst du so ins Feuer,
so schmerzhaft? — O verzeih — verzeih —

GLEICHNIS

Es ist ein Brunnen, der heißt Leid;
draus fließt die lautre Seligkeit.
Doch wer nur in den Brunnen schaut,
den graut.

Er sieht im tiefen Wasserschacht
sein lichtes Bild umrahmt von Nacht.
O trinke! da zerrinnt dein Bild:
Licht quillt.

JESUS BETTELT

Schenk mir deinen goldnen Kamm;
jeder Morgen soll dich mahnen,
daß du mir die Haare küßtest.
Schenk mir deinen seidnen Schwamm;
jeden Abend will ich ahnen,
wem du dich im Bade rüstest —
oh, Maria!

Schenk mir Alles, was du hast;
meine Seele ist nicht eitel,
stolz empfang ich deinen Segen.
Schenk mir deine schwerste Last:
willst du nicht auf meinen Scheitel
auch dein Herz, dein Herz noch legen —
Magdalena?

HOCHSOMMERLIED

Golden streift der Sommer meine Heimat,
brotwarm schwillt das hohe reife Korn,
wie in meiner goldnen Kinderzeit;
habe Dank, geliebte Erde!

Schwalben rufen mich hinauf ins Blaue,
weiße Wolken türmen Glanz auf Glanz,
wie in meiner blauen Jünglingszeit;
habe Dank, geliebte Sonne!

MIT HEILIGEM GEIST

Liebe Mutter! mir träumte heute
von der Insel der seligen Leute.
Da saß auf einem Hügel der Au
eine nackte gekrönte Frau;
in ihrem Herzen stak ein Schwert,
aber sie lachte unversehrt.
Denn neben ihrem natürlichen Thron
stand ihr lieber großer Sohn;
in seinen Fingern, voll Sonnenglanz,
hing ein blutiger Dornenkranz.
Der begann sich mit grünen Spieren
und raschen Blüten zu verzieren;
und umringt von den seligen Leuten,
die sich an dem Wunder freuten,
suchte mir Er die Blumen aus
zu einem leuchtenden Osterstrauß.

Den umflocht er mit blauem Bande
von seiner Mutter früherm Gewande
und gab ihn mir und sprach dazu:
Sag Deiner lieben Mutter du,
weil ihr auf Erden niemals wißt,
wann die Zeit erfüllet ist,
sollt ihr immer glauben und hoffen,
der Tag sei endlich eingetroffen.
Und bis einst jedes Weib gewinnt
den rechten Vater für ihr Kind,
soll jede Irrende die Treue
dem falschen brechen ohne Reue,
soll ihre Sehnsucht nicht verfluchen,
ihren Qualen den Heiland suchen
und seinen liebenden Gewalten
Leib wie Seele empfänglich halten.
Wenn das mit heiligem Geist geschehn,
wird sie die Heimsuchung bestehn,
wie meine Mutter sie bestand,
beseligt im Gelobten Land.

DURCH DIE NACHT

Und immer Du, dies dunkle Du,
und durch die Nacht dies hohle Sausen;
die Telegraphendrähte brausen,
ich schreite meiner Heimat zu.

Und Schritt für Schritt dies dunkle Du,
es scheint von Pol zu Pol zu sausen;
und tausend Worte hör ich brausen
und schreite stumm der Heimat zu.

Still, es ist ein Tag verflossen.
Deine Augen sind geschlossen.
Deine Hände, schwer wie Blei,
liegen dir so drückend ferne.
Um dein Bette schweben Sterne,
dicht an dir vorbei.

Still, sie weiten dir die Wände:
Gib uns her die schweren Hände,
sieh, der dunkle Himmel weicht —
Deine Augen sind geschlossen —
still, du hast den Tag genossen —
dir wird leicht — —

Die Verwandlungen der Venus

VENUS PRIMITIVA

O daß der Kuß doch ewig dauern möchte
— starr stand, wie Binsen starr, der Schwarm der Gäste —
der Kuß doch ewig, den ich auf die Rechte,
tanztaumelnd dir auf Hals und Brüste preßte!

Nein, länger duld' ich nicht dies blöde Sehnen,
ich *will* nicht länger in verzücktem Harme
die liebekranken Glieder nächtens dehnen;
o komm, du Weib! — *Weib!* betteln meine Arme.

O komm! noch fühlt dich zitternd jeder Sinn,
vom heißen Duft berauscht aus deinem Kleide;
noch wogt um mich, du Flammenkönigin,
und glüht im Aschenflor die Kupferseide.

Gieß aus in mich die Schale deiner Glut!
Befrei mich von der Sünde: von dem Grauen
vor dieses Feuerregens wilder Brut,
von diesen Wehn, die wühlend in mir brauen!

Es schießt die Saat aus ihrem dunklen Schoß,
die lange schmachtend lag in spröder Hülle;
ich will mich lauter blühn, lauter und los
aus dieser Brünstigkeit, zu Frucht und Fülle!

Ja, komm! satt bin ich meiner Knabenlust.
Komm, komm, du Weib! Nimm auf in deine Schale
die Furcht, die Sehnsucht dieser jungen Brust!
Noch trank ich nie den Rausch eurer Pokale.

Auf Nelkendüften kommt die Nacht gezogen;
o kämst auch Du so süß und so verstohlen,
so mondesweiß! O sieh: auf Sammetwogen,
auf Purpurflaum, auf schwärzeste Violen

will ich dich betten — oh — dich an mich betten,
daß alle meine Mächte an des Weibes
blendenden Göttlichkeiten sich entketten,
hinschwellend in den Teppich deines Leibes.

VENUS SOCIA

Da gabs Branntwein und Bier,
im Spelunkenrevier,
und ein Lied scholl rührend durch die Tür;
und das sangen und spielten die traurigen Vier,
ein Vater mit seinen drei Töchtern.
Er stand am Ofen, die Geige am Kinn,
schief neben ihm hockte die Harfnerin,
und die Jüngste knixte und schloß ihr Lied,
die Geige machte ti-flieti-fliet:
»War Eine, die nur Einen lieben kunnt.«

Die dritte ging stumm
mit dem Teller herum,
ums polternde Billard, blaß und krumm;
und nun drehte der Alte die Fiedel um
und klappte darauf mit dem Bogen.
Und auf einmal schwieg der Keller ganz,
die Jüngste hob die Röcke zum Tanz;
die Harfe machte ti-plinki-plunk,
und die Jüngste war so kinderjung
und sang zum Tanz ein wüstes Hurenlied.

Sie sang's mit Glut,
das zarte Blut;
und der schwarze zerknitterte Roßhaarhut
stand zu der plumpen Harfe gut,
mit den weißen papiernen Rosen.
Laut schrillten die Saiten tiflieti-plunk,
und Alle beklatschten den letzten Sprung,
und vor mir stand die Tellermarie.
»Spielt mir noch einmal«, bat ich sie,
»War Eine, die nur *Einen* lieben kunnt«! —

O meine bleiche Braut! du blasse Wolke
im Arm des Sturms! du bebend Haupt,
an meine Brust geneigt aus deinen Schleiern:
erbleichst, erbebst du *mir?*
O nun erglühst du, heimlich Willige du,
nun öffnest du die herzverklärten Augen!
nun ringt sich von den Lippen dir mein Name,
und inniger küß ich dich — wir sind allein.

Allein. O komm, das Licht der Ampel
wirft Schatten; komm! heut soll kein Schatten sein,
heut sollen alle, alle Lichter leuchten,
in einer See von Licht sollst du mir schwimmen,
du weiße Möwe meine! Flüchte nicht:
sieh, selbst dem keuschen Himmel noch verwehr ich
zu lauschen — horch: der Vorhang rauscht, o *komm!*
und jeden Spalt verschließ ich faltenschwer,
daß nicht die Nacht, die silbern blauende,
erröte, muß sie deine Schönheit dulden,
daß nicht der Sterne reine Glut
sich neidisch trübe, sehn sie Deine Reinheit.

Tu ab die Myrtenkrone, den Gürtel, komm,
du bist allein! Die jungen Rosen nur,
schlaftrunken über unser Bett gebeugt,
spinnen duftbange Träume
von purpurner Entfaltung scheuer Knospen;
die Rosen nur — und ich.

Und wie in Träumen, wie auf Düften leicht,
von Licht zu Licht mit leuchtenden Händen gleit' ich
und winke — und du kommst.
Da sinken und schwinden
hell von uns weg die irdischen Hüllen alle:
aus seidnen Wogen steigst du her zu mir,
und Brust an Brust gedrängt von blendenden Schauern,
von goldnen Dunkelheiten weit umwölkt,
wiegen uns fernhintastende Schwingen
Schoß an Schoß hinüber
in die Gärten der Ewigkeit.

Flammen der Sehnsucht wachsen da,
glühende Bäche voller Erfüllung treiben
da in Eins die einsam pulsenden Seelen,
Puls in Puls in Glanz ergossen verbluten
heimwehwild die zuckenden Wünsche,
hoch auf strudelt todesselig der Wille,
dürstend umsaust ihn der Odem der Allmacht,
und den weltdurchfurchenden Fittig senkt die Inbrunst,
auszuruhn vom Fluge am Herzen Gottes:
still in matter Hand
beut sie die flimmernden Tropfen
seinem befruchtenden Anhauch dar: ich fühle
— fühlst du? Geliebte — die Quellen des Lebens rinnen!
Mund an Mund Ihm: trinke! Trunken
stamml' ich nach
das Schöpferwort.

VENUS OCCULTA

Ist das noch die große Stadt,
dies Geraune rings im Grauen?
diese Männer, diese Frauen,
kaum erschienen, schon verschwunden;
und die Sonne steht so matt
wie ein kleiner, rotgewordner Mond da.

Drück dich dichter an mich an,
wie der Nebel an die Mauern!
Keiner stört den stillen Bann,
wenn wir Blick in Blick erschauern.
Sieh, wir schreiten wie vermummt in Weihrauch;
jeder wilde Laut wird stumm.

Hebe deine dunkeln Schleier,
daß dein Atem mich erquickt!
Keiner stört die stille Feier,
wenn sich uns in diesem Dunste
fester Hand in Hand verstrickt.
Diese Straße mündet in den Himmel.

Oder weißt du, wo wir sind?
Küsse mir die Augenbrauen!
küsse mir die Seele blind!
Diese tote Stadt ist Babel,
und ihr blasser Dampf umspinnt
eine tausendjährig trübe Fabel.

Alle Farben sind ertrunken.
Nur auf deinem schwarzen Haare
flimmern noch die Purpurfunken
deines Hutes aus Paris,
rot wie unsre Lippenpaare;
und mein blauer Wettermantel raschelt.

Du, was träumst du? Deine Augen
waren eben wie zwei Kohlen,
die sich von der Glut erholen;
ja, du bist Semiramis!
Und in seinem dunkelblauen Mantel
führt dein Odin dich ins Paradies.

Zwar, wir mußten durch viel dumpfe Gassen,
bis der Gott zu seiner Göttin kam;
und du hast manch braven Mann,
ich manch gutes Weib verlassen.
Aber dies ist unsre letzte Irrfahrt;
drück dich dichter an mich an!

Sag mir — Nein: horch! was für Töne?
warum stehn wir so erschrocken?
Dies verhaltene Gestöhne
aus den Wolken, dies Gedröhne,
kannst du diesen Lärm begreifen? —
Komm nach Hause, Fürstin! das sind Glocken.

Vor verschiednen hundert Jahren
herrschte hier ein Gott der Leiden
über traurige Barbaren.
Komm, wir wolln die Götter trösten,
daß sie sich in Dunst auflösten,
wir zwei seligen, verirrten Heiden.

Nun weißt du, Herz, was immer so
in deinen Wünschen bangt und glüht,
wie nach dem ersten Sonnenschimmer
die graue Nacht verlangt und glüht;
und was in deinen Lüsten
nach Seele dürstet wie nach Blut,
und was dich jagt von Herz zu Herz
aus dumpfer Sucht zu lichter Glut.

In früher Morgenstunde
hielt heut ein Alb mich schwer umstrickt:
Aus meinem Herzen wuchs ein Baum,
o wie er drückt! und schwankt! und nickt!
Sein seltsam Laubwerk tut sich auf,
und aus den düstern Zweigen rauscht
mit großen heißen Augen
ein junges Vampyrweib — und lauscht.

Da kam genaht und ist schon da
Apoll im Sonnenwagen.
Es flammt sein Blick den Baum hinan;
die Vampyrbraut genießt den Bann
mit dürstendem Behagen.
Es sehnt sein Arm sich wild empor,
vier Augen leuchten trunken;
das Nachtweib und der Sonnenfürst,
sie liegen hingesunken.

Es preßt mein Herz die schwere Last
der üppigen Sekunden.
Es stampft auf mir der Rosse Hast;
er hat sich ihr entwunden.
Schon schwillt ihr Bauch von seiner Frucht,
hohl fleht ihr Auge: bleibe!
Er stößt sie sich vom Leibe,
von Ekel zuckt des Fußes Wucht,
hin rast des Wagens goldne Flucht.

Es windet sich im Krampfe
und stöhnt das graue Mutterweib.
Mit ihren Vampyrfingern gräbt
sie sich den Lichtsohn aus dem Leib.
Er ächzt — ein Schrei — Erbarmen —: Ich,
mich hält der dunkle Arm umkrallt!
Da bin ich wach — — doch hör ich,
wie noch ihr Fluch und Segen hallt:

Drum sollst du dulden, Mensch, dein Herz,
das so von Wünschen bangt und glüht,
wie nach dem ersten Sonnenschimmer
die graue Nacht verlangt und glüht;
und sollst in deinen Lüsten
nach Seele dürsten wie nach Blut,
und sollst dich mühn von Herz zu Herz
aus dumpfer Sucht zu lichter Glut!

VENUS FANTASIA

Leih mir noch Einmal die leichte Sandale;
sage, wer bist du, holde Gestalt?
Reich mir die volle, die funkelnde Schale,
die du mir fülltest so viele Male!
Bist du die Jugend? Werde ich alt?

O! dann fülle die funkelnde Schale;
warum entweichst du mit aller Gewalt?
Leihe, o leih mir deine Sandale!
Willst du enteilen mit einem Male,
weil ich Tor dich einst Törin schalt?

Jetzt, jetzt preis' ich die leichte Sandale;
horch, o horch, wie mein Loblied schallt!
Reich mir noch Einmal die volle Schale!
Laß sie mich schlürfen zum letzten Male,
eh du enteilt bist — o halt! halt! halt! —

Da kam Stern Lucifer; und meine Nacht
erblaßte scheu vor seiner milden Pracht.
Er schien auf meine dunkle Zimmerwand,
und wie aus unerschöpflicher Phiole
durchflossen Silberadern die Console,
die schwarz, seit lange leer, im Winkel stand.

Auf einmal fing die Säule an zu leben,
und eine Frau erhob sich aus dem Glanz;
die trug im schwarzen Haupthaar einen Kranz
von hellen Rosen zwischen grünen Reben.
Ihr Morgenkleid von weißem Sammet glänzte
so sanft wie meine Heimatflur im Schnee,
die Rüsche aber, die den Hals begrenzte,
so blutrot wie die Blüte Aloe;
und ihre Augen träumten braun ins Tiefe,
als ob da Sehnsucht nach dem Südmeer schliefe.
Sie breitete mir beide Arme zu,
ich sah erstaunt an ihren Handgelenken
die starken Pulse springen und sich senken,
da nickte sie und sagte zu mir: Du —
du bist mühselig und beladen, komm:
wer viel geliebt, dem wird auch viel verziehen.
Du brauchst das große Leben nicht zu fliehen,
durch das dein kleines lebt. O komm, sei fromm!

Und schweigend lüpfte sie die rote Rüsche
und nestelte an ihren seidnen Litzen
und öffnete das Kleid von weißem Plüsche
und zeigte mir mit ihren Fingerspitzen,
die zart das blanke Licht des Sternes küßte,
die braunen Knospen ihrer bleichen Brüste,
dann sprach sie weiter: Sieh! dies Fleisch und Blut,
das einst den kleinen Heiland selig machte,
bevor ich an sein großes Kreuz ihn brachte,
Maria, ich, die Nazarenerin —
o sieh, es ist des selben Fleisches Blut,
für das der große Heiland sich erregte,

bevor ich in sein kleines Grab ihn legte,
Maria, ich, die Magdalenerin —
komm, stehe auf, und sieh auch Meine Wunden,
und lerne dich erlösen und gesunden!

Und lächelnd ließ sie alle Kleider fallen
und dehnte sich in ihrer nackten Kraft;
wie heilige Runen standen auf der prallen
Bauchhaut die Narben ihrer Mutterschaft
in Linien, die verliefen wundersam
bis tief ins schwarze Schleierhaar der Scham.
Da sprach sie wieder und trat her zu mir:
Willst du mir nicht auch in die Augen sehn?!
Und meine Blicke badeten in ihr.

Und eine Sehnsucht: du mußt untergehn,
ließ mich umarmt durch tiefe Meere schweben,
mich selig tiefer, immer tiefer streben,
ich glaubte auf den Grund der Welt zu sehn —
weh schüttelt mich ein nie erlebtes Leben,
und ihren Kranz von Rosen und von Reben
umklammernd, während wir verbeben,
stamml' ich: o auf — auf — auferstehn! —

Nachdichtungen

DIE UMWORBENE
Nach Pierre Louys

Der Erste hat mir einen Schmuck geschenkt,
einen Schmuck aus Perlen, der eine kleine Stadt wert ist,
samt den Denkmälern und der Kirche,
dem Rathaus und der Steuerkasse.

Der Zweite hat mir Verse gemacht.
Er hat gesagt, ich sei viel holder
als eine Seerose im Morgenrot
und scheuer als der Abendwind.

Der Dritte war so schön,
daß seine Schwester sich umgebracht hat,
weil er sie nicht mehr küssen wollte.
Ich hätt ihm nur zu winken brauchen.

Du, du hast mir nichts gesagt.
Du hast mir nichts geschenkt, denn du bist arm.
Und bist nicht schön.
Aber dich liebe ich.

LIED KASPAR HAUSERS
Nach Verlaine

Ich kam so fromm, ein Waisenkind,
das nichts als seine stillen Augen hat,
zu den Leuten der großen Stadt;
sie fanden mich zu blöd gesinnt.

Mit zwanzig Jahren ward ich klug
und fand die Frauen schön und gut;
sie nennen das die Liebesglut.
Ich war den Frauen nicht schön genug.

Ohne Vaterland und Königshaus,
und wohl auch kein sehr tapfrer Held,
wollt ich den Tod im Ehrenfeld;
der Hauptmann schickte mich nach Haus.

Kam ich zu früh, kam ich zu spät
in diese Welt? Was soll ich hier!
Ach Gott, ihr lieben Leute ihr,
sprecht für den Kasper ein Gebet!

DER HERR DER LIEBE
Nach Dante

An Jeden, der mit edlem Geist dem Bunde
der Himmelsmächte dient in Erdentalen
und willig dartut, was sie anbefahlen,
ergeht vom Geist der Liebe meine Kunde.

Es war zur Nacht und schon die vierte Stunde,
da sah ich plötzlich Alles um mich strahlen,
und vor mir stand der Herr der Liebesqualen,
sein Blick entsetzte mich bis tief zum Grunde.

Erst schien er fröhlich. In der Hand, der einen,
hielt er mein Herz; auf seinem Arm indessen
schlief meine Herrin, blaß, in rotem Leinen.

Er weckte sie, und ließ sie von dem kleinen
und völlig glühenden Herzen schüchtern essen,
Darauf entwich er mir mit lautem Weinen.

DER TOTE HUND
Nach Nizami

Der Herr Jesus, auf seiner Wanderschaft,
betrat einen Markt, wurde sehr begafft.
Nur ein toter Hund, schon halb verfault,
wurde noch mehr begafft und bemault.

63

Da lag er — und rings um die üble Gestalt
machten die Menschen wie Aasgeier halt.
Puh! sprach einer: mir wird ganz krank
von dem entsetzlichen Gestank.
Ein zweiter sprach: er stinkt zwar sehr,
aber der Anblick entsetzt noch mehr.
So gaffte jeder aus anderm Grund,
doch alle schmähten den toten Hund.
Da trat Jesus unter den Schwarm;
hell hob sich über den Leichnam sein Arm.
Seht! sprach er und stand voll Sonnenschein:
seine Zähne sind wie Perlen rein!
Und lächelte — daß alle, die's erlebten,
durchglühten Schlacken gleich erbebten.

CHINESISCHES TRINKLIED
Nach Li-Tai-Pe

Der Herr Wirt hier — Kinder, der Wirt hat Wein!
Aber laßt noch, stille noch, schenkt nicht ein:
ich muß euch mein Lied vom Kummer erst singen!
Wenn der Kummer kommt, wenn die Saiten klagen,
wenn die graue Stunde beginnt zu schlagen,
wo mein Mund sein Lied und sein Lachen vergißt,
dann weiß Keiner, wie mir ums Herz dann ist,
dann wollen wir die Kannen schwingen —
    die Stunde der Verzweiflung naht.

Herr Wirt, dein Keller voll Wein ist dein,
meine lange Laute, die ist mein,
ich weiß zwei lustige Dinge:
zwei Dinge, die sich gut vertragen:
Wein trinken und die Laute schlagen!
Eine Kanne Wein zu ihrer Zeit
ist mehr wert als die Ewigkeit
und tausend Silberlinge! —
    Die Stunde der Verzweiflung naht.

Und wenn der Himmel auch ewig steht
und die Erde noch lange nicht untergeht:
wie lange, du, wirst Du's machen?
du mitsamt deinem Silber-und-Goldklingklange?
kaum hundert Jahre! das ist schon lange!
Ja, leben und dann mal sterben, wißt,
ist Alles, was uns sicher ist;
Mensch, ist es nicht zum Lachen?! —
    Die Stunde der Verzweiflung naht.

Seht ihr ihn? seht doch, da sitzt er und weint!
Seht ihr den Affen? da hockt er und greint
im Tamarindenhain — hört ihr ihn plärren?
über den Gräbern, ganz alleine,
den armen Affen im Mondenscheine? —
Und jetzt, Herr Wirt, die Kanne zum Spund!
jetzt ist es Zeit, sie bis zum Grund
auf Einen Zug zu leeren —
    die Stunde der Verzweiflung naht.

LIED DES VOGELFREIEN DICHTERS
Nach François Villon

Ich sterbe dürstend an der vollen Quelle;
ich, heiß wie Glut, mir zittert Zahn an Zahn.
Frostklappernd sitz ich an der Feuerstelle,
in meinem Vaterland ein fremder Mann.
Nackt wie ein Wurm, geschmückt wie Tamerlan,
lach ich in Tränen, hoffe voller Leid
und schöpfe Trost aus meiner Traurigkeit,
ein Mann voll Macht, ein Mann in Acht und Bann,
und meine Not ist meine Seligkeit —
ich, höchst beliebt, verschrien bei Jedermann.

Nichts ist mir sicher als das nie Gewisse,
und dunkel nur, was allen andern klar;
und fraglich nichts als das für sie Gewisse,
denn nur der Zufall meint es mit mir wahr.
Gewinner stets, verspiel ich immerdar.
Mein Frühgebet: Gott, mach den Abend gut!

Im Liegen vor dem Fallen auf der Hut,
bin reich ich, der ich nichts verlieren kann,
und hoff auf Erbschaft, ich, ein rechtlos Blut —
ich, höchst beliebt, verschrien bei Jedermann.

Nichts macht mir Sorge als mein bös Begehren
nach Glück und Gut, doch pfeif ich drauf zumeist.
Wer auf mich schimpft, tut mir die größten Ehren;
der Wahrste ist, wer mich mit Lügen speist.
Mein Freund ist, wer mir klipp und klar beweist:
ein grauer Kater ist ein bunter Pfau.
Und wer mir schadet, lehrt mich: Du, Dem trau!
Wahrheit, Lug, Trug, mir Alles Eins fortan;
begreif ich's nicht, behalt ich's doch genau —
ich, höchst beliebt, verschrien bei Jedermann.

LIED DER GEHENKTEN
Villons Epitaph
als er nebst Etlichen zum Galgen verurteilt war

O Mensch, o Bruder, machst du hier einst Rast,
Verhärte nicht dein Herz vor unsrer Pein;
denn wenn du Mitleid mit uns Armen hast,
wird Gott der Herr dir einst gewogen sein.
Hier hängen wir, so Stücker acht bis neun;
ach, unser Fleisch, einst unser liebst Ergetzen,
jetzt ist es längst verfault und hängt in Fetzen,
samt unsern Knochen fast zu Staub zerfallen.
Doch wolle Keiner seinen Witz dran wetzen —
nein: bittet Gott, daß er verzeih uns Allen!

Mißachte, Bruder, nicht dies unser Flehn;
du weißt ja, der du unser Bruder bist,
obgleich uns nach Gesetz und Recht geschehn,
daß nicht ein jeder Mensch vernünftig ist.
Verwende dich von Herzen als ein Christ
beim Sohn der Jungfrau, daß er seine Gnade,
da wir nun tot sind, auch auf uns entlade
und uns behüte vor des Satans Krallen.
Die Seele, Bruder, stirbt nicht mit am Rade —
ja: bittet Gott, daß er verzeih uns Allen!

Sturzregen haben unsern Leib zerspült,
Die Sonne uns geschwärzt und ausgedörrt,
Krähn, Raben uns die Augen ausgewühlt,
uns Bart und Brauen aus der Haut gezerrt.
Niemals, kein Stündchen Ruh am warmen Herd;
nur wipp und wapp, und immer wipp wapp wieder,
umschwärmt von Krähn, die Winde um die Glieder,
zerhackt, zerlöcherter als Hosenschnallen!
Ja: vor Uns Brüdern seid ihr sicher, Brüder —
doch: bittet Gott, daß er verzeih uns Allen!

RUHE
Nach Verlaine
Auf die Nachricht vom Tode des Dichters

Ein großer schwarzer Traum
legt sich auf mein Leben;
Alles wird zu Raum,
Alles will entschweben.

Ich kann nichts mehr sehn,
all das Gute, Schlimme;
kann dich nicht verstehn,
o du trübe Stimme.

Eine dunkle Hand
schaukelt meinen Willen,
glättet mein Gewand,
still im Stillen.

HELLE NACHT
Nach Verlaine

Weich küßt die Zweige
der weiße Mond.
Ein Flüstern wohnt
im Laub, als neige,
als schweige sich der Hain zur Ruh:
Geliebte du —

Der Weiher ruht, und
die Weide schimmert.
Ihr Schatten flimmert
in seiner Flut, und
der Wind weint in den Bäumen:
Wir träumen — träumen —

Die Weiten leuchten
Beruhigung.
Die Niederung
hebt bleich den feuchten
Schleier hin zum Himmelssaum
o hin — o Traum — —

Die Menschenfreunde

Drama in drei Akten

PERSONEN

CHRISTIAN WACH, ein Multimillionär
JUSTUS WACH, sein Vetter, Kriminalkommissar
DIE ALTE ANNE, Wirtschafterin bei Christian
EIN GEHEIMER SANITÄTSRAT
EIN OBERBÜRGERMEISTER
EIN OBERREGIERUNGSRAT
EIN REGIERUNGSPRÄSIDENT
EIN MINISTER

Alle männlichen Personen treten in schwarzem Gehrock auf, die Wirtschafterin in schwarz-und-weißer Schwesterntracht. Der Dialog hat langsames Tempo.

ZEIT

Sommer, Herbst, Winter 1913, alle drei Akte vormittags.

ORT

Empfangszimmer bei Christian Wach.

Sehr einfach ausgestattet, fast dürftig, mit altmodischen Möbeln. Nirgends Spiegel noch Bilder; nur in der Mitte der Hintergrundswand, über einem halbhohen Bücherbord, hängt das Porträt einer älteren Dame mit hageren Zügen und auffälligen Augen, lebensgroße verblaßte Photographie. Links im Hintergrund Eingangstür, vorn ein schlichter Kamin mit Standuhr. In der Seitenwand rechts ein Fenster mit verschossenen Vorhängen; daneben ein Lehnstuhl aus dunklem Korbgeflecht und ein kleiner Lesetisch. In der Mitte des Zimmers ein größerer runder Tisch mit drei Stühlen aus dunklem Holz. Rechts und links immer vom Zuschauer aus.

Erster Akt

CHRISTIAN WACH *(sitzt lesend am Fenster, von der Vormittagssonne be-glänzt):* — — Also auch der Galneggy hat seine Milliarde mit Menschen-schinderei erworben — eh er Millionen verschenken konnte — *(nickt vor sich hin und klappt das Buch zu)* — schauerlich! — —

DIE ALTE ANNE *(tritt ins Zimmer, einen hellroten Rosenstrauß in der einen Hand, in der andern eine weiße Serviette und schlichte blaue Glasvase):* So, Herr Christian, wenn Sie auch schelten, ich gratuliere zum fünfzig-sten Geburtstag. Kostet nur dreißig Penning bitte; der ganze Markt war voll Bauernrosen, ich konnt der Sommerfreude nit widerstehn und dem erquickenden Geruch. *(Sie legt die Serviette auf den Tisch, setzt die Vase mit dem Strauß darauf.)* Nun machen Sie mal ein helles Gesicht, wie sich's gehört zu den schönen Blumen und dem Geburtstagssonnen-schein!

CHRISTIAN *(ist aufgestanden und hat das Buch in den Wandbord gestellt):* Ich danke dir, Anne, du meinst es gut; aber du weißt, mich peinigt solche Verschwendung. Für die dreißig Pfennig hättest du besser einem Bettel-kind etwas zu essen gekauft.

ANNE: Ja, das hätt sich wohl mehr gefreut als Sie. Ach, Herr Christian, geb Ihnen Gott ein bißchen Kindersinn zurück! Dann würden Sie bald auch wieder gesund werden.

CHRISTIAN *(unruhig hin und her, Kopf gesenkt, Hände auf dem Rücken, in der Erregtheit zuweilen stotternd, aber stets mit Zurückhaltung):* Lala-laß das Gerede, ich bin nicht krank; ich spüre bloß, daß ich alt werde.

ANNE: Weil Sie nicht auf mich hören, Sie junger Mann. Mich drücken meine Jahre nicht; und könnt doch fast Ihre Mutter sein, mit meinen beinah sechsundsechzig. Nehmen Sie sich ein Kind ins Haus, wenn Sie durchaus keine Frau nehmen wollen!

CHRISTIAN: Bist doch auch ledig geblieben, alte Anne.

ANNE: Ich — was wissen denn Sie davon? Bloß daß mich leider keiner hei-raten wollt, mit meinem Huckepack auf'm Rücken; da hab ich halt Kin-der und Kranke gepflegt.

CHRISTIAN: Dein Rücken ist nicht viel krummer als meiner. Was siehst du mich wieder so auffällig an?!

ANNE: Ja, nehm Ihnen Gott Ihren Huckepack von der Seele —

CHRISTIAN *(heftig):* Lala-laß mich in Ruhe mit deinem Gott! *(sich bezwin-*

gend) Sein Reich ist nicht von dieser Welt. — *(Nach dem Porträt hinüberdeutend)* Geh, stell den Strauß da auf den Sims.

ANNE: Was! Meine Rosen da unter das Bild?

CHRISTIAN: Geh, tu mir die Liebe, ich bitte dich.

ANNE: Neun Jahre liegt sie nun unter der Erde, und immer noch spukt sie Ihnen im Hirn, als hätten Sie Angst vor ihrem geizigen Blick. Das ist ja Narrheit, Herr Christian!

CHRISTIAN: Nein, das ist Dankbarkeit, Anne, versteh doch! Du weißt, ich habe seit Tante Brigittens T-Tod über das menschliche Elend nachdenken lernen; und wenn ich nun die v-vielen Millionen, die sie mir hinterlassen hat, nicht gerade in ihrem sparsamen Sinne verwende —

ANNE: Gott sei Dank —

CHRISTIAN: — dann muß ich ihr doch tatsächlich im stillen gewissermaßen Abbitte leisten; sozusagen als ihr Scha-Schuldiger, wie's im Vahahahater-unser heißt.

ANNE: Spotten Sie nicht, Herr Christian! Und meinen Rosenstrauß stell ich *nicht* da hinüber. Hab ihn auch gar nit bloß Ihnen zulieb gekauft. Wenn nachher die Herren gratulieren kommen —

CHRISTIAN: Was soll das heißen! ich hab dir ausdrücklich gesagt, daß du niemand vorlassen sollst!

ANNE: Doch nur die Herren von der Regierung; die kann man doch nit vor den Kopf stoßen. Und dann muß es hier doch ein bißchen freundlich aussehn. Auch ein Fläschchen Tokayer hab ich noch mitgebracht; man muß doch ein Gläschen Wein anbieten.

CHRISTIAN *(mit dem Fuß aufstampfend):* Du wirst mich w-wirklich noch krank machen, Anne! Du trägst die Faffa-Falasche zum Krämer zurück! *(Da Anne Miene zum Widerspruch macht)* Du trägst sie zurück! ich will's, sag ich dir!

ANNE: Wenn ich Sie damit beruhigen kann —?

CHRISTIAN *(wieder durchs Zimmer wandernd):* Wenn ich mir selber keinen W-Wein spendiere, bin ich dem Bürgermeister auch keinen schuldig! — Kannst die Flasche aber für *Dich* behalten. Hast wenig genug vom Leben bei mir.

ANNE: Ihr gutes Herz in Ehren, Herr Christian; ich hab noch nichts entbehrt bei Ihnen. Aber trotz all Ihrer Wohltätigkeit: manchmal scheint's fast, die selige Tante hat Ihnen auch was von ihrem Geiz vererbt.

CHRISTIAN: Scheint's fast? Ha-hat sie? Was scheint dir denn sonst noch?

ANNE: Wenn ich denk, wie Sie früher mitteilsam waren! Der Herr Sanitätsrat ist auch der Meinung: wenn Sie ab und zu ein Gläschen sich gönnen wollten, das würd Sie wieder umgänglich machen. *(Auf die Bibliothek weisend)* Ihre Bücher machen Sie bloß immer menschenscheuer; Sie sprechen ja manchmal tagelang kein überflüssiges Wörtchen mehr.

CHRISTIAN: Also meine einzige Freude gönnst du mir nicht; die l-letzte, die ich mir noch erlaube!

ANNE: Aber nein, wie Sie reden — ich mein doch bloß: Sie holen sich *keine* Freude draus. Über Büchern läßt man den Kopf hängen; man holt sich bloß seine eignen Grillen draus.

CHRISTIAN *(wieder aufstampfend):* Schweig! — Schweig, sag' ich dir, ich hab genug! — Ich hab mir das l-l-längst schon selber gesagt; ich werde morgen die Bücher verkaufen.

ANNE: Aber liebster bester Herr Christian!

CHRISTIAN: Ich *werd's,* sag ich dir!

ANNE: Jaja doch, gewiß doch. Aber bitte, lieber Herr Christian, quälen Sie nicht mich dumme Person; nehmen Sie mir zuliebe Ruh an! Kommen Sie, setzen Sie sich in den Lehnstuhl; rennen Sie nicht so herum immerfort. Glauben Sie mir, ich kenn Ihre Nerven; wozu war ich denn Krankenschwester.

CHRISTIAN: Du sollst mich nicht so a-ansehn, Anne!

ANNE: Kommen Sie, sein Sie nit so verbiestert — der Herr Sanitätsrat hält's auch nit für gut — *(nötigt ihn währenddem in den Korbstuhl).* So, jetzt hole ich Ihnen ein Buch — *(draußen elektrisches Klingelzeichen).* O schad, da sind die Herren wohl schon — nehmen Sie Ruh an, Herr Christian — *(ab nach links) —*

CHRISTIAN *(allein):* — — Schauerliche Komödie — —

ANNE *(läßt zwei Herren eintreten):* Bitte, Herr Oberbürgermeister — bitte, Herr Oberregierungsrat — *(dann wieder ab)*

CHRISTIAN WACH *(hat sich erhoben, weist auf die Stühle am Mitteltisch):* Willkommen, meine Herren, nehmen Sie Platz; was verschafft mir die ungewöhnliche Ehre?

BÜRGERMEISTER *(stehen bleibend):* Die Ehre liegt ganz auf unserer Seite, verehrter Herr Kommerzienrat.

REGIERUNGSRAT *(ebenso):* Heute tatsächlich auf unsrer Seite; tatsächlich, Herr Kommerzienrat.

BÜRGERMEISTER: Ich habe den angenehmen Auftrag, Ihnen im Namen der Bürgerschaft und der übergeordneten Ratspersonen die ergebensten, aufrichtigsten Glückwünsche zu Ihrem fünfzigsten Jahrestag auszusprechen. In der festen Hoffnung, daß es Ihnen, hochzuverehrender Herr Kommerzienrat, noch jahrzehntelang beschieden sein werde, Ihre gemeinnützige Gesinnung mit unverminderter Kraft zu betätigen, und um die Dankbarkeit öffentlich kundzutun, mit der wir zu dem selbstlosen Menschenfreund aufblicken *(Christian Wach zuckt merklich zusammen, stützt sich auf die Stuhllehne rechts des Tisches)* — zu dem Stifter so vieler Wohlfahrts- und Bildungs-Anstalten —: haben wir einstimmig beschlossen, Sie am heutigen Tage zum Ehrenbürger unserer Haupt- und Residenzstadt zu ernennen. In Rücksicht aber auf Ihre bekannte Abneigung gegen persönliche Celebrationen, glaubten wir Abstand nehmen zu sollen von den üblichen Förmlichkeiten, und ich erlaube mir deshalb, die Ernennungsurkunde hiermit in denkbar einfachster Form zu Ihren Händen gelangen zu lassen. *(Er überreicht ihm eine Rolle und schüttelt ihm gewichtig die Rechte.)*

REGIERUNGSRAT: Im Namen nicht nur der Regierungsorgane, sondern auch Seiner Königlichen Hoheit des Großherzogs, darf ich Sie, Herr Kommerzienrat, als Erster zu dieser Ernennung beglückwünschen. Seine Königliche Hoheit haben zugleich geruht, Ihnen in Anerkennung Ihrer Verdienste um das allgemeine Wohl den Kronenorden der obersten Klasse mit der Kette zu verleihen. Sie wissen, wieviel Aufmerksamkeit unser gnädiger Herr den sozialen Bestrebungen widmet, und daß es mehr als eine Förmlichkeit ist, wenn jemand in unserem Staatswesen einen solchen Ansporn zu weiterer Betätigung seiner Menschenfreundlichkeit empfängt. *(Er überreicht ihm ein Kästchen und verneigt sich.)*

CHRISTIAN WACH: Meine Herren, ich danke untertänigst. Ich fühle mich in Wahrheit beschämt und b-bitte es als einen Beweis meiner Ergriffenheit anzusehen, wenn ich diese hu-hu-huldvollen Ehrenzeichen vor dem Bilde derjenigen Person niederlege, auf deren wirtschaftliche Tüchtigkeit ich meine sogenannten Verdienste zurückführen muß — *(er legt beides auf den Bücherbord unter das Porträt).* M-M-Menschenfreunde sind wir wohl alle nur, soweit es unsre Selbstsucht zuläßt; und was bedeutet ein bißchen Wohltäterei in der ungeheuren W-Wüste des menschlichen Elends! Sie hat höchstens den Wert eines Grashälmchens, an das sich die Hoffnung klammern kann, daß *mehr* Haha-Halme nachwachsen werden.

REGIERUNGSRAT: Also ein vorbildlicher Wert, der immer weiter und höher zunehmen kann, und somit der höchsten Beachtung aller Strebsamen würdig.

CHRISTIAN WACH *(sich wieder auf die Stuhllehne stützend):* Ich verstehe, Herr Oberregierungsrat — und das wird mir ein Ansporn, wie Sie gütigst sagten, zu weiterer Betä-tä-tä-tigung sein; obgleich die unverminderte Kraft, von der Sie, Herr Oberbürgermeister, mit Ihrer bekannten Freundlichkeit sprachen, leider an die selbstsüchtigen Schranken meiner angegriffenen N-N-Nerven gebunden ist. Bitte, wollen wir uns nicht setzen?

BÜRGERMEISTER: In Rücksicht auf Ihre werte Gesundheit möchte ich meinerseits vorziehen, mich jetzt ergebenst zu empfehlen; nicht ohne dem herzlichen Wunsche Ausdruck zu geben, daß es Ihnen bald wieder vergönnt sein möge, an den geselligen Freuden Ihrer Mitbürger einigermaßen teilzunehmen. Ich habe im Anschluß an die Sitzung, in der wir Ihre

Ehrung beschlossen, die Gelegenheit wahrgenommen, einen neuen Verein zu gründen, der alle wohlgesinnten Elemente unserer strebsamen Landeshauptstadt allmählich konsolidieren soll: die Gesellschaft der Menschenfreunde! Ich gebe mich der Hoffnung hin, auch Sie, verehrter Herr Ehrenbürger, demnächst als Mitglied begrüßen zu dürfen.

CHRISTIAN WACH: Außerordentlich schmeichelhaft. Aber verzeihen Herr Oberbürgermeister: meine N-Nerven erlauben mir wirklich nicht, an solchen m-menschenfreundlichen Sitzungen mit der nötigen Ausdauer teilzunehmen.

BÜRGERMEISTER: Nun, wenn auch nicht im Augenblick, es wird uns jederzeit aufrichtig freuen, einen so würdigen Mitbürger in unserem Bunde willkommen zu heißen. Und deshalb bleibt es mein inniger Wunsch, der allseits mitempfunden wird, Ihre baldige Wiederherstellung im engeren Kreise feiern zu können. *(Er schüttelt ihm abermals die Hand.)*

REGIERUNGSRAT: Ich schließe mich diesem Wunsche an, unbeschadet der hohen Achtung, die Ihre stoischen Lebensgrundsätze jedem eifrigen Staatsbürger abnötigen. *(Er verneigt sich.)*

CHRISTIAN WACH *(die Herren zur Tür geleitend):* Ich danke ebenso aufrichtig, meine Herren, und wiederhole die ehrer-b-bietige Bitte, auch bei den zuständigen Stellen meinen Dank auszurichten. Ich werde wie gesagt bestrebt sein, mich in der »allseits« gewünschten Weise nach wie vor zu betä-hä-hä-hätigen. *(Er verneigt sich gleichfalls und schließt die Tür hinter ihnen, setzt sich dann matt an den Mitteltisch.)* — — Grauenhaft — — *(Er nickt vor sich hin, blickt zu dem Porträt empor.)* Du rächst dich gut — — *(Es klopft, er schrickt auf.)*

DIE ALTE ANNE *(behutsam näher tretend):* Es ist *noch* jemand draußen, Herr Christian.

CHRISTIAN: Was soll das! Untersteh dich nicht —

ANNE *(verhalten):* Der Herr Justus! Er wollt sich nicht abweisen lassen.

CHRISTIAN: Was? Vetter Justus? der Leu-te-tenant?

ANNE *(wie vorher):* Ja. Das heißt: er ist doch jetzt Polizeikommissar — *(Sie drehen sich beide prall um, da die Tür aufgeht.)*

JUSTUS WACH *(tritt gelassen ein, mit einer Aktenmappe unterm Arm):* Du mußt mir schon einmal erlauben —

CHRISTIAN WACH *(während Anne beklommen hinausgeht und die noch offene Tür wieder schließt):* Du bist mir natürlich durchaus willkommen —

JUSTUS *(lächelnd):* So? — Ich erhebe nicht den Anspruch.

CHRISTIAN: Nun, dann ist deine Aufrichtigkeit mir willkommen. Offne Arme kannst du wohl nicht erwarten, nachdem du damals unsern Verkehr, unser verwandtschaftliches Band, um Geldes willen zerschnitten hast.

JUSTUS: Meinst du? — Aber du erlaubst wohl, daß ich mich setze. *(Er nimmt Platz auf dem linken Stuhl, legt die Mappe auf den Tisch.)*

CHRISTIAN: Aber natürlich; b-bitte höflichst. *(Sich gleichfalls setzend)* Fühle mich heute auch etwas matt; ein außerordentlich warmer Tag.

JUSTUS: Und obendrein deine Ehrenlast. Alle Zeitungen sind ja wieder des Lobes voll. Wird dir allmählich wohl doch etwas drückend?

CHRISTIAN: Darf ich lieber fragen, w-was dich zu mir führt?

JUSTUS: O, traust du mir also gar nicht zu, daß ich bloß die uneigennützige Absicht habe, dir auch mal wieder zu gratulieren, dem musterhaften Menschenfreund, der mich Schuldenmacher dazu gebracht hat, den schrecklichen bunten Rock auszuziehen und ein nützlicher Mitmensch in Schwarzgrau zu werden? — *(Seine Hand auf die Mappe legend)* Wirklich, ich habe jetzt allen Grund, der rühmlichen Betätigung deiner Nächstenliebe dankbar zu sein.

CHRISTIAN: Bitte, laß das; mir sind diese Phrasen peinlich.

JUSTUS: Mein Lieber, ich kenne deine Art Ehrgeiz. Du hast schon als Schuljunge Äpfel gestohlen, obgleich du dir aus Äpfeln nichts machtest, bloß um uns Freunde damit zu begönnern und dich an deiner Großmut zu weiden; vielleicht auch an deiner Kühnheit und Schlauheit, denn erwischen ließest du dich ja nie. Ich habe dich schon damals durchschaut.

CHRISTIAN: So? — Meinst du? *(Lächelnd)* Nun, vielleicht hast du recht. Aber inzwischen wirst du wohl *auch* ein A-A-Andrer geworden sein.

JUSTUS: Ja, seit neun Jahren ungefähr; dank deiner Betätigung wie gesagt.

CHRISTIAN: Und hast du dich wirklich nun ausgesöhnt mit deinem b-bürgerlichen Beruf?

JUSTUS *(legt lächelnd wieder die Hand auf die Mappe)*: Ja, seit einem Monat etwa vollkommen. Und einigermaßen auch früher schon. Was blieb mir schließlich denn andres übrig; Schulden konnt ich doch keine mehr machen, nachdem du die ganze Erbschaft mir weggefischt hattest, kurz bevor ich zum Hauptmann aufrücken sollte.

CHRISTIAN: Nun, ich habe a-auch nicht das werden können, wonach ich als Jüngling Verlangen trug; Geld hatte ich ja von Hause aus noch weniger zu erwarten als du. *(Auf seine Bücher hinüberweisend)* Du weißt sehr gut, wie ich drauf brannte, die Sta-taatswissenschaften zu studieren, Sozialpolitik, Nationalökonomie, und es sogar ein paar Semester lang durchhielt; bis Tante Brigittens harter Kopf mich zwang, mir als B-Bankbeamter mein Brot zu verdienen.

JUSTUS: Ja, du warst ihrer Begönnerung würdig. Ich hab ihr die Faust unters Kinn gehalten, als sie ihren Mann zu Tode gepeinigt hatte und ihn dann einscharren ließ wie einen Bettler, den reichsten Grubenbesitzer des Landes; du zogst es vor, ihr die Krallen zu streicheln.

CHRISTIAN: Sie hat sich selbst noch viel mehr gepeinigt; du solltest nicht über Handlungen urteilen, für die dir jedes M-Mitgefühl mangelt. Und notabene: auf ihr Testament konntest du doch im Ernst wohl nicht rechnen, nach deiner Gleichgültigkeit — ge-l-linde gesagt — bei ihrem lalalalangen Krankenlager.

JUSTUS: Nein, zum Erbschleicher war ich mir allerdings zu schade. Seit wann stotterst du übrigens?

CHRISTIAN *(ist vom Stuhl aufgefahren):* Ich ver-b-bitte mir deine Brutalitäten! — *(Sich bezwingend)* Denkst du, es war mir ein Vergnügen, die Launen der alten ge-l-lähmten Person zu ertragen? ihre Heftigkeit, ihre Wutanfälle? dreizehn Jahre lang, Tag für Tag!

JUSTUS *(lächelnd):* Nein, das denke ich keineswegs — bei deiner Art Menschenfreundlichkeit.

CHRISTIAN *(fängt wieder an durchs Zimmer zu wandern):* Und deine Schulden hätt ich dir gern bezahlt, wärst du damit zufrieden gewesen, statt mir Millionen abpressen zu wollen, für die ich b-bessere Anwendung wußte. Bin auch jetzt noch bereit dazu, falls du nicht bloß gekommen bist, um mir aufs B-Butterbrot zu streichen, daß du dich selber seit einem Monat von deinen Gläubigern befreit hast; *(lächelnd)* das wolltest du doch wohl andeuten.

JUSTUS: Nein. Aber ich danke für Gnadenbrot von deinem Butterbrot, werter Vetter.

CHRISTIAN: Ja, wozu reibst du dich dann an mir? Und worauf bist du eigentlich neidisch? — Was ha-habe ich denn von all meinem Reichtum? Hat er mich etwa davor bewahrt, v-vorzeitig graue Haare zu kriegen? Ich lebe wie ein Mönch in der Wüste, und trotzdem ist mein M-Magen krank, meine Milz beklommen, mein H-Herzschlag verhaspelt, meine Nerven von Schlaflosigkeit zerrüttet —

JUSTUS: Dein Gehirn von Gewissensbissen zerfressen —

CHRISTIAN: Deinetwegen? *(Stehen bleidend)* — Du dauerst mich —

JUSTUS *(steht nun gleichfalls auf, tritt dicht an Christian heran):* Solltest du nie befürchtet haben, daß ein gewisser *Brief* entdeckt werden könnte? —

CHRISTIAN *(weicht unwillkürlich etwas zurück — dann spottkalt):* Ah, Herr Polizeikommissar —

JUSTUS: In der Tat — das ist mein Beruf — mit dem ich mich jetzt vollkommen ausgesöhnt habe — seit einem Monat wie gesagt, als ich in einer auswärtigen Chemikalienfabrik — *(er unterbricht sich, greift nach der Mappe)* — aber wollen wir uns nicht wieder setzen? an diesem »außerordentlich warmen Tag«? — *(er nimmt Platz, während Christian stehen bleibt und sich fest auf eine Stuhllehne stützt, die er bei dem Wort »Chemikalienfabrik« umklammert hat)* — also als ich in einer Chemikalienfabrik einen ungetreuen Buchhalter festnehmen sollte und bei Durchsicht der

77

Büropapiere zufällig einen Geschäftsbrief fand, worin ein gewisser Christian Wach, laut seiner aufgedruckten Adresse angeblich Apothekenbesitzer, eine Partie Medikamente bestellt hat, darunter auch einige heftige Gifte, etwa fünf Wochen vor dem Tode *(auf das Porträt weisend)* seiner teuren Erbtante Brigitte. *(Wieder die Hand auf die Mappe legend)* Hier hab ich das menschenfreundliche Schriftstück.

CHRISTIAN *(lächelnd)*: Sehr verbunden für dieses Geburtstagsvergnügen, auf das du dich also vier Wochen lang in aller Stille prä-pa-pariert hast.

JUSTUS: Ja, zufällig ungefähr ebenso lange, wie du dich vor genau neun Jahren auf *Dein* Geburtstagsvergnügen »präpapariert« hast.

CHRISTIAN: Ja, es gibt spaßhafte Zufälle — *(es klopft)* —

DIE ALTE ANNE *(tritt ein und meldet)*: Der Herr Geheime Sanitätsrat —

SANITÄTSRAT *(ihr ohne Umstände folgend)*: Ja, Ihrem alten Hausfreund dürfen Sie nicht verwehren, Ihnen heute die Glückshand zu schütteln, verehrter Ehrenbürger und Ritter vom Kronenorden! — *(Überrascht)* Aber was seh ich? ist's möglich? Herr Justus! — Pardon, Herr Leutnant, die alte Gewohnheit. Haben sich also zur Feier des Tages endlich ausgesöhnt mit dem reichen Herrn Vetter? *(Anne blickt forschend von einem zum andern.)*

JUSTUS *(ist aufgestanden, immer eine Hand auf der Mappe)*: Schon möglich, Herr Geheimrat; zur Feier des Tages.

SANITÄTSRAT *(ihm die Rechte schüttelnd)*: Na, das freut mich, freut mich; edel sei der Mensch! Haben schließlich doch wohl Respekt gekriegt *(mit Verneigung zu Christian hin)* vor der segensreichen Betätigung.

CHRISTIAN *(aufstampfend)*: Kommen Sie auch noch angequäkt mit dieser verfluchten *(absichtlich)* Be-täterä-tätigung? Das ist ja wirklich zum Krämpfekriegen! Wie kann ein Mensch mit etwas Geschmack dies Schandwort auf die Zunge nehmen! diesen A-Anschmierer-Ausdruck für alles Getue, das den Namen Tat nicht verdient!

SANITÄTSRAT: Aber mein lieber Kommerzienrat, was haben Sie denn, was erregen Sie sich? Denken Sie bitte an Ihre Nerven! Kommen Sie, setzen wir uns gemütlich, und geben Sie mir mal endlich die Hand! *(Es geschieht, und auch Justus setzt sich.)* So — ja aber, Sie zittern ja, als ständen Sie im Staatsexamen. Und was ist denn los mit Ihren Pupillen? Da muß ich doch gleich mal Reflexprobe machen. Schwester Anne, holen Sie mal einen Spiegel.

ANNE *(hat inzwischen die Vase mit dem Rosenstrauß unter das Porträt gestellt)*: Aber nein, Herr Geheimrat wissen doch: der Herr Kommerzienrat will keine Spiegel um sich.

SANITÄTSRAT *(sich an die Stirn tippend)*: Ja so — jawohl — Moralpsychose; *hypochondria stoica* sozusagen. Na, werde mal morgen genauer vorsprechen, bringe dann meine Lupe mit; die wird Ihrem strengen Gewissen nicht wehtun, Sie geschworener Feind aller Eitelkeit! — Was sagen Sie denn zu der neuen Gesellschaft, die der Bürgermeister zusammentrommelt? Mich hat er natürlich auch breitgeschlagen; na, ein bißchen Menschenfreund ist ja jeder.

CHRISTIAN: Ich meinesteils bin nicht für Trommelreklame.

SANITÄTSRAT: Ja, Sie können sich's leisten, drauf zu pfeifen. *(Aufstehend)* Dann also bis morgen, werter Freund; muß jetzt weiter zu meinen andern Patienten. Bitte Platz zu behalten, Herr Leutnant; wünsche allerseits Frieden auf Erden — *(winkt heiter mit beiden Händen Abschied, und Anne begleitet ihn hinaus, während die Vettern sitzen bleiben, Justus links am Tisch, Christian rechts) — —*

JUSTUS: Du scheinst dein Gesicht nicht gern zu betrachten —

CHRISTIAN *(die Arme verschränkend):* Ich habe in der Tat Besseres zu tun.

JUSTUS: Du kannst ja niemand mehr grad in die Augen sehn.

CHRISTIAN: Glaubst du, Herr Untersuchungsbeamter? *(Er fixiert ihn, bis Justus beiseite blickt) — —* Durchschaust du die Menschen immer so?

JUSTUS: Ja, deine Selbstbeherrschungskunst — man könnte auch sagen: Verstellungskunst — war von jeher bewundernswert.

CHRISTIAN: Und einer besseren Sache würdig.

JUSTUS: Der Spott wird dir bald vergehn, teurer Vetter.

CHRISTIAN: Es scheint, du legst enormen Wert auf dein pa-papierenes Dokument. Das hältst du wohl für einen Indizienbeweis?

JUSTUS: Nein, das allein würde nur beinahe genügen. Aber *(auf seine Mappe tippend)* ich habe hier noch ein andres Papier; nämlich deinen Empfangsschein, Herr Apotheker, über die eingetroffene Giftsendung —

CHRISTIAN: Du hast dich tatsächlich gut präpariert —

JUSTUS: Es freut mich, daß du nicht länger heuchelst. Du darfst die Maske ungeniert lüften.

CHRISTIAN *(immer sehr gemessen):* Du freust dich etwas vorschnell, mein Lieber. Du scheinst meine »Schlauheit« trotz aller Anerkennung noch immer für recht kindlich zu halten. Vor neun Jahren, werter Herr M-Menschenkenner, war ich wohl doch nicht mehr Schulbub genug, mich dem Spiel des Zufalls so plump auszusetzen, wenn ich kein reines Gewissen hatte.

JUSTUS: O, das Spiel des Zufalls ist allemal plump. Damals konntest du ja nicht ahnen, also auch noch nicht damit rechnen, daß dein Edelmut mich veranlassen würde, *(spitz)* Detektivoffizier zu werden, geschweige *(auf seine Mappe tippend)* daß dies für jeden andern Finder unscheinbare Wertpapier gerade mir in die Hand fallen könnte. Nur das trieb dein feines Spiel in den Plumpsack der sogenannten Schicksalshand.

CHRISTIAN: Nenn's lieber gleich den Finger Gottes, dann kommst du dir noch wichtiger vor. Hähähä-hältst du mich im Ernst für so närrisch, daß ich mir solche Tat auf die Seele geladen hätte, bloß um die Millionen unsrer alten Tante etwas früher unter die Leute zu streuen? Denn ihr Testament lag ja schon da für mich.

JUSTUS: Bloß: sie hätte es doch vielleicht ändern können. Und am Krankenbett warten, wer weiß wie lange, vielleicht nochmals »dreizehn Jahre lang«, ist in der Tat kein vergnügliches Geschäft, selbst für die edelsten Wohltäter nicht. Tante Brigitte war damals nur fünf Jahre älter, als du heute geworden bist, und hatte trotz ihrer Lähmung recht zähe Nerven.

CHRISTIAN: Und deshalb soll ich so sinnlos gewesen sein, so sinnlos und so ruchlos zugleich, mir einen M-Mord aufs Gewissen zu wälzen? Und das, denkst du, wird dir irgendwer glauben?

JUSTUS: O, das Gewissen beißt immer erst nachträglich; deine Frage klang ziemlich wund. Auch glauben die Schwurgerichte gern, daß ein Bankbeamter sich nicht ohne Zweck falsche Briefbogen drucken läßt und Apothekerwaren bestellt.

CHRISTIAN: Du hast dich wohl nie mit — Selbstmordgedanken getragen?

JUSTUS *(scharf): Vor* meiner Enterbung *nicht,* lieber Vetter! — Übrigens kannst du dir deine verblüffenden Fragen für die Gerichtsverhandlung aufsparen; für das Zeugenverhör zum Beispiel.

CHRISTIAN: Du denkst dir also, ich habe es fertiggebracht, den Sanitätsrat sowohl wie die alte Anne über die Todesursache zu täuschen, meinem Opfer kaltblütig die Augen zuzudrücken, die L-Leiche hohnlächelnd einzusargen, und dann hier in dem Haus, wo sie aufgebahrt lag, mich triumphierend festzusetzen — *(er steht auf, mit Erregtheit um sich weisend)* hier! sieh dich um! zwischen diesen öden Wänden, wo sie einst geatmet hat! hier seit neun Jahren es auszuhalten! immer von ihren Möbeln umgeben! immer ihr B-Bild vor meinem Blick! ihre Pflegerin mir zur Seite, eigens dabehalten zur steten Erinnerung! — Das, meinst du, habe ich auf mich genommen, ich maskierter Schurke, um einer Erbschaft willen, von der ich mir keinen Genuß vergönne, keine Annehmlichkeit, nicht die kleinste Erholung, bloß Nahrung für meinen Großmutsdünkel! — Du traust mir wirklich merkwürdige Kunststücke zu. *(Er ist hinter seinen Stuhl getreten und stützt sich wieder auf die Lehne.)*

JUSTUS: Ja, die Verbrecher halten sich gern für Helden, die ihrer Tat überlegen sind, und liebäugeln mit dem Erinnerungswurm. Manche brüsten sich so lange im stillen, bis sie sich schließlich laut verraten; fromme Leute nennen das Gottes Stimme. *(Merkend, daß Christian nach dem Porträt starrt.)* Du redest wohl *öfters* mit dem Bild da?

CHRISTIAN: Du stellst starke Ansprüche an meine Geduld.

JUSTUS: Das beruht wohl auf Gegenseitigkeit. Immerhin scheinst du so geneigt zum Verhandeln, daß du darüber das Stottern verlernt hast.

CHRISTIAN *(lächelnd):* Nun, vielleicht war auch das nur Maske; man lernt dabei seine Zunge hüten. — Wie hoch taxierst du denn deine Entdeckung?

JUSTUS *(lächelt ebenso):* Möchtest du nicht etwas deutlicher fragen?

CHRISTIAN: Nun, mein gesamter Vermögensrest beträgt noch etwa zwanzig Millionen, nach Abzug der Reservedepots für meine letzten Stiftungen. Um mir die Plackerei vom Ha-Halse zu halten, die du als A-A-A-Amtsperson *(er stampft auf, dann wieder gemessen)* mit dem Plunder da anzetteln könntest, und um meine innerste Menschlichkeit nicht vor dem Pöbel entblößen zu müssen, biete ich dir den vierten Teil; das sind also rund zwei Millionen mehr, als du mir damals abverlangtest.

JUSTUS: Deine Menschlichkeit ist seitdem — beträchtlich großmütiger geworden; ich erkenne das an, obgleich ich's erwartet habe. Aber du mußt mir schon erlauben, deine bekannte Opferwilligkeit —

CHRISTIAN: Gut, ich lege noch eine Million zu. Sechs Millionen — das ist mein letztes Wort! —

JUSTUS: Du hast mich mißverstanden, mein Teurer; du mußt nicht denken, ich sei deinesgleichen, weil ich jetzt im schwarzen Rock vor dir sitze. Du hast mich aus meiner Bahn gestoßen, du opferwilliger Ehrenbürger! Du erntest den Lohn deiner Heldentaten, wenn ich dir nun dazu verhelfe, in der Sträflingsjacke vor mir zu stehn! Jawohl, edler Vetter: Gerechtigkeit will ich! die Welt von deinesgleichen säubern; das ist *meine* Art Menschenfreundlichkeit!

CHRISTIAN: Deine Gerechtigkeit braucht sich nicht zu ereifern; ich begreife, daß du dich rächen willst.

JUSTUS: Sehr scharfsinnig, dein Begriffsvermögen.

CHRISTIAN: Willst du mich trotzdem noch ruhig anhören? Nur eine kleine Weile noch?

JUSTUS: Bitte; ich habe warten gelernt. Außerdem zappelst du sehr ergötzlich im Netz.

CHRISTIAN: Ich könnte sagen, mein Anerbieten sei nur eine Maske gewesen, um dein Pflichtgefühl auf die Probe zu stellen. Aber gesetzt, ich hätte w-wirklich die ungewöhnliche Tat vollbracht, deren du mich für fähig hältst: ich hätte eine bejahrte Person, die nichts mehr konnte als sich und andere zu quälen, mit ihrer Krankheit, mit ihrer Ha-Hartherzigkeit, mit ihrer hähähä-hämischen Habgier *(er ballt die Fäuste, dann wieder ruhig)* — die hätte ich aus dem Wege geräumt nach jahrelangem Gewissenskampf — hä-hätte dann wie ein Asket versucht, meine heimliche Gewalttat zu sühnen — hätte sie hier in meiner Einsamkeit, in der Nacht meines Schweigens schwerer gebüßt, als sich's ein Schuldloser träumen läßt — hätte immer weiter diese Erblast geschleppt, die ich nur für ein

Hirngespinst verwalte — für eine M-Menschheit, die ich zu spät durchschaute, die nichts ist als ein marternder Schemen —: verlangst du *noch* mehr Gerechtigkeit?

JUSTUS: Du vergißt, ich bin nicht mehr Leutnant genug, um deiner heroischen Märtyrerpose einiges Verständnis zu widmen.

CHRISTIAN: Aber vielleicht verstehst du, daß ich inzwischen manches anders ansehen lernte. Vielleicht war mein Abscheu gegen dein früheres Handwerk — deinen Beruf, wenn du das lieber hörst — nur Verbohrtheit eines B-Büchermenschen. Vielleicht ist mir die Erkenntnis gekommen, daß auch Nächstenliebe zur Hartherzigkeit führt, wenn sie die Allernächsten vergißt über ihrem fernen Ziel. Ich bin dein Schuldner, ich weiß es lange; deshalb empört mich deine Beschuldigung nicht. Und deshalb — nur deshalb, Justus! hörst du? — wiederhole ich mein Anerbieten.

JUSTUS: Zu spät, Euer Gnaden; einen Monat zu spät.

CHRISTIAN: Du irrst. Ich habe schon letzte Weihnacht — denn dies *(auf sein Herz deutend)* W-Wrack wird nicht lange mehr standhalten — mein Testament beim Notar hinterlegt; darin stehst du mit dem Betrag verzeichnet, den du einst von mir gefordert hast. Ich biete dir jetzt das Doppelte, weil ich dir mehr verdarb, als ich ahnte.

JUSTUS *(auf seine Mappe schlagend):* Zum Teufel, *alles* verdarbst du mir! Willst du mich *jetzt* noch mit Großmut beschwindeln? Dein Testament, wenn's wahr ist, ist mir ein Wisch! Ein Verbrecher wie du hat sein Erbrecht verwirkt! Kein Pfennig von deinem Mammon gehört dir! Wo nimmst du die Stirn her, mich beschwatzen zu wollen; du verrätst dich ja selbst mit jedem Wort!

CHRISTIAN *(tritt ihm langsam näher):* Ah — du hoffst auf den ganzen Rest meiner Erbschaft. Verrechne dich nicht; nimm Vernunft an, Justus! Vergiß nicht, ich sprach nur bedingungsweise! Es hat sich schon m-mancher die Hand verstaucht, der zu sehr auf die Gerechtigkeit pochte.

JUSTUS: Ich poche nur auf die Mappe hier. *(Er nimmt sie unter den Arm und steht auf.)*

CHRISTIAN: Du kannst dir also gar nicht die Möglichkeit denken, daß ich jene Giftsendung für mich selbst kommen ließ? daß ich mich wand vor Scham und Verzweiflung unter den frevelhaften Wünschen, die ich — jawohl, ich bekenne es dir — unablässig in mir w-wuchern fühlte am Krankenbett meiner Quälerin?

JUSTUS: Eine Möglichkeit zieht die andere nach.

CHRISTIAN: Und wenn nun die Zeugen für *mich* aussagen? — Willst du nicht wenigstens die Anne erst hören?

JUSTUS: Der kannst du viel vorgemunkelt haben. Aber wenn dir's Vergnügen macht, dich in ihrem Beisein verhaften zu lassen —

CHRISTIAN *(nähert sich der Tür):* Ich tu's um deinetwillen, Justus —

JUSTUS: Ich warne nur vor Fluchtversuch! Das Haus ist auf beiden Seiten umstellt —

CHRISTIAN *(ruft zur Tür hinaus):* Anne *(tritt dann neben den Bücherbord, lehnt sich an und verschränkt die Arme)* —

ANNE *(kommt, macht die Tür zu, beklommen):* Was ist, Herr Christian?

JUSTUS: Der Herr Kommerzienrat will verreisen.

CHRISTIAN: Ich bitte dich nochmals: nimm Vernunft an.

ANNE *(beide Hände hebend):* Oh, Herr Justus, wie schauen Sie drein! — *(Ihm näher tretend)* Ich beschwör Sie, was wollen Sie tun! — *(Von ihm wegweichend)* Einen Blutsverwandten ins Elend stoßen?

JUSTUS: Ah, Sie wissen, worum es sich handelt?!

ANNE *(noch weiter wegtretend, bis vor den Tisch):* Ich? was soll ich wissen? ich seh nur Ihr Auge drohn. Ich kenn Sie ja beide von Jugend auf. Ich weiß nur, was ich als Kind gelernt hab: Mein ist die Rache, spricht der Herr!

JUSTUS: Verzeihung, Schwester Anne, *der* Herr ist mir *fremd*. Und dem grauen Sünder da wohl erst recht. Mein Herr ist der Staat! mit seinen Gesetzen!

ANNE: Einen Leidenden wollen Sie quälen? Spüren Sie's nicht, wie er bebt bis ins Herz?!

CHRISTIAN: Laß gut sein, Anne; es ist genug. Zum letzten Mal, Vetter: ich biet dir die Hand.

JUSTUS: Ich verbitte mir deine — bestechenden Gesten!

CHRISTIAN *(sich reckend):* Nun, dann Kampf! Hüt dich! Ich bin bereit.

JUSTUS: Sehr gnädig. Im Namen des Gesetzes: ich verhafte dich, Christian Wach. *(Die Tür öffnend)* Wenn's gefällig ist, du hast den Vortritt — *(sie schreiten beide langsam hinaus)* —

ANNE *(die Hände faltend, leise):* Herr, erbarme dich seiner *Seele* —

Vorhang

Zweiter Akt

CHRISTIAN WACH *(auf die Stuhllehne rechts des Tisches gestützt, zu dem Porträt hinaufstarrend):* — — Jawohl, du hast dich in mir verrechnet — von jeher, du Vampyr — du zwingst mich nicht. *(Sich die Hand auf den Kopf legend, schwer lächelnd)* Hier diesen Geheimschrank öffnet keiner; jetzt weiß ich's endlich, kein Mensch bezwingt mich. *(Es klopft an die Tür, und Anne tritt ein, bringt einen bunten Asternstrauß.)* — — Also soll's wieder losgehn mit der Verschwendung, du unverbesserliche Person?

ANNE *(die Vase mit dem Strauß auf den Tisch stellend):* Ja, das hab ich mir gestern abend schon vorgenommen, als Sie heimkamen aus der — der —

CHRISTIAN: Untersuchungshaft meinst du; sag's nur getrost.

ANNE: Nein, solch häßlich Wort, das paßt heut nit; aus der Prüfungszeit wollt ich sagen.

CHRISTIAN: Und siehst mich dabei schon wieder an, als müßte ich dem Himmel dafür auf den Knien danken.

ANNE: War's nicht auch eine Segenszeit? Als Sie hinein mußten, blühten die Rosen; mögen die Herbstblumen noch mehr Segen bringen!

CHRISTIAN: Du sollst mich nicht so anschn, Anne. *(Sich an den Tisch setzend, wie erschöpft)* Aber lieb ist dein Strauß; und diesmal ohne Dornen.

ANNE: Geb's Gott, Herr Christian, geb's Gott! Aber *Sie* schauen nit dornlos drein; Sie müssen jetzt wieder zu Kräften kommen. Gelt, ich darf Ihnen etwas Stärkendes bringen; ein Gläschen Wein! das macht Appetit!

CHRISTIAN: Wein —? Kein Tropfen kommt mir ins Haus!

ANNE: Nur ein Gläschen Tokayer; ich hab die Flasche noch.

CHRISTIAN: So — also für mich — — *(nimmt plötzlich ihre Hand)* o Anne, Anne *(und preßt seine Stirn hinein)* —

ANNE: Ja, sollt ich denn schwelgen, während Sie fasten mußten? *(Behutsam über sein Haar streichend)* Sie müssen Ihr Herz erleichtern, Herr Christian.

CHRISTIAN *(schiebt sie sanft weg, steht auf):* Nein, mach mich nicht weich; es war nur ein Augenblick. Nichts wird an meinem Leben geändert! Wenn du dir etwa einbildest, die Haft habe mich mürbe gemacht —

ANNE: O hätt sie nur! — Nein, ich bild mir nix ein.

CHRISTIAN: Sie hat mich im Gegenteil ruhig gemacht — *(wendet sich ab, geht nach dem Fenster)* innerst ruhig; das mußt du doch merken *(läßt sich in den Korbstuhl nieder)* —

ANNE *(ihm folgend):* Das würd' mich ja freuen, innerst freuen —

CHRISTIAN: Warum hast du denn so geweint im Gerichtssaal, als ich das Geständnis ablegte, ich wollte *(auf das Porträt weisend)* die da wirklich vergiften, wenn mich das Schicksal — du weißt, der Schlaganfall, der sie in ihrer Erregtheit hinraffte — nicht gnädig davor bewahrt hätte?

ANNE: Ja, wie sollt ich denn da nit weinen, als Sie das so gewaltig aussagten, mit solchem Entsetzen vor sich selber! Sogar von den Herren Geschworenen und Richtern schneuzten sich welche vor großer Rührung. Und ich hab doch alles einst miterlebt; ich kenn doch Ihr Herz, Herr Christian!

CHRISTIAN *(abermals aufstehend):* Nun, der Sanitätsrat war gar nicht gerührt; der hat einfach den Schlaganfall bezeugt.

ANNE *(ihm wieder durchs Zimmer folgend):* Ja freilich, natürlich; das tat ich ja auch!

CHRISTIAN: Und konntest vor Schluchzen nicht weiterreden. *(Plötzlich sich umdrehend, Auge in Auge)* Du glaubst wohl nicht, daß es ein Schlaganfall war?

ANNE *(zurückweichend):* O — wie fragen Sie frevelhaft! — Was ich beschworen hab, glaube ich auch. Und was ich außerdem glaube, o möchten Sie's fühlen —: wir sind allesamt Werkzeuge Gottes — der eine so, der andre so —

CHRISTIAN *(ist an den Kamin getreten):* Mich friert, Anne; im Gefängnis war's wärmer. Von morgen an bitte mußt du heizen.

ANNE: Aber ich kann doch natürlich gleich!

CHRISTIAN: Nein, ich sagte: von morgen an. *(Sich wieder an den Mitteltisch setzend)* Ich bekomme Besuch heut, für den ich Kälte brauche.

ANNE: Aber gelt, doch ein Gläschen Tokayer! Wirklich, Herr Christian, es wird Ihnen guttun.

CHRISTIAN: Ich bitte dich ernstlich, mach mich nicht wild! W-Wein macht schwatzhaft, ich hasse das! — Aber damit du deinen Willen kriegst: Vetter Justus hat mich gestern nach der Freisprechung fragen lassen, ob er heute vormittag herkommen dürfe — dann kannst du deine Flasche kredenzen.

ANNE: O welche Fügung — sehn Sie, auch dem hat Ihre Prüfungsstunde das Herz gerührt! — O, und ich hab's ja noch gar nit bestellt: der Herr Regierungspräsident, der hat sich auch vorhin anmelden lassen. Sehn Sie, wie alle Menschen sich beugen, wenn sie den Finger Gottes spüren!

CHRISTIAN: Du beurteilst die Menschen nach dir, gute Anne. Sie kriechen zu Kreuz vor meinem *Geld;* und sind gerührt davon, wie's mich *drückt.*

ANNE: Nein, nein, das sagt nur Ihr Groll auf Herrn Justus. Man hat Sie doch einstimmig freigesprochen.

CHRISTIAN: Ja, weil man keine Beweise hatte. Weil man auf Staatsunkosten mal gnädig sein konnte. Weil man dem berühmten Menschenfreund zeigen wollte: wir kennen zwar jetzt deine giftige Seele, aber wir sind keine Unmenschen deinesgleichen, wir zahlen dir deine Wohltaten heim. Ein Geächteter bin ich ihnen! Meinst du, ich habe das nicht gemerkt?

ANNE: O, wenn Sie nicht alles so schwarz ansehn möchten! Die Menschen sind lieber gut als schlecht; will jeder nur abwälzen, was ihn drückt.

CHRISTIAN: Mein *Geld* drückt mich; begreifst du das nicht? — Übrigens: vorgestern ist da eine Witwe wegen Diebstahls verurteilt worden, die kleine Kinder zu Hause hat. Du wirst dir ihre Adresse verschaffen, und wenn sie aus dem Gefängnis kommt, richtest du ihr einen Laden ein; irgendein Geschäft, das ihr paßt. Inzwischen nimm dich der Kinder an, daß man sie nicht ins Armenhaus sperrt.

ANNE: Gern, Herr Christian! O, wie gut Sie —

CHRISTIAN: Schwatz nicht, Anne; die Frau scheint mir tüchtig! Sie hat den Diebstahl ziemlich fein eingefädelt, erzählte mir mein Rechtsanwalt. Es macht mir Spaß, ihr Vertrauen zu schenken.

ANNE *(sich zu ihm neigend):* Warum verhehlen Sie Ihr Herz? Warum schenken Sie nicht auch mir Vertrauen?

CHRISTIAN *(abermals aufstehend):* Ich kann mich noch gar nicht wieder hier eingewöhnen; bitte, hilf mir den Lehnstuhl herüber setzen. — *(Während sie den Stuhl an den Mitteltisch tragen)* Es scheint, du bist jetzt stärker als ich. — *(Platz anweisend)* Nein hierhin, den Rücken gegen die Wand; ich mag das Bild heut nicht immerfort sehn.

ANNE *(den überschüssigen Holzstuhl ans Fenster stellend):* Ja, das hätt längst schon hinaus gemußt. Darf ich's nicht endlich weghängen jetzt?

CHRISTIAN: Was soll das wieder! L-laß dies Gepurre! Ich weiß besser, was ich ihr schuldig bin. *(Sich setzend)* Wenn sie auch unleidlich war, das ist vorbei. Daß du's ihr immer noch nachträgst, ich versteh nicht, wie sich das mit deinem Christentum reimt; du hast sie doch früher bemitleidet.

ANNE: Die Toten haben das nicht mehr nötig; mir ist nur um die Lebendigen bang.

CHRISTIAN: Du sollst mich nicht so ansehn, Anne! — Wahrhaftig, manchmal machst du Augen, grad wie die Tante in ihrer Sterbestunde; so merkwürdig in die Ferne fragend. — *(Wiederum aufstehend)* Ich will mich doch lieber dorthin setzen; sonst denkst du wohl wirklich, ich fürcht mich vor ihr. *(Er schiebt den Lehnstuhl rechts neben den Tisch, Anne stellt einen andern Stuhl nach hinten.)* Nicht wahr, das hast du doch eben gedacht?

ANNE: Ich glaub an keine Gespenstermärchen. Es hat sich jeder genug vor sich selber zu fürchten —

CHRISTIAN *(sich setzend):* Ja, du hast recht: Gespenstermärchen —

ANNE: Nun fangen Sie wieder zu grübeln an. Ach, wenn Sie doch dahinterkämen, daß *alle* Selbstbespiegelung eitel ist, nit bloß im Spiegel an der Wand.

CHRISTIAN: Laß, Anne; das verstehst du nicht. Ich muß mich erst wieder zurechtfinden hier.

ANNE: Ich fühl doch aber, wie Ihnen das schwerfällt; und möcht die Last doch tragen helfen.

CHRISTIAN: Nein, geh jetzt; ich muß das allein überlegen. Ich habe schon selbst daran gedacht, du wärst vielleicht die rechte Person, mir den Rest des Vermögens ver-p-pulvern zu helfen; ich werde das nächstens mit dir besprechen.

ANNE: O, nicht das Geld, Herr Christian; fassen Sie doch Vertrauen zu mir! Erleichtern Sie Ihre bedrückte Seele! Wie eine Mutter bitt ich zu Gott darum; das wird Sie auch wieder gesund machen.

CHRISTIAN *(aufstampfend):* Ich sag dir, l-laß das — geh — bring mich nicht auf! — *(Ruhiger)* Stell die Flasche für den Justus bereit; aber bring sie erst, wenn ich's dir sage! — *(Während Anne langsam zur Tür geht)* Und ich dank dir für deinen Asternstrauß; ich dank dir für alles, alles — hörst du? *(Da Anne an der Türschwelle zögert)* Nun, laß gut sein, geh jetzt; was stehst du noch —

ANNE *(mit feierlichem Ausdruck, gedämpft):* Und nähmest du Flügel der Morgenröte und flüchtetest übers äußerste Meer, so würde dich meine Hand doch erreichen, spricht der Herr, dein *Erbarmer (geht hinaus)* —

CHRISTIAN *(sich erhebend, mit abwehrender Handbewegung):* Gespenstermärchen — — *(Er nimmt den Strauß und stellt ihn unter das Bild.)* Ihr zwingt mich nicht — ihr kennt mich nicht — niemand! — *(Draußen elektrisches Klingelzeichen; er gibt sich Haltung, tritt neben den Lehnstuhl. Dann geht die Tür auf, und es erscheinen: der Regierungspräsident und der Oberbürgermeister.)*

PRÄSIDENT *(nach gegenseitiger leichter Verbeugung):* Verzeihung, wenn ich stören sollte, und bitte doch Platz zu behalten, Herr Rat; Sie werden sich leider noch etwas erschöpft fühlen.

CHRISTIAN WACH: Nicht sonderlich, Herr Regierungspräsident; ich müßte lügen, wenn ich ja sagen wollte. In unsern Gefängnissen lebt sich's bequemer, als es mancher bei sich zu Hause hat.

PRÄSIDENT: Ich möchte es lieber doch nicht versuchen. Aber um zur Sache zu kommen: ich stehe vor Ihnen auf Befehl Seiner Königlichen Hoheit unsers gnädigsten Herrn, zugleich im Auftrag des Ministeriums, um Ihnen unverzüglich Ihre Ernennung zum *Geheimen* Kommerzienrat anzuzeigen. Die Regierung will damit ausdrücken und vor der Öffentlichkeit bekunden: erstens ihre Teilnahme an dem glücklichen Ausgang eines Prozesses, der soviel peinliches Aufsehn erregt hat, zweitens ihr unverkürztes Vertrauen in den gemeinnützigen Charakter eines Mannes, der für die Sache der Wahrheit und Gerechtigkeit seinen persönlichen Ruf gewagt hat. Nach der erschütternden Seelenbeichte, die Sie vor dem Gerichtshof abgelegt haben, soll Ihnen diese Anerkennung eine dauernde Aufrichtung geben *(verbeugt sich mit Gemessenheit)* —

CHRISTIAN WACH *(lächelnd):* Sie soll mir wohl auch, Herr Präsident, eine dauernde Richtung geben. Ich danke Ihnen ehrerbietigst und bitte diesen *(sich verneigend)* untertänigen Dank auch höheren Ortes zu vermelden, erstens für die Teilnahme, zweitens für das —»unverkürzte Vertrauen«. Ich werde mich, soweit es noch in meinen kurzen Kräften steht, dieses Vertrauens würdig zu machen versuchen.

BÜRGERMEISTER: Davon ist jedermann überzeugt, Herr Geheimrat. Ich habe mich nicht bloß mit eingefunden, um Ihnen zu der neuen Würde meinen Glückwunsch darzubringen *(verbeugt sich gleichfalls gemessen)* — ich komme zuvörderst in Vertretung des Ausschusses der Bürgerschaft, sodann noch besonders als erster Vorsitzender der Gesellschaft der Menschenfreunde, um Ihnen das allgemeine Bedauern über diese Anklage auszusprechen, die zwar amtlich genügend begründet war, aber deren augenscheinliche Unhaltbarkeit schließlich sogar der Herr Staatsanwalt zugab. Sie dürfen davon durchdrungen sein, daß niemand in den maßgebenden Kreisen bei Ihrer stets betätigten Menschenliebe einen anderen Ausgang erwartet hatte, und daß die Untersuchung der Leichenreste Ihrer verewigten Frau Tante lediglich als Formalität, wie sie die Rechtspflege unvermeidlich erfordert, vorgenommen werden mußte. Es stand wohl jedem von vornherein fest, wenigstens jedem Wohlgesinnten, daß das Gift nicht mehr entdeckt werden konnte — das heißt, ich wollte natürlich sagen: überhaupt nicht entdeckt werden konnte.

PRÄSIDENT *(sehr rasch):* Überhaupt natürlich —

CHRISTIAN WACH *(sehr langsam):* Überhaupt — — Ich danke verbindlichst, Herr Oberbürgermeister. Darf ich nicht bitten, Platz zu nehmen?

PRÄSIDENT: Es tut mir außerordentlich leid, aber meine Zeit ist heute gemessen. *(Sich verbeugend)* Ich empfehle mich, Herr Geheimer Rat.

CHRISTIAN WACH *(ebenso):* Ich empfehle mich, Herr Präsident.

PRÄSIDENT: Begleiten Sie mich, Herr Oberbürgermeister?

BÜRGERMEISTER: Ich habe noch eine Kleinigkeit mit dem Herrn Geheimrat zu erörtern.

PRÄSIDENT: Also auf Wiedersehn, meine Herren — *(verbeugt sich nochmals, geht ab)* —

BÜRGERMEISTER: Ich möchte mich nur in aller Kürze — doch ich bitte zunächst um Entschuldigung: Sie werden sich hoffentlich nicht verletzt gefühlt haben, weil ich vorhin ein wenig im Ausdruck fehlgriff —

CHRISTIAN WACH *(lächelnd):* O, wie dürfte ich mich verletzt fühlen — nach allem, was geschehen ist — da Sie es doch so aufrichtig meinten —

BÜRGERMEISTER: Ja, dessen dürfen Sie sich versichert halten; aufrichtig, verehrter Herr Geheimrat! Und deshalb — *(da Christian Wach auf die Stühle weist)* nein danke, ich will mich wie gesagt nur in aller Kürze erkundigen —: Wenn es Ihnen etwa erwünscht sein sollte, daß Ihr mißliebiger Verwandter, der zwar in amtlicher Eigenschaft, aber offensichtlich nur aus Feindseligkeit gegen Sie vorgegangen ist, aus seinem Amte entfernt werde, dann will ich Ihnen diese Genugtuung gern bei dem Herrn Polizeidirektor erwirken.

CHRISTIAN WACH: Sehr freundlich, Herr Oberbürgermeister. Aber ich bitte Sie, »sich versichert zu halten«: mein Vetter handelte nur aus dem Pflichtgefühl, das eine Eigentümlichkeit unsrer *(lächelnd)* etwas starrköpfigen Familie ist.

BÜRGERMEISTER: Nun, ich meinte bloß: wenn sein Aufenthalt hier, in unserer traulichen Residenzstadt, Ihnen jetzt vielleicht unliebsam aufstoßen sollte: eine zeitweilige Strafversetzung würde ihm ohnehin wohl gebühren für seinen fruchtlosen Übereifer.

CHRISTIAN WACH *(lächelnd):* Also hätte er doch vielleicht fruchten können? — Nein, im Ernst, ich bitte sogar inständig, meinem Vetter jegliche Gunst zuzuwenden, die seine Vorgesetzten ihm zollen würden, wenn er nicht zufällig *mich* beamtseifert hätte. Es wäre mir wirklich sehr unliebsam, wenn man ihn grade mir zuliebe für eine Verdächtigung strafen wollte, die sein Beruf ihm aufnötigte, und die anfangs — nicht wahr, ich irre wohl nicht — auch andern eifrigen Amtspersonen und Menschenfreunden begründet erschien. Er ist gestraft genug durch den Mißerfolg; nicht zu reden von dem Erbschaftsverlust, den er einst durch mich erlitten hat, wenn auch nur wegen seines eigenen Starrsinns.

BÜRGERMEISTER: Ich bewundre die Selbstlosigkeit, Herr Geheimrat, mit der Sie nach dieser herben Erprobung Ihrer mitmenschlichen Gefühle die Angelegenheit ins Auge fassen. Und ich darf mich also der Hoffnung hingeben, Sie werden auch unserm Gemeinwesen gegenüber Ihre rühmlichst bekannte Gesinnung nach wie vor betätigen?

CHRISTIAN WACH: In der Tat, ich werde nach Kräften versuchen, mich auch fernerhin zu betä-hähähätigen — *(sich an die Kehle fassend)* Verzeihung, mein Nervenübel meldet sich wieder. — Aber wollen wir uns nicht doch lieber setzen? Vielleicht ein Gläschen Wein gefällig? Denn Sie lieben doch die geselligen Freuden.

BÜRGERMEISTER: O danke, danke, bedaure aufrichtig; muß mich heute leider besonders beeilen. Aufrichtig, verehrter Herr Geheimrat! — Also

wie gesagt, um mich kurz zu fassen: ich wünsche allseitige Wiederherstellung unseres guten Einvernehmens und Ihrer so wertvollen Gesundheit. *(Er verbeugt sich würdevollst.)*

CHRISTIAN WACH: Ich werde wie gesagt bestrebt sein — *(er verbeugt sich
etwas weniger und läßt den Bürgermeister hinausgehn, ohne ihm das
Geleit zu geben; sinkt dann in den Lehnstuhl und nickt vor sich hin)* —
»Aufrichtig, verehrter Herr Geheimrat« — — *(Es klopft, die alte Anne
erscheint.)*

ANNE: Kann der Herr Justus jetzt eintreten?

CHRISTIAN: Natürlich. Weshalb fragst du erst?

ANNE: Soll ich den Wein gleich mitbringen?

CHRISTIAN: Du sollst tun bitte, was ich dir sagte. Ich werde schon rufen,
wenn's an der Zeit ist *(Anne geht — Justus erscheint; tritt zögernd näher, bleibt halbwegs stehen.)* — — Nun? diesmal ohne Aktenmappe? —
Sehr liebenswürdig; bitte setz dich. *(Während Justus an den Tisch tritt)*
Willst dich wohl teilnehmend erkundigen, wie mir der Spaß bekommen
ist?

JUSTUS: Ich muß deinen Spott leider hinnehmen, Vetter; oder vielmehr,
ich nehme ihn gern hin. Ich habe das ehrliche Bedürfnis, dich um Verzeihung zu bitten für die Kränkung, die ich dir leider antat in meinem
blinden Haß. Die alte Anne hatte ganz recht: schließlich sind wir doch
Blutsverwandte.

CHRISTIAN: Ich habe schon so viel Ehrlichkeit heut genossen, daß ich dir
auch die deine verzeihe. Also nochmals: nimm endlich Platz.

JUSTUS *(setzt sich links des Tisches):* Ich begreife deine mißtrauische Laune.
Aber sie kann mich nicht hindern, dir zu bekennen, daß sich meine Meinung über deinen Charakter von innerstem Grund aus geändert hat. Du
hast mich entwaffnet — ganz und gar — bis unter die nackte Haut sozusagen — so daß ich mich vor mir selber schämte —

CHRISTIAN: Armer Vetter, wie stockend du redest; du hast dich wieder mal
gut präpariert. Beruhige dich: ich werde dir's nicht vergessen, wenn ich
nächstens mein Testament neu verfasse. Oder brauchst du gleich einen
Vorschuß drauf?

JUSTUS: Ich muß mir's gefallen lassen, wenn du mich demütigst; aber du
brauchst es nicht noch mehr zu tun, als ich es wahrlich selbst schon tat.
Es ist mir nicht leicht geworden, Christian, mich dermaßen zu überwinden, daß ich einem Menschen Abbitte leiste, den ich glaubte verachten zu
dürfen. Ich hab's mir natürlich überlegt und weiß alles, was du mir einwenden kannst; aber mir deucht, auch du könntest wissen, nach meinem
ganzen Verhalten bei dieser Erbschaftsgeschichte, daß ich es nicht aus
Berechnung tue.

CHRISTIAN: Nein, du bist ja Justus, auf deutsch: der Gerechte. Nun, es freut mich ehrlich, wenn du erkannt hast, daß die Rachsucht ein schlechtes Geschäft ist; man verrechnet sich leicht, wenn man gar zu eifrig ist.

JUSTUS: Ich gebe zu, ich wollte mich rächen. Aber ich glaube, ein Mensch wie du wird es menschlich verstehen können, daß ich mich einigermaßen gereizt dazu fühlte. Und jedenfalls: ich bereue es jetzt.

CHRISTIAN: Ja, das Lebensgeschäft macht uns alle mürbe, selbst den schneidigsten Rechenmeister.

JUSTUS: Du legst mir wirklich falsche Beweggründe unter.

CHRISTIAN: O, jeder rechnet auf seine Weise, auch wer die Erbschleicher glaubt »verachten zu dürfen«. Du stößt wohl jetzt auf allerlei Schwierigkeiten in deiner amtlichen Regeldetri?

JUSTUS: Es schmerzt mich um deinetwillen, Christian, daß du dich boshafter stellst, als du bist. Oder fühlst du mir's in der Tat nicht an, daß auch ich aus reiner Wahrheitsliebe meine menschliche Schwachheit bekenne? Ich *kann* dich nicht für so fühllos halten; jetzt nicht mehr, du hast mich überwältigt. Dein letztes Bekenntnis vor Gericht hat mich ergriffen wie noch nichts im Leben.

CHRISTIAN: Aber dann gönne mir doch den reinen Triumph, den meine Selbstbeherrschungskunst — »man könnte auch sagen: Verstellungskunst« — über deine Schwachheit errungen hat. Nicht wahr, auf diesen ehrlichen Kunstgriff war deine Menschenkenntnis nicht vorbereitet? Ja ja, lieber Vetter, sie ist nicht so einfach, die Algebra der Verbrecherseele.

JUSTUS: Du wirst mich nicht irre machen mit deinen Scherzen. Ich werde nicht aufstehen von diesem Stuhl, bis du mir die Hand zur Verzeihung reichst, meinethalben auf Nimmerwiedersehn. Ich traue dir nicht die kleinliche Rachsucht zu, daß du die einzige Genugtuung ablehnen wirst, die ich dir in meiner erbärmlichen Lage, der Besiegte dem Sieger, noch bieten kann.

CHRISTIAN: O, du kannst noch allerlei von mir lernen, sogar im Satisfaktions-Comment. Ich gebe dir zum Beispiel den guten Rat, deine Rache nicht auf die lange Bank zu schieben; es ist dir schon einmal schlecht bekommen. Hättest du im Sommer nicht vier Wochen gewartet, um mir die scherzhafte Überraschung zu meinem Geburtstag zu bereiten: wer weiß, ob du jetzt der Besiegte wärest. Einem simpeln Kommerzienrat hätte man eher die Maske des Menschenfreundes abgerissen als einem Ehrenbürger und Kronordensritter; die Behörden konnten es doch nicht wünschen, durch meine Verurteilung mit-bla-blamiert zu werden. Also, lieber Justus, ich rate dir nochmals, deine geheimpolizeilichen Gerechtigkeitspläne nicht aus gar zu langer Hand weiter zu spinnen; du verwikkelst dich sonst im eigenen Netz.

JUSTUS *(aufstehend)*: Wenn du mich durchaus wegjagen willst: nun gut, du kannst es, dann sind wir quitt! Dann bist du *nicht* der hochherzige Dulder, vor dem ich mich endlich beugen wollte! Dann bist du wirklich vom Fluch des Reichtums so bis ins Mark zuschanden gequält, daß du überall nur noch Schmarotzer witterst!

CHRISTIAN: Dann bin ich der ehrlose Knecht meines Geldes, der nicht geduldig zum Pranger geschleift sein wollte! *(Gleichfalls aufstehend)* Dann bin ich der verworfene Heuchler, der nicht die gnädige Hand drücken will, die ihn dem Schandmaul des Pöbels p-preisgab! Dann bin ich der Schurke, der argwöhnische, der auf all die w-wohlfeilen Worte höhnt, womit wir unsre Untat beschönigen! Dann — ah: *(taumelnd)* hahahalt mich, Justus: das Herz!

JUSTUS *(ihm beispringend):* Verdammt ja, was ist —?

CHRISTIAN: Laß — es geht schon vorüber. — *(Sich setzend)* Es war nur ein kleines Erinnerungszeichen — *(lächelnd)* an meine Selbstbeherrschung, weißt du. Laß dich's nicht kümmern, setz dich wieder. — *(Da Justus zögert)* Was äffst du uns beide mit Großmutsgrimassen. Du mußt doch merken, wie gern ich mich aussprechen möchte; du bist doch sonst ein witziger Mensch. Also setz dich; hier hast du meine Hand.

JUSTUS: Ich dank dir — *(gibt ihm die Rechte)*

CHRISTIAN *(ihn fixierend):* Ich *trau* dir! — Nun? Was zuckst du zurück? —

JUSTUS: Du bist mir unheimlich, Christian —

CHRISTIAN: Hahaherrlich! Siehst du, wie ich mich freue! das war doch endlich ein ehrliches Wort! — Aber im Ernst: hast du wirklich nicht gemerkt, wie ich brenne auf eine Aussprache, eine wirklich vertrauliche Aussprache, nach meiner unfreiwilligen Einsamkeit? Mit der alten Anne, so redlich sie ist, kann man doch bloß das Einfachste reden; und andre Freunde hab ich ja nicht. — *(Es klopft, und Anne tritt mit dem Sanitätsrat ein)* — Ah, lieber Geheimrat, alter Freund, nett, daß Sie auch auf den Busch klopfen kommen; ich fühle mich recht behaglich heute *(er weist auf die Stühle neben sich).*

SANITÄTSRAT *(hinter dem Tisch Platz nehmend):* Kann mir's denken, verehrtester Herr Kollege von der finanziellen Fakultät; traf eben den Bürgermeister, gratuliere — *(sich verneigend)* zu der neuen Würde und Würdigung. Ist ja ein wahrer Triumph der Gerechtigkeit; schade, daß Sie keine Zeitungen lesen. Die ganze Presse singt Ihnen Hosianna; selbst die Sozi blasen ins Jubelhorn. *(Zu Justus, der stehen geblieben ist)* Ich genier Sie doch nicht, Herr *(gedehnt)* Polizeikommissar —?

JUSTUS: Keineswegs, Herr Geheimer Sanitätsrat; ich wollte mich ohnehin empfehlen. Ich kam nur her, um meinem Vetter die gebührende Abbitte zu leisten.

CHRISTIAN: Nein, Justus, das darfst du mir jetzt nicht antun; ich muß dich tatsächlich noch etwas fragen.

SANITÄTSRAT: Dann nichts für ungut, Herr Leutnant, Sie kennen mich ja; *(ihm mit komischer Würde die Hand hinhaltend)* es irrt der Mensch, solang es geht —

CHRISTIAN: Also bitte, im Ernst: Versöhnungsfeier — *(Justus gibt lässig dem Sanitätsrat die Hand und setzt sich wieder links des Tisches).* Bitte, Anne, du weißt ja *(sie nickt, geht hinaus)* — ich danke dir, Justus.

SANITÄTSRAT: Aber Sie haben's zu kalt hier im Zimmer; für Ihren Körper ist Kälte jetzt Gift! *(Christian zuckt ein wenig zusammen.)* Ah, Pardon, das verflixte Prozeßwort; man wird es gar nicht mehr los aus den Ohren, alle Zeitungen wimmeln von Vergiftungs-Wortspielen. Für einen Medizinmann recht amüsant; ich darf doch ruhig davon reden?

CHRISTIAN: O bitte — *(lächelnd)* seh ich denn unruhig aus?

SANITÄTSRAT: Na, Verehrter, nur keine Fisimatenten; Ihre Ruhe ist mir nicht ganz geheuer. *(Inzwischen ist Anne zurückgekommen, setzt eine Platte mit Gläsern und Weinflasche auf den Tisch.)*

CHRISTIAN: Nun, dann wollen wir heizen, meine Herrn. Bitte, Anne, schenk ein.

SANITÄTSRAT und JUSTUS: Nein danke — danke — *(strecken gleichzeitig rasch die Hand zur Abwehr)* —

CHRISTIAN: So enthaltsam auf einmal? Nun, Anne, dann mir nur. *(Lächelnd)* Es ist wirklich kein Gift drin, meine Herrn.

SANITÄTSRAT: Aber Bester, empfindlich —? Na, Schwester Anne, dann seien Sie mal auch zu mir barmherzig *(läßt sich gleichfalls einschenken)* —

CHRISTIAN: Justus —?

JUSTUS: Ich bin's zwar nicht mehr gewohnt vormittags. Aber —

ANNE *(nachdem sie auch ihm eingeschenkt):* Ist gern geschehen, Herr Justus.

SANITÄTSRAT *(während Anne hinausgeht):* Also dann, mein teuerster Herr Patient: wie gesagt, es lebe die Herzensbewegung! — *(Sie stoßen gemessen an und trinken.)* — Denn wie gesagt: Ihre Ruhe gefällt mir nicht, kommt mir nach all dem Trara etwas unheimlich vor. Hatte eigentlich von der vertrackten Affäre eine Art Nervenbelebung für Sie erwartet. Drückt Sie vielleicht ein geheimer Schmerz? Das heißt, verstehen Sie recht, ich meine: irgendein Groll, ein verbissener Kummer? Nur nichts in sich fressen, Verehrter! Trinken Sie öfters ein Gläschen Champagner und sprechen Sie sich mit jemand aus, wenn die Geschichte Sie immer noch wurmt.

CHRISTIAN: Ha-hörst du's, Justus: ich soll mich gesund beichten! Vor Gericht, das genügte noch nicht! Also klopf mir mal gründlich aufs Gewissen!

SANITÄTSRAT: Spotten Sie nur, das ist gut gegen Blutstockung; der Herr Vetter wird's Ihnen nicht verargen. Wir müssen uns hüten, Verehrter, vor Apoplexie! Und bei Neurosen, so rätselhaft wie die Ihre, kann

Herzenserleichterung Wunder tun. War mir schon im Prozeß höchst interessant, daß Sie plötzlich nicht mehr zu stottern brauchten. Also nochmals: nur keine Mördergrube!

CHRISTIAN *(Justus zutrinkend):* Haha-Heil dir also, du Wundertäter! — Aber, mein lieber Geheimrat, was reizt Sie bloß, daß Sie mich durchaus gesund machen wollen? Meine Krankheit ist doch viel interessanter.

SANITÄTSRAT: Na, erlauben Sie, Bester, bedenken Sie: ich bin doch immerhin Vorstandsmitglied der Gesellschaft der Menschenfreunde! Jahresbeitrag fufzig M, ungerechnet die Liebesmähler! — *(Trinkt aus und steht eilfertig auf.)* Also wohl bekomm's, meine Herrn; mehr als guten Rat kann ich leider nicht geben — *(verbeugt sich lächelnd, geht händereibend ab)* — —

CHRISTIAN: Nun, so nachdenklich, Herr Gewissensrat? Trink doch, du sollst mich doch animieren!

JUSTUS: Auf den neuen Charakter denn, Herr Geheimrat — *(blickt ihn forschend an und trinkt aus)* —

CHRISTIAN *(ihm das Glas wieder füllend):* In der alten Mördergrube, nicht wahr? — Du dachtest wohl wirklich im ersten Augenblick, ich wollte uns alle zusammen vergiften?

JUSTUS: Offen gesagt, Vetter, ich würde dir dankbar sein, wenn du einen andern Ton zu mir anschlagen könntest. Ich bin vielleicht doch nicht »witzig« genug, um über derlei Scherze zu lachen.

CHRISTIAN: Und wenn's nun keine Scherze wären? Wenn ich nun doch vielleicht gemordet hätte, noch viel planmäßiger, als du dachtest? Wenn *(nach dem Porträt weisend)* der Schlaganfall meines Opfers kein Zufall war, sondern von mir herbeigeführt, um auf alle Fälle sicherzugehn? Bist du noch gar nicht auf den Einfall gekommen, daß man Wutanfälle künstlich bewirken kann?

JUSTUS: Es scheint, du gefällst dir in der Rolle des skrupellosen Übermenschen. Du solltest mit solchen Gedanken nicht spielen in deinem überreizten Zustand. Du kannst dich doch unmöglich wohl dabei fühlen.

CHRISTIAN: Meinst du, die menschenfreundlichen Milliardäre, die in Amerika Kirchen und Schulen stiften und Krankenhäuser und Volksküchen, die zögen ihre Gefühle zu Rate, wenn sie mit ihren Börsenmanövern andere Menschen zu Grunde richten? Oder um ein Beispiel zu wählen, das deinem Opfersinn näher liegt: hat sich etwa der General Bonaparte, oder irgendein andrer Schlachtenlenker, jemals mit Gewissensskrupeln über M-Massenmord abgegeben? Und doch bewundert ihn die christliche Menschheit; genau wie den großen Kaiser Karl, der zum höheren Ruhm seines Hahaha-Heilands ein ganzes Heer Heiden abschlachtete, oder den edlen Bürger Robespierre, der zu Ehren der Freiheit Tausende Mitbürger in den Kerker und aufs Schafott spedierte. Ja, die menschliche Bestie ist sehr beflissen, heilige Zwecke zu erfinden, unter deren Nimbus sie sich austoben kann. *(Sein Glas hebend)* Trink, lieber Justus, und lerne l-la-chen! —

JUSTUS *(während Christian trinkt und sich hastig das Glas wieder füllt):* Du könntest dich auch auf Nero berufen, an dessen irrsinnigen Greuel-taten sich der Pöbel im Kino noch heute entzückt. Trotzdem hält jeder anständige Mensch solchen großspurigen Bösewicht im Grunde für einen armen Teufel, der in die Besserungsanstalt gehörte.

CHRISTIAN *(auflachend):* Hahahimmlisch! du bist ja ungemein witzig! Wahrhaftig, das Alleranständigste wäre, wir gingen *alle* in die Besse-rungsanstalt; es ist für Hans Jedermann immer noch leichter, ein Engel in Menschengestalt zu werden als ein Teufel von Übermenschengröße. Aber du trinkst ja gar nicht, du M-Menschheitsretter; zum Wohl, mein gütiger Beichtvater! *(Er trinkt mit sichtlicher Erregtheit.)*

JUSTUS *(nur kurz Bescheid tuend):* Zum Wohl — wenn dich die Beichte nicht reut. Vielleicht ist es dir in Wahrheit lieber, dich nicht weiter auszuspre-chen.

CHRISTIAN: Was weißt du von meiner Wahrheit, Mensch! *(Sich mäßigend, starr vor sich hin)* Was weiß ich schließlich selber davon.

JUSTUS: Beruhige dich; ich will sie nicht wissen.

CHRISTIAN: Wer kann denn die Wahrheit über sich sagen? Das Wahre ist immer nur, was man tut!

JUSTUS: Ich will auch von deinen Taten nichts wissen. Ich bin durchaus nicht darauf versessen, mich in dein Vertrauen zu drängen.

CHRISTIAN *(lächelnd):* Aber du bleibst mit Vergnügen sitzen, weil meine Worte dein M-Mißtrauen ködern. Vergiß nicht, es sind bloß — »Gedan-kenspiele«. *(Er trinkt wieder mit merklicher Hast.)*

JUSTUS: Ich bin geblieben, Christian, weil du mich etwas fragen wolltest. Wenn's dir leid geworden ist, gehe ich gern.

CHRISTIAN: Aber nein, das wirst du mir doch nicht antun, du reuevoller Blutsverwandter! Du mußt doch anstandshalber ein bißchen Mitleid ha-ben mit meinem »überreizten Zustand«! Natürlich will ich dich etwas fragen, sehr viel sogar, du wirst dich wundern! Du mußt doch auch von Berufs wegen einigen Anteil nehmen, wie der verfolgten Unschuld zu-mute ist! Nicht wahr, lieber Vetter, das mußt du doch?

JUSTUS: Also — ?

CHRISTIAN: Du scheinst es ja gar nicht erwarten zu können — *(will wie-der trinken, beherrscht sich aber).* Also: gesetzt zum Beispiel den Fall, dir kämen jetzt, nachdem sich dein Urteil über meinen Charakter ge-ändert hat — von Grund aus geändert hat, wie du sagtest, — da käme dir nun ein D-Dokument in die Hand, womit du dem ho-hohohohen Gerichtshof den vollen Beweis erbringen könntest, daß ich mich in der Tat vor Jahren als Unmensch *(absichtlich)* betäterätätigt habe: was würdest du da tun, lieber Justus?

JUSTUS: Du wirst doch nicht im Ernst erwarten, daß ich auf solche wahnwitzige Frage eine vernünftige Antwort geben soll.

CHRISTIAN: Du meinst, ich würde jetzt nicht mehr ins Zuchthaus, sondern ins Irrenhaus gehören? Sehr freundlich, aber das scheint mir falsch; ich halte meine Vernunft für recht klar. Doch gesetzt, ich war wirklich so irrsinnig, aus allgemeiner M-Menschenliebe einen einzelnen Menschen zu morden, dann ist doch Irrsinn noch kein triftiger Grund, einen M-Mörder freizusprechen. Das wäre wohl höchstens dann vernünftig, wenn *alle* Irren Mörder wären. Du bist doch jedenfalls der Ansicht, mindestens doch von Amts wegen, daß man verbrecherische Gelüste aus der Menschheit ausrotten müsse und daß sich das nur durchsetzen läßt, wenn man die Verbrecher bestraft. Warum also einen M-Mörder schonen, der zufällig auch noch irrsinnig ist; den müßte man doch erst recht bestrafen, damit sich nicht etwa andere Irre ein reizendes Beispiel an ihm nehmen. Ja, wär's noch ein Mammama-Massenmörder, vor dem sich die vernünftige Menschheit mit Staunen und Grauen verkriechen könnte! Aber ein ganz gewöhnlicher Gelegenheitsmörder: wozu denn den unter die Glasglocke setzen? — Ich glaube, du wirst mir zugeben müssen, daß meine überreizten Gedankenspiele ziemlich folgerichtig sind.

JUSTUS: Unheimlich richtig — wie ich gleichfalls schon sagte.

CHRISTIAN *(lächelnd):* Ja, es ist schwer, sich verstehen zu lernen. *(Das Glas hebend)* Zum Wohl! so trink doch endlich aus!

JUSTUS *(sein Glas mit der Hand bedeckend):* Nein, danke; keinen Tropfen mehr.

CHRISTIAN: Du fürchtest wohl, du lernst mich zu gut verstehen? — *(Das Glas hinsetzend, ohne getrunken zu haben)* Soll ich dich lieber nicht weiter fragen?

JUSTUS *(lächelnd):* Ich fürchte, du wirst es nicht lassen können.

CHRISTIAN: Sehr wahr! Du fängst wirklich an zu verstehen! — Also gesetzt, du fändest irgendein Schriftstück, das mein Verbrechen unwiderleglich bewiese — zum Beispiel ein Tagebuch von mir, das ich damals geschrieben hätte — in das ich alles verzeichnet hätte, was mich zu der Untat verführte — in dem ich mir Rechenschaft ablegte, über meine Gedanken und Gefühle, vor der Tat und nach der Tat — wie ich mit meinem Gewissen kämpfte, jahraus jahrein, von W-Woche zu Woche — wie ich mich prüfte und mich quälte mit meiner scha-hauderhaft klaren Vernunft — wie ich l-langsam die Feigheit überwand, die in unsern sittlichen Grundsätzen nistet — wie ich in allen Gründen und Abgründen meiner Seele herumstocherte, um die Gewürme der Angst und Reue, des E-Ekels und

Dünkels zu zerquetschen *(hat sich krampfhaft ans Herz gegriffen)* —: würdest du jetzt noch w-willens sein, mich auf Grund eines solchen Bekenntnisses öffentlich zu brandmarken? —

JUSTUS: Aber lieber Christian, nimm's nicht übel, verzeih mir meine Offenheit: das sind ja leere Hirngespinste. Solch Tagebuch ist doch nicht vorhanden, also kann ich es auch nicht finden, also auch zu der Frage nicht Stellung nehmen.

CHRISTIAN: Du meinst, weil du's nicht gefunden *hast* bei deiner amtlichen Haussuchung hier? *(Lächelnd)* Hast wohl gründlichst an den Wänden geklopft? zum Beispiel *(nach dem Porträt weisend)* hinter dem Erbstück da! — Nun, vielleicht gibt es doch Verstecke, die selbst einem Detektivoffizier ein Buch mit sieben Siegeln sind.

JUSTUS *(lachend):* Da kann ich dich gründlichst beruhigen! In der alten Bude, die wir von Kindheit an kennen, ist mir kein Blättchen verborgen geblieben, geschweige ein ganzes Tagebuch.

CHRISTIAN: Nun, die Mühe hättest du sparen können. Es wäre doch *gar* zu gewöhnlich gewesen, ein solches Beweisstück hier aufzubewahren, wo jeder Schnüffler es finden konnte; für einen so harmlosen Bösewicht wirst du mich jetzt wohl nicht mehr halten. Aber gesetzt, ich hätte es anderswo, an ganz sicherer Stelle, hinterlegt, unter unantastbarem Siegel — zum Beispiel bei irgendeinem Notar oder in der Stahlkammer einer Bank, etwa als Anhang zu meinem T-Testament, das erst nach meinem seligen Tod gerichtlich geöffnet werden darf —: gesetzt, ich hätte meine Erben, zum Beispiel einen gewissen Justus oder vielleicht auch die alte Anne, mit der Erlaubnis betrauen wollen, die Menschheit darüber aufzuklären, welch Scheusal dieser M-Menschenfreund war — mit welcher kaltblütigen Hihihi-Hinterlist er ein gebrechliches Weib umgarnte, wie er ihre Krankheit mit langsamen Reizmitteln nährte, ihren zügellos gewordenen Jähzorn bis zur Selbstzerrüttung aufpäppelte — wie er ihr schließlich seinen M-Mordplan enthüllte, daß sie vor ohn-m-m-mächtiger Wut —

JUSTUS *(brüsk aufstehend und sich reckend):* Genug! jetzt hab ich genug gehört! — Ich bedaure meine Gutgläubigkeit, ich speie auf deinen frechen Hohn. Du denkst, du bist jetzt sicher vor mir; du wirst dich irren, du kennst mich noch nicht! Ich werde nicht ruhen, bis du entlarvt bist; keinen Schritt mehr sollst du im Leben tun, hinter dem du nicht meine Augen spürst! Bei Tag und Nacht, ich werde dir nah sein: dein Doppelgänger, dein Alb, dein Gespenst —

CHRISTIAN *(hat sich gleichfalls erhoben, ihm fiebrig in die Augen starrend):* Du wirst mir »von Grund aus« willkommen sein. Du wirst mir das höchste Vergnügen bereiten, nach dem ich im Leben getrachtet habe. Du wirst mir tagtäglich den vollen Genuß meiner M-Menschenwürde verschaffen! Du wirst mir der Hund sein, der bis zum Irrsinn nach meiner Gewissenspfeife tanzt! Du wirst —

JUSTUS: Ich werde dein Spiegel sein! Du bist ja der bodenloseste Teufel, der sich jemals vor sich selber versteckt hat! Ich werde dir endlich einmal zeigen —

CHRISTIAN: Dein wahres Antlitz! nicht wahr? hahahah! — Ist *das* deine Reue, du »anständiger Mensch«?! *Kenn* ich dich jetzt, du ehrlicher Vetter?! Ich kann dir noch mehr Verbrechen vorlügen, um dein M-Mitgefühl zu befriedigen! Ich sollte wohl gleich vor Rührung zerschmelzen ob deiner edlen »Gutgläubigkeit«? Hahahimmlisch, du entlarvter Engel, du Cherub der Gerechtigkeit! Hab ich dir »endlich einmal« ins Herz geleuchtet? in die M-Mördergrube — hha-ha-ha — ah — *(sein Gelächter schlägt um in einen Wehlaut, er greift in die Luft und bricht zusammen)* —

JUSTUS *(beugt sich über den Tisch vor, mit beiden Fäusten aufgestemmt, betrachtet kalt den Ohnmächtigen):* —Diesmal scheint's echt; — du traust dir zuviel zu, Bursche. — *(Geht langsam zur Tür, öffnet, ruft)* Schwester Anne! — *(Er zieht seine Taschenuhr, überlegt!)* —

ANNE: Was ist? *(Erschreckend)* Um Gottes willen — *(Sie eilt an den Lehnstuhl, nimmt Christians Kopf in den Arm, lockert ihm Kragen und Halsbinde.)*

JUSTUS *(an der Tür bleibend):* Dem Herrn ist der Wein wohl zu stark gewesen; ich werde den Sanitätsrat holen. Und den Notar; wie heißt er doch gleich?

ANNE: Welcher Notar? Ich weiß ihn nicht. Der Herr sagt mir nichts von seinen Geschäften.

JUSTUS: Nun, dann nachher; auf bald, Schwester Anne. Wir müssen dem Herrn jetzt ein bißchen beistehn; wir wollen nachher darüber sprechen.

ANNE: Gewiß, Herr Justus, das wollen wir.

JUSTUS: Also auf bald!

ANNE: Auf bald, Herr Justus. — *(Nachdem Justus gegangen ist, leise)* Vater, hilf deinen schwachen Kindern —

Vorhang

Dritter Akt

CHRISTIAN WACH (*sitzt im Lehnstuhl hinter dem Mitteltisch, den Unterkörper in schwarze Decken gehüllt. Vor ihm liegen Geschäftspapiere, in denen er blättert und Zahlen nachrechnet, in der linken Hand einen Bleistift haltend. Man sieht, sein rechter Arm ist gelähmt, hängt in einer schwarzen Binde. Seine Stimme klingt untergraben.):* — — Also noch knappe neun Millionen *(den Bleistift hinlegend)* — es geht zu Ende, Christian Wach. — *(Sich mühsam nach dem Porträt umwendend)* Deine Schatzgrube ist bald leer, alter Drachen! — *(Hand aufs Herz legend, schwer vor sich hin)* Und die Mördergrube wird immer voller —

DIE ALTE ANNE *(tritt in die Tür, ein winziges, aber sorgsam geschmücktes Weihnachtsbäumchen auftragend):* So, Herr Christian, damit Sie doch merken, daß uns heute der Heiland geboren ist — *(vor ihn hintretend)* der Erlöser, lieber Herr Christian! — *(Das Bäumchen auf den Tisch stellend)* Gelt, ich darf es heut abend uns anzünden; zu Heilig-Abend ist das keine Verschwendung.

CHRISTIAN: Das hast du doch früher nicht getan. *(Lächelnd)* Du denkst wohl, jetzt bin ich hilflos genug, daß du mir neue Lichter aufstecken kannst?

ANNE: Ja, ich hätt mir schon eher ein Herz fassen solln. Wir sind allesamt hilflos genug.

CHRISTIAN: Besonders wenn wir's uns einreden lassen. Ich halte mich lieber an das Sprichwort: hilf dir selbst, dann hilft dir Gott. Das ist auch für die Gottlosen brauchbar.

ANNE: Es gibt noch ein ander Sprichwort, Herr Christian: Gott verläßt die Seinen nicht. Und mancher ist sein, der's nicht wahrhaben will.

CHRISTIAN: Wenn ich nicht wüßte, wie gut du's meinst, könnt ich glauben, du dankst deinem Gott im stillen, daß er mich damals nach meiner Freisprechung *(auf seinen rechten Arm deutend)* mit dem Schlaganfall begnadet hat.

ANNE: Seine Wege sind nicht die unsern.

CHRISTIAN: Schon recht, schon recht; ich kenn deine Standreden. *(Auf den Stuhl zu seiner Linken weisend)* Komm, setz dich lieber, ich muß dir was sagen. Aber stell erst das Bäumchen einstweilen beiseite, sonst vergeht mir bis Abend die Freude daran. *(Während Anne es auf das Bücherbord trägt)* Ich habe gestern mit dem Notar mein Testament ins reine gebracht *(berührt die Papiere, schüttelt sich unwillkürlich)* — aber leg noch bitte etwas Holz aufs Feuer. Und wenn nachher der Minister kommt, legst du nochmals ein bißchen nach. Hat er nicht m-melden lassen, worum sich's handelt?

ANNE *(ein paar Scheite in den Kamin legend):* Es wird halt wegen der neuen Stiftung sein; die Grundsteinlegung der Radioklinik.

CHRISTIAN: Nein, das hab ich mir schon verbeten, daß sie auf meinen Namen getauft wird. Also komm jetzt, wir wollen uns aussprechen.

ANNE *(sich setzend, ihm in die Augen blickend):* Ja, wenn Sie das wollten, Herr Christian —

CHRISTIAN: Willst du mich wieder aufregen, Anne? Das kannst du dem Justus überlassen! — Er hat sich wohl jetzt mit dir verschworen, meine werte S-Seele zu retten? Seitdem er hier mit im Hause wohnt, wird er von Tag zu Tag christlicher.

ANNE: Auch der Herr Justus meint's gut auf seine Weise.

CHRISTIAN: Gewiß, versteht sich; und ich lohn's ihm auf meine. Das eben will ich mit dir besprechen.

ANNE: Wenn Sie's aber doch aufregt! grad immer das! Immer wieder diese unselige Erbschaft, diese Sorge um den morgigen Tag. Und grad zum Christfest; es hat doch Zeit.

CHRISTIAN: Nein, Anne, mit meiner Zeit ist's bald aus; kannst ruhig darüber reden mit mir. Meinst du, ich fürchte mich vor dem T-Tod? Was tut's denn, ein bißchen früher zu sterben, als es ohne die Sorge vielleicht geschähe. Was heißt denn sterben? *Keine* Sorgen mehr haben! Kann man sich davor fürchten im Leben? Kann man das überhaupt begreifen? Ich kann meinen Tod mir nicht vorstellen.

ANNE: Ja: sie *will* nit sterben, die ewige Seel —

CHRISTIAN: Kommst du schon wieder mit deiner Gottesfurcht? Versteh doch, ich habe andere Sorgen!

ANNE *(seine Linke streichelnd):* Nicht Furcht, nicht Furcht: Gott will Vertrauen. Furchtbar ist bloß die menschliche Selbstsucht.

CHRISTIAN *(lächelnd):* Dann sei also selbstlos und hör mir zu. *(Ein Schriftstück aus den Papieren nehmend)* Hier ist mein Vermögen drin verzeichnet. Es sind, nach Abzug aller Unterhaltsgelder für die bestehenden Stiftungen, noch etwa neun Millionen Mark. Davon habe ich drei dem Justus vermacht; den Rest, wenn du nichts dagegen hast, dir.

ANNE: Aber —

CHRISTIAN: Laß mich erst ausreden, bitte. Du kannst damit machen, was du willst; kannst den Plunder verschenken, an wen du willst, meinethalben an den verkommensten Strolch. Nur die eine Bedingung ist dir gestellt: keinen Pfennig mehr darfst du für irgendeine dieser öffentlichen A-Anstalten stiften, die unter der Maske des Samariterdienstes eine Gesellschaft von Pharisäern züchten. Denn daß du's nur weißt, liebe alte

Anne: ich will dich nicht in Versuchung führen, ob deine Barmherzigkeit *auch* am Ende in die allgemeine Herzlosigkeit umschlägt, die sich M-Menschenfreundlichkeit nennt. Selbst das größte Gefühl wird klein, wenn es sich aufputzt mit großen Begriffen; ein bißchen Güte von Mensch zu Mensch ist besser als alle Liebe zur Menschheit.

ANNE: Das sagen Sie bloß wieder, um sich zu quälen. Der gute Wille ist allzeit heilig.

CHRISTIAN: Wenn du also einverstanden bist, dann liegt es auch in deiner Hand, das Vermächtnis an Justus größer zu machen. Ich möchte mit ihm nicht darüber sprechen, und ich bitte auch dich inständig, es nicht vor meinem T-Tode zu tun; er denkt sonst, ich wolle ihn bestechen, und das würde die Versöhnung erschweren, die ich noch von ihm zu erlangen hoffe. Also nicht wahr, du schweigst darüber!

ANNE: Ja gewiß, Herr Christian, gern.

CHRISTIAN Du kannst dir ja immer überlegen, ob es viellcicht cin christliches Werk ist, ihm mehr als die drei Millionen zu geben, die er vor Jahren von mir verlangt hat; meinethalben das Doppelte.

ANNE: Was ist da groß zu überlegen? Was braucht ein einzelner Mensch soviel Geld? Es lädt ihm bloß Ängste auf die Seele. Sie, Herr Christian, hätten's auch leichter gehabt, wär nit die große Erbschaft gewesen.

CHRISTIAN *(lächelnd):* Du fühlst dich wohl nicht als »einzelner Mensch«?

ANNE *(lachend):* O, ich leichte Person! bei mir bleibt's nit lang! Hier in der Näh gibts 'ne ganze Straße, da könnt man in einer Nacht die Millionen loswerden, damit das geschminkte Elend mal ein rechtschaffen Christfest feiern kann.

CHRISTIAN: Du hast's ja gut vor; gib nur acht, daß dir die Lichter nicht den Baum verbrennen. Glaub mir: was der Mensch auch tun mag aus Mitleid, es ist nie genug und immer zuviel. Du wirst vielleicht noch zufrieden sein, daß du dem Justus die Sorge aufpacken kannst, wie man das Geld am besten los wird.

ANNE: Davor ist mir nit bang, dafür sorgt unser Herrgott; ist eitel Dunst um jegliche Guttat, die seine Welt verbessern will. Einfach wohltun, soviel man kann, aus *Freud* am Wohltun, mehr kann man nit. Was würd denn der stolze Herr Justus sagen, wollt ich vor ihn hintreten und ihm was schenken? Nein, das geht nit; dem kann ich das nicht antun.

CHRISTIAN *(langsam nach ihrer Hand tastend):* Verzeih mir, Anne — ich hab dich zu spät erkannt —

ANNE: Und wenn's noch Zeit wär, Herr Christian — die andere Sorge auch loszuwerden —?

CHRISTIAN *(sich aufraffend, rauh):* Was soll das! L-laß das! Ich sagte: zu spät!

ANNE *(seine Linke mit beiden Händen ergreifend):* Ich hab geschwiegen so viele Jahr lang, ich werd schweigen darüber bis ans Grab: sprechen Sie aus, was Ihnen das Herz abdrückt!

CHRISTIAN: Sei vernünftig, Anne, reg mich nicht auf! *(Lächelnd)* Du weißt, das verträgt der Geheimrat nicht.

ANNE: Ich bitt Sie, Herr Christian, liebster Herr: spotten Sie nicht, ich fleh Sie an! *(Zu ihm hinkniend)* Ich hab noch nie vor einem Menschen gekniet — ich beschwör Sie bei Ihrer Qual — *(mit beiden Händen nach dem Porträt weisend)* bei den Augen, die Sie verfolgen —: nehmen Sie nicht das Geheimnis mit hinüber!

CHRISTIAN: Steh auf! du beschämst mich! Ich d-dulde das nicht! Der Justus hat dich ganz wirr gemacht! Steh auf, sag ich dir, du machst mich zuschanden! Willst du mir *noch* einen Schlaganfall einjagen?

ANNE: Ich will Ihrer armen Seele beistehn! Die macht's ja nur, daß der Körper büßt!

CHRISTIAN *(wild seine Linke gen Himmel spreizend)*: Ist denn selbst die Barmherzigkeit eine Furie?! — *(Die Hand auf Annens Kopf senkend, sanft)* Was weißt du von meiner Buße, du Engel. Steh auf, du überhebst dich vor Demut. *(Die Hand an seine Stirn legend)* In dies Geheimfach dringt nur der Tod. *(Draußen elektrisches Klingelzeichen, während Anne sich erhebt)* — Geh, öffne; *(matt ihre Hand ergreifend)* du hast mir wohlgetan —

ANNE *(küßt seine Stirn, dann mit traumhaftem Ausdruck)*: Denn uns ist heute der Heiland erschienen — *(legt beglückt ihre Hände vor die Brust und geht so leise nickend hinaus)* —

CHRISTIAN *(wendet sich langsam nach dem Porträt um)*: Verfolgst du mich wirklich noch?! — *(Wendet sich langsam zurück, schließt die Augen; dann mit verklärtem Gesicht)* Bald nicht mehr — *(Die Tür geht auf, Anne läßt den Minister und den Oberbürgermeister eintreten.)*

DER MINISTER *(mit einer Verbeugung, der sich der Bürgermeister anschließt, während Anne Holz in den Kamin legt)*: Guten Tag, Herr Geheimer Rat; es tut mir leid, Sie stören zu müssen.

CHRISTIAN WACH: Nicht im geringsten, Euer Exzellenz. Wollen Sie nur entschuldigen, daß mein Zustand mir nicht erlaubt, den Herren geziemend entgegenzukommen. Darf ich bitten, Platz zu nehmen.

MINISTER *(während Anne hinausgeht)*: Die Ehrerbietung erfordert zunächst, meinen Auftrag stehend zu erstatten. Auf Befehl Seiner Königlichen Hoheit, unsers gnädigsten Landesherrn, habe ich Ihnen, Herr Geheimer Rat, die persönliche Eröffnung zu machen: So sehr die Gesinnung zu würdigen ist, aus der Sie Ihre Namensverknüpfung mit dem von Ihnen gestifteten radioklinischen Institut ablehnen, kann doch des guten Beispiels wegen ein solches Geschenk nicht angenommen werden, ohne es durch ein rühmliches Zeichen der allgemeinen Erkenntlichkeit zu erwidern. Seine Königliche Hoheit haben daher geruht, in der Annahme, daß es Ihnen eine Weihnachtsfreude bereitet wird, Sie in den Adelsstand zu erheben; die Urkunde folgt heute nachmittag. *(Sich auf den Stuhl links des Tisches setzend, mit lächelnder Unamtlichkeit)* Ich erlaube mir, Herr von Wach, Ihnen ohne Phrase zu sagen, daß ich Ihren Dank richtig ausrichten werde.

CHRISTIAN VON WACH: Es liegt meinem Selbstgefühl fern, Exzellenz, mich gegen ein gütiges Wort zu wehren — *(sie reichen einander unwillkürlich die Hand)*

DER BÜRGERMEISTER *(ist stehen geblieben, räuspert sich):* Ich bin nicht bloß erschienen, Herr Geheimrat von Wach, um Ihnen meinen aufrichtigen Glückwunsch zu der soeben vernommenen hohen Auszeichnung darzubringen; ich stehe hier zugleich in Vertretung der behördlichen Körperschaften unserer Haupt- und Residenzstadt, die auf mein sachliches Betreiben, trotz der persönlichen Widerstände gewisser starrköpfiger Mitbürger, den weitherzigen Beschluß gefaßt haben, zur dauernden Erinnerung an die gemeinnützige Betätigung Ihrer unentwegten Menschenliebe ein bedeutsames Merkmal zu errichten, sowohl um Ihnen selbst im Gedächtnis künftiger Zeiten und Geschlechter Gerechtigkeit widerfahren zu lassen, als auch um andere Menschenfreunde zu gleicher Betätigung anzuleiten. In diesem überpersönlichen Sinne, hochzuverehrender Herr Geheimrat, soll Ihr in Öl gemaltes Porträt, und zwar von der Hand des bewährten Direktors unserer Kunstakademie, in unserem Rathaus aufgehängt werden; und in Rücksicht auf Ihre so werte Gesundheit, deren baldige Wiederherstellung jeder Wohlgesinnte wünschen muß, bitte ich Sie, ihm mitzuteilen, zu welchen Stunden Sie ihm in der Festwoche die leider aus künstlerischen Gründen unumgänglich erforderlichen Modellsitzungen gewähren wollen.

CHRISTIAN VON WACH: Sie dürfen überzeugt sein, Herr Oberbürgermeister, daß ich Ihren »weitherzigen Beschluß« im vollen Umfang zu schätzen weiß, sowohl die überpersönliche Gerechtigkeit wie die persönlichen Widerstände. Ich meinesteils würde zwar am liebsten ebenso starrköpfigen Widerstand leisten; aber da ich nicht mehr kräftig genug zu dieser *(absichtlich)* Betäterätätigung bin, so bitte ich dem Herrn Akademiedirektor mit einem verbindlichen Gruß zu bestellen, daß er seine Staffelei wohl vor meiner L-Leiche wird aufschlagen können.

BÜRGERMEISTER: Ich hoffe, verehrter Herr Geheimrat, Sie werden damit nicht sagen wollen —

CHRISTIAN VON WACH *(erregt):* Ich will damit sagen, verehrter Herr Oberb-bürgermeister, daß ich nach meinem Tod nicht verhindern kann, der M-Menschheit in Öl serviert zu werden; zu meinen L-Lebzeiten bin ich lalala-leider — *(sich zusammennehmend)* für *diese* »sachliche« Behandlung meiner nebensächlichen Person nicht ganz menschenfreundlich genug.

BÜRGERMEISTER *(sich in die Brust werfend):* Ich hätte es kaum für möglich gehalten, daß eine so wohlerwogene Ehrung auf solche Verkennung stoßen würde. Zu meinem tiefsten Bedauern bleibt mir nur übrig, dies der Bürgerschaft zur Kenntnis zu bringen; und wenn ich mich jetzt hier verabschieden muß, so geschieht es mit dem Bewußtsein, mit dem erhebenden Bewußtsein, daß ich des Beifalls der weitesten Kreise in diesem Falle gewiß sein darf. Ich empfehle mich Euer Exzellenz *(der Minister steht auf)* — oder falls Sie mich zu begleiten gedenken —

CHRISTIAN VON WACH: Darf ich wohl bitten, Exzellenz, noch einen Augenblick zu verweilen?

MINISTER: Gern, Herr Geheimrat, Verzeihung, Herr Oberbürgermeister.

BÜRGERMEISTER: So empfehle ich mich denn wie gesagt — *(man verbeugt sich gemessen — er geht gewichtig ab)* — —

MINISTER *(indem er sich wieder setzt):* Ich bin zu jeder Vermittlung bereit.

CHRISTIAN VON WACH: Es tut keine mehr not, *(lächelnd)* ich bin erledigt. *(Ernsthaft)* Ich wollte nur fragen, Exzellenz: würden Sie wohl einem Sterbenden eine unumwundene Antwort geben?

MINISTER: Soweit das menschenmöglich ist —

CHRISTIAN VON WACH: Warum häuft man Ehren auf eine Person, die man doch für schändlich hält? Warum p-peinigt man mich mit Gnadenmienen, hinter denen der Abscheu grinst?

MINISTER: Die Ehre gilt niemals der Person, stets nur der Sache, der man dient. *(Lächelnd)* Das entschuldigt auch die Person, die uns soeben verlassen hat.

CHRISTIAN VON WACH: Also wir sind alle dazu verdammt, einander Böses zu tun im Kampf um das Gute?!

MINISTER: Wenn's die Sache verlangt — jeder Sieg kostet Opfer —

CHRISTIAN VON WACH: Wo bleibt dann die Grenze zwischen Tat und Untat, Heldentum und Verbrechertum? Was berechtigt uns, andre zu opfern?

MINISTER *(diskret ihm huldigend):* Wohl was uns verpflichtet, uns selbst zu opfern. *(Aufstehend)* Wem es die innere Stimme sagt, der fragt wohl nicht nach dem Urteil der Welt.

CHRISTIAN VON WACH: Ich danke Euer Exzellenz.

MINISTER *(ihm die Hand hinstreckend):* Ich wünsche Ihnen ein frohes Fest!

CHRISTIAN VON WACH: Ihnen noch viele, Exzellenz! — — *(Minister ab, an der Tür sich nochmals verneigend; Christian erwidert den Gruß, schließt dann die Augen und raunt vor sich hin)* Wem es die innere Stimme sagt — ? — *(Es klopft, und Justus Wach tritt ein.)* — — Nun, Justus, mein Spiegel, bist du schön blank heut?

JUSTUS *(sich rechts des Tisches setzend):* Macht es dir wirklich noch immer Vergnügen, mir das unbedachte Wort nachzutragen, das ich damals in der Erregtheit hinwarf?

CHRISTIAN: Wie sollte es nicht? Du bist doch noch immer bestrebt, mir mein wahres Gesicht zu zeigen. Das macht mir wirklich ein ungemeines Vergnügen; das einzige, das mir die Welt noch bietet. Ich bin dir auch wirklich dankbar dafür.

JUSTUS: Also dazu hast du mich in dein Haus gelockt: dem Herrn Geheimrat als Hofnarr zu dienen. Und ich war einfältig genug, mir von der guten Anne aufschwatzen zu lassen, es sei dir ernstlich um eine Versöhnung zu tun.

CHRISTIAN: Außerordentlich rührend bei deinem Beruf, dies Selbstbekenntnis deiner Einfalt. Seit wann bist du denn so versöhnlich gestimmt?

JUSTUS: Du weißt sehr gut, daß es mich reut, deinen Schlaganfall veranlaßt zu haben; wenn es auch ohne Absicht geschah.

CHRISTIAN: Ja, das hast du mir schon mehrmals gesagt. Aber nicht wahr: mein Tagebuch, das hast du noch immer nicht aufgespürt –

JUSTUS: Hältst du es denn in der Tat für möglich, ich hätte bei einiger Überlegung nur eine Minute lang geglaubt, daß ein solches Geständnis vorhanden sei? Wenn du es je geschrieben hättest, wär es doch längst von dir vernichtet.

CHRISTIAN *(wie zufällig die Hand auf seine Papiere legend):* Und wenn es nun doch noch irgendwo läge?

JUSTUS: Ich lasse mich nicht mehr zum Narren halten!

CHRISTIAN: Wenn es mir nun eine Wollust wäre, mit der Entdeckungsgefahr zu spielen? Wenn mich immerfort die L-Lust stachelte, die unersättlich marternde Lust, mein Geheimnis der Welt ins Gesicht zu schreien? und dabei die W-Wonne der Selbstbeherrschung, der Welt nicht den Gefallen zu tun! mich nicht knechten zu lassen von dieser B-Beichtsucht! diesem schamlosen Mitteilungstrieb, der uns alle zu armen Sündern macht! – Hast du dir das noch nie überlegt? –

JUSTUS: Wenn du mich etwa nötigen willst, Weihnachten anderswo zu feiern, dann bitte sage es mir doch offen! Die Anspielungen auf meinen Beruf werden mir nachgerade lästig.

CHRISTIAN: Du kannst dir also gar nicht denken, daß ein M-Mörder ein ehrlicher Mensch sein kann?

JUSTUS: Ich denke mir, daß du durch deinen Reichtum, weil du keine andre Beschäftigung hattest, zum Grillenfänger geworden bist. Nun tüftelst du dir aus allerlei Zufällen ein neunmalkluges Verbrechen zusammen, bloß um dir nicht einzugestehen, daß dir glücklicherweise der Mut dazu fehlte.

CHRISTIAN: Deine Menschenkenntnis ist fast so gründlich wie deine gute Meinung von mir. In der Tat, Vetter; es ist tief beschämend, so als elender Mitmensch dazusitzen, wo man Teufel und Engel zugleich sein wollte.

JUSTUS: Nun, die Märtyrer-Rolle hat auch ihre Glorie. Sonst hättest du wohl die Selbstquälerei nicht so lange ausgehalten.

CHRISTIAN: Und wenn ich nun all die Jahre lang gegen die Versuchung angekämpft hätte, diese Qual mit eigner Hand abzu-b-brechen? *(Krampfhaft die Hand aufs Herz drückend)* Wenn's mir nun zu erbärmlich gewesen wäre, so vor mir selbst in die B-Binsen zu gehn? Wenn ich lieber die Buße ertragen hätte, vor jedem unbe-bedachten Wörtchen zu beben, als diese B-Babbala — *(sich bezwingend, da Justus ihm Hilfe leisten will)* laß — ich danke — — ich wollte sagen: Blamage des Selbstmords.

JUSTUS: Ich muß es wohl aufgeben, Christian, dein Gewissen zu beruhigen.

CHRISTIAN *(lächelnd):* Ja, wir haben *beide* unsern Beruf verfehlt; du als Mitmensch und ich als Unmensch.

JUSTUS: Ich will dich wahrhaftig nicht aufregen, aber du zwingst mich ja dazu. Warum bringst du das Unrecht, das ich dir antat, trotz meiner Abbitte immer wieder zur Sprache?

CHRISTIAN: Vielleicht weil es mein »Gewissen beruhigt«, deine Gerechtigkeit wanken zu sehen. Wenn du sicher wüßtest, ich hätte gemordet, würdest du dann wohl noch geneigt sein, mir die Hand zur Versöhnung zu bieten?

JUSTUS: Es gibt doch Morde, die sogar das Gericht verzeiht.

CHRISTIAN: In der Tat; du bist sehr entgegenkommend. Und die M-Massenmorde fürs Vaterland, das heißt für Thron und Altar und Kapital oder für Freiheit, Gleichheit, L-Lüderlichkeit oder sonstige große Rosinen: die verherrlicht sogar die W-Weltgeschichte. Bloß, das sind alles Morde aus Leidenschaft, aus Eifersucht, Rachsucht, Ehrgefühl, Pflichtgefühl; die freilich entschuldigt man edelmütig.

JUSTUS: Nun, wenn auch nicht grade vor Gericht, aber unter vier Augen betrachtet, ist wohl auch deine Art Menschenliebe eine entschuldbare Leidenschaft.

CHRISTIAN *(lächelnd):* Aber Justus, ich werde irre an dir! Sollte ich endlich dein Herz erweicht haben?

JUSTUS *(schroff):* Wenn du mir keinen Glauben schenkst, beweisen läßt sich dergleichen nicht.

CHRISTIAN *(die Hand auf seine Papiere legend):* Wer weiß; ich könnte mich doch vielleicht »unter vier Augen« überzeugen, wie weit du mein Vertrauen ehrst.

JUSTUS: So? Könntest du das?

CHRISTIAN: Wenn ich wüßte, Justus, wie weit du dir selber trauen darfst? *(Da Justus Miene macht aufzufahren)* Bitte bleib sitzen, ich will dich nicht kränken. An deinen guten Willen glaube ich gern. Ich wollte dich sogar zum Christfest um einen kleinen L-Liebesdienst bitten.

JUSTUS: Wenn es dir wirklich ernst darum ist —?

CHRISTIAN *(nimmt aus seinen Papieren ein mit fünf roten Siegeln verschlossenes Heft):* Ich habe gestern mein Testament neu verfaßt; ich wollte dich bitten, hier das alte — *(draußen elektrisches Klingelzeichen)* ah, der Sanitätsrat; nun, dann nachher. — *(Das Heft wieder unter die Schriftstücke schiebend)* Ich bin sein besuchtester Patient, seitdem er mich nicht mehr retten kann. *(Anne läßt den Sanitätsrat eintreten.)* — Willkommen, mein werter L-Lebensretter!

SANITÄTSRAT *(während Anne an den Kamin geht und wieder Holz aufs Feuer legt):* Danke, danke, mein teuerster Todeskandidat. *(Zu Justus, der aufgestanden ist)* Aber bitte doch Platz zu behalten. *(Sich gleichfalls setzend, links des Tisches)* Und bitte mich nicht mißzuverstehen. Todeskandidaten sind wir ja alle; Sie können mich noch gut überleben! — *(Christians linkes Handgelenk nehmend, sich nach Anne umdrehend)* Gelt, Schwester: der reine Methusalems-Puls! Sie messen den Blutdruck doch noch regelmäßig?

ANNE: Gewiß, Herr Geheimrat; er ist etwas niedriger.

SANITÄTSRAT *(während Anne hinausgeht):* Natürlich! Bloß Aufregung vermeiden! Bei Ihrer zähen Konstitution: wir werden schon wieder Lebensmut fassen! In der letzten Sitzung der Menschenfreunde hat man sogar darauf gewettet, Sie würden doch noch Mitglied werden.

CHRISTIAN: Sehr gütig; aber einstweilen scheint mir, der ehrlichste Menschenfreund ist der T-Tod.

SANITÄTSRAT: Ja, der Mensch bleibt ewig ein Grillenfänger.

CHRISTIAN: Haha-hörst du's, Vetter? Jetzt muß ich's wohl glauben.

JUSTUS *(lachend):* Die Diagnose stellt dir jeder!

SANITÄTSRAT: »Jeder Wohlgesinnte!« sagt der Herr Bürgermeister. *(Zu Christian)* Aber was hat denn der Biedermann? Begegnete mir bei der neuen Klinik und machte ein Gesicht wie ein Truthahn, als ich Ihren Namen nannte.

CHRISTIAN: Ist Ihnen vielleicht auch der Akademie-D-Direktor bei der neuen Klinik begegnet?

SANITÄTSRAT: Aber Verehrtester, ruhig Blut! Sie werden sich doch nicht einbilden, ich hätte den Kitsch mit ausgeheckt?

CHRISTIAN: Nein; aber jeder P-Pinsel bildet sich ein, er dürfe mich mit Berühmtheit beschmaddern, weil ich das selber schon reichlich besorgt habe.

SANITÄTSRAT: Ja, der Mensch ist von Natur größenwahnsinnig. Aber wie gesagt: nur nichts tragisch nehmen! *(Zu Justus)* Nicht wahr, Herr Leutnant, Sie werden das Ihre tun, uns die Grillen vertreiben zu helfen.

JUSTUS: Ja selbstverständlich! nach Kräften! mein Möglichstes!

SANITÄTSRAT *(aufstehend):* Also dann: gesundes Fest allerseits! Und nicht wahr: wenn das Herzchen doch wieder muckt: sind ja nur drei Schritte zu mir hinüber.

CHRISTIAN *(lächelnd, die Hand ins Leere schwenkend):* Mancher geht auch ohne Schritte hinüber —

SANITÄTSRAT: Ohoh! solche Witze darf *ich* bloß machen. *(Beiden Herren die Hand schüttelnd)* Na wie gesagt: gesegnete Mahlzeit — *(geht händereibend eilends ab)* — —

CHRISTIAN: Es scheint, die M-Menschenfreunde wollen mich jetzt zum eingebildeten Kranken stempeln.

JUSTUS: Das könnte dir doch nur angenehm sein.

CHRISTIAN: Und wenn es mir nun — entsetzlich wäre?

JUSTUS: Über diese Annahme darf ich wohl lächeln.

CHRISTIAN: Wenn ich dir aber nun eingestände, wie es mich manchmal ekelt und reut, daß ich mich nicht verurteilen ließ? wie es mich damals b-bohrend drängte, öffentlich für die Tat einzutreten, zu der mir, wie du jetzt gütigst meinst, g-glücklicherweise der Mut gefehlt hat?

JUSTUS: Dann müßtest du mir schon erlauben, auch *diese* Einbildung zu belächeln.

CHRISTIAN: Und wenn ich w-wirklich gemordet hätte?

JUSTUS: Dann doch erst recht, bei deiner Gemütsart.

CHRISTIAN: Bei meiner Feigheit, willst du wohl sagen.

JUSTUS: Nein, in diesem Falle: bei deiner Verstocktheit.

CHRISTIAN: Sehr schmeichelhaft, daß du mich für so stark hältst. Aber die Reue kann ebenso stark sein, selbst im verstocktesten Missetäter. Dein bewunderter Bonaparte zum Beispiel: Haha-Hunderttausende hat er skrupellos auf seinen Schlachtfeldern umgebracht, aber der eine Duc d'Enghien, den er hin-hinterlistig hinrichten ließ, der wurmte ihn noch auf Sankt Helena, trotz aller staatsklugen Entschuldigungsgründe. Die Vernunft mag noch so zielbewußt über das Gewissen hinwegschreiten, das Gemüt l-läßt sich nicht hintergehen.

JUSTUS: Nun, du merkst wohl, ich sprach dir bloß zu Munde. Da es dir Spaß macht, dich selbst zu narren, will ich kein Spielverderber sein.

CHRISTIAN: Also du hältst mich nicht für verstockt?

JUSTUS: Sonst hättest du doch wohl kaum die Absicht, grade mir einen Liebesdienst anzuvertrauen.

CHRISTIAN *(lächelnd):* Sehr freundlich, daß du mich erinnerst. *(Das versiegelte Heft wieder vorholend)* Aber darf ich dich erst noch bitten, mir mit deiner möglichsten Offenheit eine Frage zu beantworten?

JUSTUS: Und —?

CHRISTIAN: Gesetzt, ich hä-hätte den Mut gehabt, den du mir ehrlicherweise absprichst, — gesetzt, ich hätte t-trotzdem die Reue, die du mir anstandshalber nicht zutraust, — *(schwer die Hand auf das Heft legend)* gesetzt, ich würde es dir *beweisen* — unter vier Augen, lieber Vetter — nicht vor Zeugen, Herr Ki-Kriminalkommissar —: wärest du dann noch bereit zu dem Liebesdienst?

JUSTUS: Wie kann ich das wissen — ohne Beweis —

CHRISTIAN: Ist mein Anblick dir nicht Beweis genug?! —

JUSTUS: Ich muß wohl verstummen, wenn du so fragst.

CHRISTIAN: Du meinst, ein Verbrecher verdient kein Vertrauen?

JUSTUS: Wenn er bereut, vertraut ihm sogar der Richter.

CHRISTIAN: Und wenn dich nun ein solcher Verbrecher, dem die Reue aus jeder Grimasse stiert, den sie t-tausendfältig härter gestraft hat, als irgendein Richter strafen kann — wenn dich der nun unter vier Augen bäte *(wieder die Hand auf das Heft legend):* hier ist mein Geständnis, vernichte es! du hältst meine Seele in der Hand! du kannst sie aus der Verzweiflung retten! du siehst, es foltert mich stückweis zu T-Tode, daß ich ein einzig Mal unmenschlich war! du gibst mir den Glauben ans L-Leben zurück, ans Ewige Leben, an Gott und die Menschheit, *wenn du m-menschlicher handelst als ich* —

JUSTUS *(die Hand nach dem Heft ausstreckend):* Ich soll es also — ins Feuer werfen —

CHRISTIAN *(überläßt es ihm lächelnd):* Ja, Justus — zum Christfest wie gesagt —

JUSTUS *steht auf, macht einige Schritte nach dem Kamin hin, wendet sich plötzlich ruckhaft um):* Und du denkst, so lasse ich mich begimpeln? Du bildest dir ein, ich durchschau nicht dein Lächeln? Du glaubst, du kannst mich *(nach dem Porträt weisend)* beschwatzen wie *die* da und dann mich auslachen wie noch nie? Du Narr, der andre zu narren meint! — *(Den Umschlag von den Heftblättern reißend und ihn vor Christians Füße schleudernd)* Hier: *so* behandle ich dein Geständnis! kraft meines Amtes, du Auswurf der Menschheit! — *(Hastig die Blätter musternd)* Was? — wa *(steht in sprachloser Verblüfftheit da)* —

CHRISTIAN: Nun? Was sagt dir das leere Papier? —

JUSTUS *(die Blätter zerfetzend und wegschmeißend):* Ah, du Jammergestalt, du schandschnäuzige! *(Mit geballten Fäusten auf Christian los)* Du bist ja die raffinierteste Viper, die je den Erdball begeifert hat! *(Vor Christians Blick zurückzuckend)* Wenn mir nicht graute, dich anzurühren, ich schlüg dir die Zähne aus dem Giftmaul! *(Die Fäuste in die Hüften stemmend)* Ist denn kein Funken Scham in dir, so mein heiligstes Pflichtgefühl zu verhöhnen?

CHRISTIAN *(endlich gell loslachend):* Ha-ha-ha-hei — dein hei — hahahei — *(plötzlich krampfhaft nach Luft ringend, lallend)* heili — ha-heili — hahilf — hilf!

JUSTUS: Dir —?

CHRISTIAN *(röchelnd):* Hilf, Justus! ich dank dir's! ich sterbe! ich fühl's!

JUSTUS: Dann stirb, Giftmischer!

CHRISTIAN *(mit brechender Stimme, unsäglich lächelnd):* Hab Dank, du — M-Mörder! *(Er sinkt zusammen.)*

JUSTUS *(sich an die Brust fassend):* Ich —? — *(Hart, mit abwälzender Handbewegung)* Lächerlich! — *(Er geht erhobenen Hauptes zur Tür; öffnet, ruft)* Anne! Schwester Anne! — *(Sie kommt, er zeigt auf Christian.)* Sehen Sie nach, ob noch zu helfen ist; ich möchte den Arzt nicht unnütz bemühen.

ANNE *(auf die Papierfetzen deutend):* Was ist geschehen? War *das* die Versöhnung?

JUSTUS: Rasch! helfen Sie lieber! Mir scheint, er regt sich —

ANNE *(rechts des Tisches sich über Christian beugend, während Justus sich links auf die Stuhllehne stützt):* Das Herz, das klopft noch —

CHRISTIAN *(traumhaft):* Anne — bist du's —?

ANNE: Ja, Herr Christian, ich; — nur still — nur nit bang —

CHRISTIAN: Sie sollen mich nicht so ansehn alle!

ANNE: Nein, Herr Christian, niemand — nur ich! — *(Sich aufrichtend, mit unabweisbarer Frage)* Herr Justus —?

JUSTUS *(von ihrem Blick bezwungen):* Ja, dann ist's meine Pflicht, den Arzt zu rufen *(geht gesenkten Hauptes hinaus)* —

CHRISTIAN: Sind wir allein, Anne?

ANNE: Ganz allein — *(legt den Arm um seine Schultern)* —

CHRISTIAN: Ich seh noch immer die Augen alle — — nicht M-Menschenaugen —

ANNE: Engelaugen —

CHRISTIAN: Sie wollen alle, ich soll es s-sagen — — nur einmal sagen —

ANNE: Dann ist's gesühnt —

CHRISTIAN: Ich — hörst du, Anne?

ANNE: *Gott* will es hören — —

CHRISTIAN: Ich — hilf doch, Anne!

ANNE: Nur Gott kann helfen —

CHRISTIAN: Ich — ich — haha-habe — — *(jäh sich aufbäumend, schreiend)* Nein, Gott — *(sich ans Herz greifend, selig lächelnd)* ich nicht! — *(stürzt mit dem Gesicht auf den Tisch)* —

ANNE *(faßt ihn bang bei der Schulter):* Herr Christian — lieber Herr Christian — — *(neigt ihr Ohr an seine linke Seite, kniet dann ehrfürchtig neben ihm nieder, faltet die Hände zu stillem Gebet)* —

JUSTUS *(öffnet horchend die Tür, läßt sie offen, tritt leise ein, nähert sich verhalten dem Tisch, wartet, bis Anne sich erhebt; dann mit heiser drängender Stimme):* Hat er gebeichtet? was hat er gesagt? — *(Da Anne zu-*

rückweicht, barsch auf sie los) Was hat er gesagt? ich treib Sie zum Zeu-
geneid!

ANNE *(noch einen Schritt zurücktretend, hoheitsvoll nach der Tür weisend):*
Gehen Sie endlich, Sie armer Mensch! — *(Justus, langsam sich an die Brust
fassend, starrt auf den Toten.)*

Vorhang

Betrachtungen und Bekenntnisse

Das Buch und der Leser

Eine Untersuchung des Verständnisses

Bücher sind wie spiritistische Medien; wer sie nicht richtig zu fragen versteht, dem antworten sie falsch oder gar nicht, und die meisten Leute halten deswegen den ganzen Spiritismus für Schwindel, bestenfalls für Selbsttäuschung. Jener afrikanische Wilde, der einen Missionar aus der Bibel vorlesen hörte, sich dann das Buch an die Ohren hielt und es ungläubig wegwarf, weil es ihm nichts sagte: der steckt noch in jedem gebildetsten Leser. Ich will zum Beispiel ein Erlebnis erzählen. Als ich Hofmannsthals »Ödipus und die Sphinx« das erste Mal las oder lesen wollte, kam ich nicht über den ersten Aufzug hinweg. Diktion und Rhythmus stachen auffallend von seinen früheren Dichtungen ab, erinnerten mich hin und wieder an Dauthendeys schwungvolle Üppigkeit, hin und wieder an die drangvolle Knappheit meiner eigenen Verstechnik, dazwischen doch immer an Hofmannsthals einstige haltungsvolle Gewundenheit, und das empfand ich als ein so tolles Stilgemengsel, daß ich mich einer heftigen, mehrfach wiederkehrenden Zwerchfellerschütterung schlechterdings nicht erwehren konnte; ich legte schließlich das Buch beiseite, weil ich mich einigermaßen schämte, einen ernsthaften Dichter auszulachen. Bald nachher traf ich mit ihm zusammen, in einem Kreis erfahrener Kunstfreunde, und gestand ihm meine Verlegenheit gegenüber seiner neuesten Dichtung. Er war daraufhin so liebenswürdig, uns die zweite Hälfte des ersten Aufzugs, die ich als besonders unharmonisch empfunden hatte, vorzulesen. Und merkwürdig: trotzdem Hofmannsthal mit seiner etwas brüchigen Stimme kein bestechender Vorleser ist, auf einmal hörte ich den harmonischen Grundakkord. Ich habe später die Dichtung nochmals, und diesmal vollständig, gelesen und verspürte nichts mehr von jener Mißwirkung. Ich merkte, daß ich beim ersten Mal mit allzu dramatischem Gehör auf die momentan metrischen Dissonanzen der sensuellen Affekte geachtet und so die lyrisch perpetuelle Rhythmik der sentimentellen Motive überhört hatte. Nun, wenn das einem Fachmann passieren kann, wie mag sich dann erst der unzünftige Leser gegen manches Buch benehmen, in dem ein neuer Geist rumort?

Absichtlich spreche ich darüber mit fachmännischer Gemütsruhe; denn mit der menschlichen Leidenschaft, die auch Künstler gegeneinander einnimmt, hat der Unverstand des Lesers zunächst nichts zu tun. Ein Buch zu lesen, ist allererst eine bare Verstandestätigkeit, gleichviel ob wir ein dichterisches oder wissenschaftliches oder sonstwie schriftstellerisches Werk in uns aufnehmen. Immer handelt sichs vorbedinglich um das Verständnis der Fachsprache, und hierfür bringt der einschlägige Handwerksmann doch mehr Geschultheit mit als andre Leute. Wer das A-B-C noch nicht zu lesen versteht, dem ist ein Fibelvers nicht verständlicher als eine mathematische Formel; doch je mehr er es verstehen lernt, desto umfänglicher wird das A-B-C, desto umständlicher die Verstandesarbeit. Denn wie geht jeder Leser zu Werke? Sein mehr oder minder bewußter Verstand, je nach dem Grad eben seiner Schulung, übersetzt gewohnheitsgemäß den optischen Eindruck von Schriftzeichen in akustische Ausdrucksmittel, diese wiederum teils in Gehörswahrnehmungen, teils in Gesichts- und andere Tastvorstellungen, diese aus der bloß sinnlichen Einzelempfindung in vernünftige Gefühlszusammenhänge, und dann erst entsteht die rätselhafte Gemütsbewegung, die den ganzen angesammelten Schwarm von dreifach zwiespältigen Gedankenbeziehungen zu geistiger Bedeutung vereint und uns mit ungewohnter Leidenschaft für oder wider den fremden Geist erfüllt. Noch verwickelter wird der Vorgang dadurch, daß er von Satz zu Satz neu einsetzt und doch die Erinnerungsbilder der Vordersätze immer mit veranschlagen muß; so befindet sich der Leser fortwährend in einem Wirbelwind kalter Verstandesluft, der unwillkürliche Gefühlsgluten anfacht.

Auch dem wissenschaftlichen Leser ergeht es so, wenn er sich über den Wahrheitswert irgendeiner Schlußfolgerung entscheidet; immer springt schließlich ein Gemütsfunke aus der Reibung der Verstandeskräfte. Nein, wird man einwenden: in der Wissenschaft sind die Gefühle Nebenumstände, in der Dichtung dagegen der Hauptbestand. Aber ist dem wirklich so? Gipfelt die geistige Schönheit nicht ebenso hoch über jeder Gefühlserregung wie die Wahrheit und die Gerechtigkeit? Und wurzeln nicht alle drei dennoch tief in Gründen des Gemütslebens? Ja, es kommt überall gleichermaßen auf Erkenntnis seelischen Lebens an; nur die Erkennungszeichen stehn in verschiednem Verhältnis der sinnlichen und vernünftigen Darstellungsmittel. Welche Vorarbeit muß der Verstand schon leisten, um sich bloß erst in das besondre Verhältnis der originalen zu den traditionellen Bestandteilen eines Sprachwerks hineinzuversetzen! In der sogenannten reinen Wissenschaft ist dies Verhältnis am leichtesten zu erhorchen, weil deren lautliche Darstellungsmittel überwiegend auf generelle Logik hin abgestimmt sind, so daß die individuelle Intuition des Verfassers dem Leser sehr deutlich ins Gefühl schlägt, wenn auch nur dem genügend geschulten Leser. Aber bereits die populäre Wissenschaft ist in ihrer formalen Technik so mit persönlich sensuellen und sentimentellen Elementen durchsetzt, daß sich die intellektuellen Faktoren kaum noch scharf davon sondern lassen. Und je mehr sich die rednerische Darstellung der eigentlich dichterischen nähert, um so schwieriger wird die Sonderung wie die Zusammenfassung der Lautbilder, und der Leser läuft immerfort Gefahr, daß der Funke der Erkenntnis zu früh aufflammt und in dem Schwarm der Gefühle entweder erlischt oder aber Brandschaden stiftet, wie bei mir in Ansehung Hofmannsthals.

Denn gerade die Technik der reinsten Dichtung, die Verskunst, nein die lyrische Verskunst, denn auch Epos und Drama fußen auf lyrischer Rhythmik: grade die verflicht allgemeinste Denkbegriffe der Sprache so eng mit eigentümlichsten Empfindungsbegriffen, daß man nirgends unmittelbar den Vorstellungswert, geschweige den Erregungswert der Lautwahrnehmungen abschätzen kann, sondern nur durch vielfältigste Rückschlüsse. Man vergleicht zwar die Lyrik gern mit der Musik, weil auch die nur indirekt durch Gefühlserregungen zur Erkenntnis geistiger Lebensverhältnisse führt; aber der lyrische Divinationsprozeß ist noch um vieles indirekter. Nur zu Anfang geht die Verstandesarbeit in annähernd ähnlicher Weise vor sich: ob ich ein Notenblatt lese oder einen poetischen Text, ich übersetze einen äußerlichen Gesichtseindruck in einen innerlichen Gehörsreiz, wenngleich es schon einen Unterschied macht, ob ich mir einen gesprochenen Laut oder einen gesungenen Klang vorstelle oder gar einen klaren Instrumentalton. Dann jedoch wird der Unterschied klaffend: das Klangbild der Tonsprache übersetzen wir unmittelbar in eine Vorstellung von Gefühlszusammenhängen, das Lautbild der Wortsprache großenteils erst auf dem Umwege über mannigfache Gesichts- und Tastempfindungen nebst allerlei Hilfsbegriffsgedanken, nur zum kleineren Teil direkt akustisch. Und dabei meint jeder Leser einer Dichtung, er sei genügend vorgebildet durch seine gewohnte Sprachkennerschaft, und traut sich in seinem lieben Gemüt ein unfehlbares Gesamtverständnis zu, wo doch schon die einzelnen Darstellungsmittel x-mal mittelbarer wirken als bei jeder anderen Kunst und durch eine viel ungewohntere Sinnbilderfülle die schließliche Erkenntnis vermitteln als bei irgendeiner Wissenschaft.

Wieviel Fallgruben für das Verständnis öffnen sich schon bei der ersten Erweckung der scheintoten Schriftzeichen zu lebendigen Lautbildern! Es ist nicht gleichgültig, mit welcher Stimme, ja nur mit welchem Zeitmaß der Stimme, man sich einen Vers oder gar ein Buch Verse im stillen laut vorgelesen denkt. Unwillkürlich legen wir da zunächst unsre eigene Stimme unter; aber der Dichter meint Seine Stimme, oder vielmehr die verschiedenen Stimmen seiner imaginären Personen, denn auch das Ich des Lyrikers ist wechselnde Phantasiefigur, vielleicht noch wechselnder als die Charaktermasken, die der Dramatiker seiner Seele vorheftet. Keine Orthographie und Interpunktion reicht aus, um auch nur die gewichtigsten Betonungsverhältnisse zwischen den Satzgliedern einer einzigen Strophe unzweideutig durchs Auge ins Ohr zu bugsieren. Was wird nicht alles versucht, um das flüchtende Auge ruhsamer an das Schriftwort zu fesseln und so das Ohr des Lesers aufmerksamer für die Bewegtheit der Sprache zu stimmen. Der eine Dichter ordnet die Zeilen nach der Mittelachse des Druckspiegels, um seine irreguläre Rhythmik durch Kontrast der optischen Symmetrie noch sinnfälliger hervorzuheben; der andre markiert seine reguläre Metrik, um die akustische Harmonie seiner rhythmodynamischen Dissonanzen von vornherein außer Zweifel zu stellen. Manch einer kann sich gar nicht genugtun mit Gedankenstrichen, Stimmungspunkten, Ausrufzeichen und *Sperrfingerzeichen*, und möchte womöglich auch noch die Beiwörter mit Großen Anfangsbuchstaben schreiben; einige andre schreiben fast alles klein und würden am liebsten gar keine Interpunktionen setzen, damit der Leser noch länger zwischen den Zeilen rätselt und ein möglichst eindringlicher Hörer wird. Hilft uns aber alles nichts; wir bleiben doch immer auf den Glücksfall des uns annähernd gleichgestimmten Gehörs angewiesen, so sehr wir mit ganzem Gemüt danach trachten, jede Menschenseele in unsern Bannkreis zu zwingen. Muß schließlich noch der Herr Buchverleger, Buchdrucker und Buchbinder helfen, durch ungewöhnlich gutes Papier, außerordentlich schöne Lettern und sonstige »selten gediegene« Ausstattung den Gewohnheitsleser zu verlocken, daß er sich ausnahmsweise andachtsvoll mit unserm wertvollen Werk befasse.

Aber ach: je mehr das Buch selbst Kunstwert erlangt, je mehr es durch äußeren Augenreiz den Leser sinnig und willig stimmt, um so mehr gerade verführt es ihn, ein Leser des stillen Wortes zu bleiben, statt ein Hörer des lauten Satzes zu werden, und um so mehr zugleich verführt es die Dichtkunst zur inneren Augendienerei. Der Dichter ist ja auch selber Leser; und je mehr ihn die Buchdruckerpresse gewöhnt hat, als Leser statt als Hörer zu dichten, um so stumpfer hat sich die Wahrnehmungskraft für die Gehörsreize der Sprache verflacht, um so schärfer haben sich die Darstellungsmittel auf Gesichtsvorstellungen zugespitzt, d. h. um so schwatzhafter ist die Dichtung geworden. Sehr selten wird jetzt noch ein Lied erfunden, das seine organische Melodie so einfach vernehmlich in sich trägt, wie die Muschel in ihren Windungen summt. Viele Gedichte unserer echtesten Dichter sind schon dermaßen überladen mit pittoreskem Brimborium, daß sie an Feuilleton-Prosa streifen. Oder wo doch noch mit Klanganspielungen unmittelbar aufs Gefühl gezielt wird, da paukt man meist so faustdick drauflos, als solle die Predigt Johannis des Täufers vor den taubstummen Steinen Ereignis werden. Und wer die beiden extremen Elemente gar noch ins Gleichgewicht setzen will, der verübt ein solches Panoptikumkonzert hypersymbolischer Metaphern, daß die verzwicktesten Rätsel der Turandot wahre Kinderspiele dagegen sind. All das bereichert natürlich ungeheuer die sinnlichen Wirkungsmittel der Dichtkunst, bloß leider auf Kosten der geistigen Wirkung. Denn je empfindlicher die Umwege vom Verständnis der einzelnen Sinnbilder zur Erkenntnis des ganzen Bildsinnes auffallen, desto zerstückelter, also unvollkommener tritt die Gemütsbewegung ein, die den lebendigen Bildungswert des schönen Phantasiephänomens erst wirklich fortpflanzt von Geist zu Geist. Und es bleibt ewig ein dürftiger Trost, daß noch niemals ein Mensch den andern durchaus vollkommen begriffen hat.

Welcher Dichter blickt nicht zuweilen mit Grauen und Abscheu auf seine eigenen Bücher, diese Mumien seiner Phantasie, denen immer erst eine fremde Seele den Auferstehungsodem einblasen muß und die doch stets vom gespenstischen Dunst des stummen Sarges umschleiert bleiben. Ja, könnten wir jedem, der uns hören will, wenigstens selber das Buch vorlesen! Dann würde wohl mancher dasselbe Wunder erleben, das meine Taubheit vor Hofmannsthal linderte. Denn in der körperlich warmen Menschenstimme beben von Anfang an alle Zauberkräfte der schöpferischen Seele in eins, alle die heimlichen Verwandlungskünste und redlichen Naturanwandlungen, die sich der Leser erst nach und nach zwischen den Zeilen zusammendeuten muß. Einst, als die Dichter noch fahrende Sänger waren, gehörte es mit zu ihrem Beruf, den Menschen das Wort recht vernehmlich zu machen; und es ist keine Imitation einer reproduktiven Virtuosenmode, sondern Symptom einer produktiven Epoche, daß auch heute wieder die Künstler des Wortes selber als Vortragskünstler auftreten. Freilich, es ist ziemlich zeitraubend, verstockte Ohren zu erweichen; und in unserer Zeit der Arbeitsteilung wird es dem Dichter womöglich übelgenommen, wenn er als Anwalt des mündlichen Mitteilungstriebes ein paar Gedichtbücher weniger schreibt. Aber ob er der Mit- und Nachwelt dann wirklich etwas vorenthält? Was einer an Schöpferkraft in sich hat, das setzt er allemal in die Welt, ob nun durch hundert Pfropfreiser oder zehn Wurzelschößlinge. Die paar kurzen Lieder, die uns die fahrenden Leute der Vorzeit hinterlassen haben, sind sicherlich unsterblicher als die tausend bandwurmlangen Prosa-Romane, mit denen unsre Schreibtischhocker jahraus jahrein die Welt beglücken. Und vielleicht genest der gebildete Europäer dermaleinst von der närrischen Lesewut, die seine Augen immer gieriger, seinen Verstand immer spitzfindiger, seinen Geist immer kurzsichtiger und sein Gemüt immer schwerhöriger gemacht hat.

Das Buch wird drum doch seinen Wunderwert als spiritistisches Medium behalten und dann sogar erst recht offenbaren. Auch jener afrikanische Wilde hat die Bibel ja schließlich vors Auge genommen; aber er würde es niemals gelernt haben, hätte sein christlicher Mitmensch ihm das Wort Gottes nicht immer wieder durchs Ohr zu Gemüte geführt.

Der Olympier Goethe

Ein Protest

Eine öffentliche Gesellschaft von allerlei strebsamen Bürgersleuten hatte mich einmal eingeladen, Gedichte von Goethe zu deklamieren. Seit langer Zeit zum ersten Mal wieder las ich nun seine lyrischen Werke von A bis Z und der Reihe nach durch, um die heute noch lebensvollsten, menschlich wirksamsten Gedichte für den Vortrag auszuwählen, also absehend von artistischer und literarhistorischer Feinschmeckerei, und da erlebte ich eine Überraschung. Ich fand einen wesentlich anderen Goethe, als ich ihn in der Vorstellung trug, und als er wahrscheinlich vielen Deutschen von der Schulbank her vorschweben wird.

Das Bild des weisen Herrn Geheimrats, des harmonischen Olympiers, das der pädagogische Biedersinn unserer meisten Literaturprofessoren von ihm hergerichtet hat, versank vor mir in einem chaotischen Nebelbrodem von Schmerzen, Leidenschaften und Zweifeln, aus denen nicht ein olympischer, sondern — um im antiken Gleichnis zu bleiben — ein titanischer Genius einen Kosmos herauszuläutern sucht; oder im Geist unserer Zeit geredet, nicht der Wille eines Ober-Regierungsrates, sondern etwa eines Minen-Ingenieurs, der sich hinabarbeitet in die Wetterschächte grauenvoller Naturgewalten, hinab zu den unterirdischen »Müttern«, um ihre Kräfte heraufzufördern an das verklärende Tageslicht des väterlichen Heimatbodens, zu den »Gefilden hoher Ahnen«. Also eine fortwährende Klärungsarbeit der Seele, keine jemals vollkommen erreichte oder gar von Hause aus mitgebrachte sogenannte Abgeklärtheit.

Was jene oberflächliche Meinung über den Vielumfassenden aufkommen ließ, das war sein allzeit schlagfertiger Verstand, der auch das Alltäglichste in Beziehung zur allgemeinen Wohlfahrt zu setzen wußte, seine gesellige Vernunft, die im Leben die Maske des Gleichmuts vor die einsam grübelnde Seele nahm und in der Kunst das ernste Spiel mit heiteren Tändeleien mischte. Das aber hat nicht den großen Dichter gemacht, der alles Menschliche in uns aufschürt und in ein Göttliches umzuschmelzen strebt; ja, es ist fraglich, ob man nicht einst über den artigen und verständigen Goethe, der für jede Gelegenheit ein gescheites Sprüchlein oder zierliches Reimlein in Bereitschaft hatte, ziemlich achselzuckend urteilen wird, sobald wir nämlich endlich einmal der neunmalklugen Redseligkeit unsrer Dreiviertelsbildung entwachsen sind.

Er verstand freilich auch das kleine Veilchen mit allen Würzelchen zu erfassen, und manchmal tut er gar wie der Schmetterling, der unbekümmert von Blume zu Blume gaukelt; aber wo sich sein ganzes Inneres auftut, da quillt die bodenlose Verzweiflung hoch, die mit dem Leben nicht fertig werden kann. Da entstehen die schwankenden Gestalten alle, durch die er sich die dämonische Qual der »zwei Seelen, ach, in der Brust« immer wieder vom Herzen zu schaffen sucht, die Werther, Clavigo, Weislingen, Egmont, Tasso, Orest, Wilhelm Meister und Eduard; da entsteht Faust mit seinem Schatten Mephisto, und da auch entstehen als die unmittelbarsten Zeugnisse dieser furchtbaren Zwiespältigkeit seine ergreifendsten Gedichte. Denn, wie er selber es ausgesprochen hat:

> Alles geben die Götter, die unendlichen,
> ihren Lieblingen ganz:
> alle Freuden, die unendlichen,
> alle Schmerzen, die unendlichen, ganz! —

Erst wenn man sich das zu Gemüte führt, erst dann lernt man auch die gewaltige Kunst in diesen Gedichten ganz würdigen, die bindende Kraft, die den wirbelnden Stoff einer so widerspruchsvollen Gefühlswelt so knapp zusammenzuordnen vermochte. Es ist manchmal, als müßte all die Wortschönheit sich selbst von innen heraus zersprengen, wenn man nur erst die erschütternde Fülle ihres geheimsten Sinnes begriffen hat, so z. B. den grausigen Todesschauder in Mignons scheinbar seliger Sehnsucht nach dem »Land, wo die Zitronen blühn« (letzte Strophe) — oder den wilden Galgenhumor in dem lehrhaft tuenden Trinklied »Vanitatum Vanitas«; wer ein solches Gedicht noch mit fast sechzig Jahren schreibt, der ist weit entfernt vom olympischen Ruhekissen.

Kurz gesagt: es heißt Goethe *verkleinern*, wenn man ihn als Olympier anspricht. Soweit er wirklich olympische Anlagen hatte, war er weder ein Zeus noch ein Apoll; dazu mangelte ihm vor allem andern die unerschütterliche Hartherzigkeit dieser antiken Ideale. Nicht einmal ein Dionysos war er in seinen unbekümmerten Stimmungsstunden, sondern höchstens ein Ganymed oder Hermes, ein Spender der Anmut und Lebensklugheit, und mehr im römischen als im griechischen Sinne, wie er selbst einmal zu Herrn Eckermann sagte.

Aber wodurch er uns groß erscheint, so groß, daß wir ihn mehr bewundern oder doch sicherlich mehr lieben als seine vielfachen Vorbilder, das sind nicht diese Eigenschaften. Das ist sein ruhelos ringendes Doppelwesen, kraft dessen er selber ein Vorbild wurde, ein Vorbild für jede Übergangszeit, d. h. für jede ursprüngliche, neue Werte entdeckende Zeit: seine unerschöpfliche »Werdelust«, die sich mit prometheischer Inbrunst und paracelsischer Phantasie in alle leidvollen Anfangsgründe einer neu aufstrebenden Menschheit versenkte, weil sie herstammte aus dem Überdruß einer vollkommen vollendeten, abgetanen Freudenzeit.

Das altersmüde Rokoko hatte mit letzter mildester Grazie seine Jugend-
tage umspielt; und nun sucht er sein ganzes Leben lang einen Abglanz dieser verrauschten Schönheit über den brodelnden Aufbegehr der jungen Zukunft auszubreiten. Sie war ihm kein spielerischer Selbstzweck mehr, diese
Klangschönheit seiner stärksten Gedichte; sie war eine zuchtvolle Notwendigkeit, um der verwirrend neuen Gefühlsgewalten überhaupt Herr
werden zu können.

Und das auch war's, was ihn zur Antike zog, obwohl es ihm damals
schon und mehr noch heute von manchem ehrlichen Deutschtümler nicht
ohne Grund verdacht ward und wird. Auch die Griechen hatten die
Schönheit *nötig*; ihre ganze höchste Kunst und Dichtung, bis zu den alten
Mythen zurück, ist fort und fort auf das Eine bedacht, die dämonischen
Kräfte zu bändigen, die im Blut dieses seltsamen Volkes spukten, die la-
pithischen und kentaurischen, mänadischen und hekatischen Triebe, die von
Natur aus in ihnen staken und mit barbarischer Brutalität die mühsam er-
rungene Kultur immer wieder gefährdeten.

Keiner aber der vielen Gräkomanen, die seit Winckelmann Deutschland
überschwemmten, hat mit so schmerzlicher Klarheit wie Goethe erkannt,
daß jede Heraufführung neuer Kultur, weil sie alte Kultur untergraben
muß, zugleich auch wieder und immer wieder barbarische Instinkte mit
aufrührt, und daß grade der deutsche Volkscharakter zu dieser rohen Kehr-
seite der menschlichen Entwicklungskraft neigt.

Es ist sein höchster und reinster Ruhm, daß er unablässig gegen diese
Gefahr, die auch in seinem Charakter lauerte, seinen besten Kunstwillen
aufgeboten hat, nicht wie ein ausgelernter Altmeister bloß, dem die mancherlei Spiegelfechtereien der poetischen Technik glatt von der Hand gehen, sondern als ein steter Lehrling des Lebens, in oft sehr verzweifelter,
manchmal vergeblicher, immer aber »strebend bemühter« und eben dadurch »erlösender«, für uns alle vorbildlicher Notwehr.

Und deshalb wollen wir ihn nicht länger auf den hinfälligen Götzen-
thron verstorbener sorgloser Götter setzen, sondern uns der Grabschrift
erinnern, die er selbst sich geschrieben hat:

> Denn ich bin ein Mensch gewesen,
> und das heißt ein Kämpfer sein.

Grabrede auf Liliencron

22. Juli 1909

Liebe Freunde und ihr Mitfühlenden alle! Wir müssen nun Abschied nehmen von diesem Toten, dessen Leben uns unsäglich beglückt hat. Es würde nicht in seinem Geist sein, hier viele Worte darüber zu machen, was wir an ihm verloren haben. Es würde erst recht nicht in seinem Geist sein, hier unsern Schmerz in die Welt zu rufen und einander das Herz noch schwerer zu machen. Wenn er jetzt unter uns treten könnte, er würde sagen: »Kopf hoch, Leute!« Er würde es sagen, laut oder leise, mit seinem hellen trotzigen Lachen oder mit stillem gütigem Lächeln. Wir wenigen, die ihm die Nächsten waren, und die wir es anfangs kaum fassen konnten, als er so jäh uns entrissen wurde, er, dessen Jugendkraft unverwüstlich schien, plötzlich vernichtet durch einen Hauch, durch nichts als einen tückischen Windhauch — nein, wir können es immer noch nicht fassen. Aber nicht wir Nächsten allein stehen hier um die Grube versammelt, in die seine sichtbare Gestalt jetzt versenkt wird; wir stehen hier mitten in einer Gemeinde, die weit über diesen Friedhof hinausreicht, grenzenlos weit ins Leben hinaus, vereint durch sein unsichtbares Bild, das uns der Tod nicht entreißen kann. An solchem Grab wollen wir nicht trauern, wir wollen unsre Herzen erheben! Wenn wir weinen müssen, ist es nicht bloß aus Schmerz; es ist aus überströmender Dankbarkeit, daß wir so Unendliches mitfühlen können. Des Dichters unvergängliches Werk, des Menschen unvergeßliches Wesen: ich weiß nicht, wodurch er uns mehr erhebt. Er war einer von den herrlich Gefügten, deren Leben und Dichten gleich kühn emporsteigt aus ihrer unverbrüchlichen Seele, so vollkommen gleich in freier Schwebe wie der herrliche doppelte Regenbogen, der sich gestern, nachdem wir in seinem Hause den Sarg über ihm geschlossen hatten, über den ganzen Himmel Hamburgs spannte, eine überirdische Ehrenpforte. Der Freiherr von Poggfred, so steht er vor uns, hoch über allem Standes- und Sittenzwang, aber treu jeder selbstgewählten Pflicht bis tiefst hinab ins Selbstlose, in das wir alle verkettet sind. Helm und Degen liegen auf seinem Sarg; so hat er's verdient, der alte Soldat, der mit Leib wie Seele für uns gekämpft hat, für uns Deutsche und für uns Menschen. Helm und Degen wird er nun immer tragen, und einen unverwelklichen Blumenkranz, wenn er im Geist vor uns aufersteht, nicht mehr nun der alte Soldat, sondern der immer junge Held, der uns entzückt von Kampfplatz zu Kampfplatz führt wie zu einem hinreißenden Tanz. Denn so ist er in Wahrheit durchs Dasein getanzt, noch bis zu seiner letzten Reise, die er mit Weib und Kind unternahm, um den liebsten Menschen, die er hatte, seine geliebten Schlachtfelder zu zeigen. Dort hat ihn der feindliche Lufthauch getroffen, der die tödliche Entzündung entfachte; und dann ist er dem Wink des Todes gefolgt, wie er den Winken des Lebens zu folgen pflegte, rasch dahin, ohne langes Gefackel. Ganz geschlossen ist das Spiel seines Lebens, wunderbar ganz in sich geschlossen, trotz aller Kreuz- und Querzügigkeit; vollkommen vollendet auch noch sein letztes Gedichtbuch, auf das er den Titel »Gute Nacht« gesetzt hat, als ob er den Schlaf schon nahen fühlte, auf den er gefaßt war wie wenige, ohne Furcht vor der ewigen Nacht, ohne Hoffnung auf einen Jüngsten Tag, sondern mit reiner ruhiger Ehrfurcht vor der unerfaßlich unerschöpflichen Macht, die uns leben und sterben läßt. Nein, er war nicht bloß der kindhafte Spielmann, nicht der harmlose Junker Übermut, der liebenswürdig leichtsinnige, für den ihn viele gehalten haben, die sich nur an der bunten Oberfläche seiner reichen Einbildungskraft vergnügten, oder die sich ärgerten an der allzeit offenen, zum Geben wie Nehmen offenen Hand des armen Schuldenmachers der Wirklichkeit. Er war auch der Mann der schweren Stunden, der einsamen Fragen und Gedanken, der auf Jesus mit den Worten wies: »Nach Innen sah ich seine Schmerzen weinen.« Er hat nur deshalb das menschliche Leben in ein launisches Spiel der Natur umgedichtet, weil er den furchtbaren Ernst unsres Lebens aus innerster Erfahrung begriff, weil er sich frei davon machen wollte, frei von der grausigen Notwendigkeit und notwendigen Grausamkeit, vor der sein empfindliches Gewissen immerfort in Entsetzen geriet. Er hat sich ja nicht als Jüngling zum Dichter geschult, sondern als Mann erst, der vom Schicksal geprüft war, der auf Schlachtfeldern und in fremden Ländern die Menschen hatte ringen sehen. Das ist das Wunder an seinem gereiften Geist, daß beides innigst in ihm vereint blieb: der trotzige Jüngling, der unbedenkliche, und der gütige Mann, der nachdenkliche. Daher sein starkes, herzbefreiendes Lachen, das niemals zerrissen geklungen hat, und zu dem sein feines huschendes Lächeln wie ein gedämpftes Echo stimmte. Daher das herzgewinnende Plaudern des mitteilsamen Menschenfreundes, aber zugleich auch der lauschend verschleierte Blick des tief verschwiegenen Menschenkenners. Daher der edelmütige Zauber seiner ganzen Haltung und Zurückhaltung, diese seltsame Liebenswürdigkeit, der niemand sich entziehen konnte, diese unwillkürliche Umgänglichkeit, selbst wo er haßte oder verachtete, diese wohlbedachte Leutseligkeit, der nur seine nächsten Freunde anmerkten, wieviel zarte und harte Menschenscheu sich darunter in einsamer Tiefe verbarg. Und daher auch die Zauberkraft des Dichters, durch die er selbst seine trübsten und leidvollsten Einsamkeiten in helle Lust für uns alle verwandelt hat, dieser große Unverkümmerte, der uns nun mit seiner verklärten Stirn auch über den Abschiedsschmerz noch hinweghilft, auf seinem Regenbogen dahintanzend über dem irdischen Getümmel. Habe Dank, du wundervolle Seele! Ich höre deine eigenen Worte: »Der Himmel lächelt seinem Sonntagskinde.« Ruhe nun aus vom Menschenelend, du tapferes, mildes, adliges Herz! —

Offener Brief

Pankow, den 23. Juni 1897

An das Königliche Amtsgericht II, Berlin

Im Anschluß an meine gestrige Vernehmung über mein Buch »Weib und Welt« erlaube ich mir folgende Erklärung abzugeben.

Zunächst muß ich schon im Hinblick auf den ganzen Inhalt des Buches bestreiten, daß es auf ein unbefangenes Gemüt einen unsittlichen, sei es gotteslästerlichen, sei es unzüchtigen, Eindruck machen kann. Es wird ja in dem Buche dargestellt, wie ein Mensch, der sich in Widerspruch zu seinen heiligsten Gewissensregungen einer sinnlichen Leidenschaft hingibt, in die schmerzlichsten Gefühlsverwirrungen und schließlich gar in einen ihn entwürdigenden Tod getrieben wird. Es kann freilich nicht Aufgabe des Künstlers sein, die verführerischen Reize, die naturgemäß in jeder Leidenschaft liegen, zu bemänteln oder zu verhehlen; aber ich meine, daß jeder, der dem menschlichen Geist die Augen über seine tierischen Triebe öffnen hilft, der wahren Sittlichkeit besser dient als mancher sittenpredigende Denunziant.

Was sodann die drei im einzelnen beschuldigten Gedichte betrifft, so glaube ich auch hier mich einfach auf den Inhalt berufen zu können, um jeden Vorwurf der Unsittlichkeit hinfällig zu machen.

Erstens »Jesus bettelt«. In diesem Gedichte ist der Augenblick dargestellt, wo Jesus über die Maria Magdalena Macht gewinnt und sie ihrem sinnlichen Gewerbe als öffentliches Freudenmädchen entfremdet. Er läßt sich ihren goldenen Kamm schenken, damit sie jeden Tag beim Ordnen ihres Haares an Ihn denke, und ihren seidnen Schwamm, damit auch Er sich unablässig erinnre, wem sie sich im Bade rüstet, und vorwurfsvoll betont er: o Maria! — Und nun beschwört er sie bei ihrer Seele: alle ihre Sinnenfreuden, ihre ganze Habe soll sie Ihm, dem Bettler um ihr Innres, opfern! Alles will Er auf sich nehmen, ihre schwerste Last sogar, ihr unbefriedigtes Herz! Ich meine, daß sich dies nicht bloß mit der Erzählung von der »großen Sünderin« im Neuen Testament deckt, sondern sogar mit der Legende, die später von den kirchlichen Dogmatikern um die Maria aus Magdala gewoben worden ist.

Zweitens »Mit heiligem Geist«. Wie schon der Titel andeutet, gipfelt der Inhalt dieses Gedichtes in dem Bedingungssatz: »wenn das mit heiligem Geist geschehn«. Jesus heiligt also nicht den Ehebruch schlechthin, sondern einzig unter der Bedingung, daß er aus einem heiligen Gefühl heraus, aus dem Glauben an die Würde der Mutterschaft, aus einer durch die Sehnsucht nach der reinsten Liebe vergeistigten Leidenschaft begangen wird;

und als Beispiel *solchen* Ehebruchs führt er die geheiligte Empfängnis seiner eignen Mutter an. Ich glaube, jeder Mensch von unverdorbenem Gefühl — und Jesu ganze Sittenlehre läuft doch auf Wiederherstellung der Gotteskindschaft, d. h. der unverdorbenen Natur hinaus — wird dies Gedicht als reinen Ausdruck eines tief berechtigten Glückseligkeitsbedürfnisses empfinden. Außerdem steht wiederum sein Inhalt in vollem Einklang mit der biblischen Überlieferung, sowohl mit dem Erlebnis zwischen Josef und Maria, wie es der Evangelist Matthäus (Kap. 1, Vers 18. u. 19) naiv berichtet, als auch mit den Worten Jesu zu der Ehebrecherin: »Weib, dein Glaube hat dir geholfen, gehe hin mit Frieden« — und zu ihren pharisäischen Anklägern: »Wer wirft den ersten Stein auf sie?« —

Drittens »Venus consolatrix«. Dies Gedicht stellt sinnbildlich die Trostgefühle dar, durch die das Weib dem Mann mit Leib und Seele als willige Wollustbringerin, Genossin wie Fortpflanzerin, den Schmerz des Lebens wie das Grauen des Todes überwinden hilft. Um diese beiden wesentlichsten Lust- und Liebeskräfte des weiblichen Geschlechtes, die mütterliche und die bräutliche Hingebungsfähigkeit, in ihrer sinnlich reinsten und selbstlosesten Verschwisterung zu zeigen, habe ich die beiden hierfür typischen Frauengestalten der christlichen Überlieferung — die Maria aus Nazareth und die Maria aus Magdala — zu Einer Gestalt verschmolzen. Wenn ich dabei den nackten Mutterkörper, um eben dem gemeinen Wollustreiz der bloßen Leibesschönheit *vorzubeugen*, in seiner wahren, durch die Wehen der Geburt gestempelten Erscheinung darstellen mußte, so kann wohl nur ein Auge daran Anstoß nehmen, das keine Ehrfurcht hat vor der lebendigen Natur! Für mich gibt es nichts Reineres als die von einer Mutter für ihr Kind erlittenen Schmerzen, und nichts Verehrungswerteres als die sichtbaren Zeichen dieser Schmerzen.

Schließlich erlaube ich mir noch die naheliegende Bemerkung, daß durch Herausreißung gewisser Stellen aus ihrem geistigen Zusammenhang die Schriften aller Dichter, vom Altertum bis in die Neuzeit, ja selbst die Biblischen Schriften, benutzt werden könnten, um höchst unsittliche Machwerke daraus zusammenzustellen. Das dürfte aber keinen Schatten auf den ehrwürdigen Charakter dieser Schriften werfen, sondern nur auf die Gesinnung dessen, der sie aus Bosheit oder Unverstand in schlechten Ruf bringen möchte.

Offenherzige Erklärung

Richard Strauß hat folgendes Gedicht von mir in eine Musik gesetzt, die für diesen Text zwar etwas zu weich ist, den meisten Leuten aber besser gefällt als seine spröderen Lieder und deshalb oft im Konzertsaal vorgetragen wird:

Befreit

Du wirst nicht weinen. Leise, leise
wirst du lächeln; und wie zur Reise
geb' ich dir Blick und Kuß zurück.

Unsre lieben vier Wände! Du hast sie bereitet,
ich habe sie dir zur Welt geweitet —
o Glück!

Dann wirst du heiß meine Hände fassen
und wirst mir deine Seele lassen,
läßt unsern Kindern mich zurück.
Du schenktest mir dein ganzes Leben,
ich will es ihnen wiedergeben —
o Glück!

Es wird sehr bald sein, wir wissen's beide.
Wir haben einander befreit vom Leide;
so geb' ich dich der Welt zurück.
Dann wirst du mir nur noch im Traum erscheinen
und mich segnen und mit mir weinen —
o Glück!

Ich erhalte nun immerfort Anfragen aus dem »musikliebenden Publikum«, was das Gedicht »eigentlich bedeuten« solle. Ob es von einem Mann oder von einer Frau »als gesprochen zu denken« sei. Ob *der* oder *die* Befreite der Welt zurückgegeben werde, und wie das zu »verstehen« sei. Ob es auf einen Todesfall oder auf eine Ehescheidung »anspiele«. Was unter Glück dann »gemeint« sei, und wie die Liebe zu »begreifen« sei. Und ähnliche Fragen des »gesunden Menschenverstandes« mehr.

Um ein für allemal dem poetischen Verständnis dieser Musikfreunde auf die Sprünge zu helfen, gebe ich hier meinen unmaßgeblichen Kommentar.

Ich meinesteils hatte bei Niederschrift des Gedichtes die bildliche Vorstellung, daß ein Mann zu seiner sterbenden Ehefrau spricht. Da aber Kunstwerke nur darauf ausgehen, allgemein menschliche Sinngefühle (die Ästhetiker sagen »Scheingefühle«) in rhythmischer Harmonie zu wecken, so habe ich nicht das geringste dagegen, daß man das Sinnbild auch umgekehrt auffaßt, wie es auch nicht bloß auf Eheleute, sondern auf jede Art Liebesleute »anspielen« kann; in den höchsten Regionen der Liebe hört der Geschlechtsunterschied nämlich auf! Und selbstverständlich sind solche wechselseitigen Seelenerhebungen — wenigstens zwischen vornehmen Seelen — auch nicht bloß auf den Todesfall, sondern auf jeglichen Abschied fürs Leben (Trennung, Scheidung und dergl.) beziehbar; denn jeder Abschied ist dem Tode verwandt, und was man für immer aufgeben muß, gibt man natürlich »der Welt zurück«, die freilich nicht gleichbedeutend ist mit der Welt des zeitunglesenden Biedermanns.

Leute, die nicht verstehen, Gedichte zu lesen — es sei denn, daß sie ihnen auf der Schulbank eingedrillt worden sind —, die allerdings können wohl in der Tat nicht »verstehen«, daß meine Überschrift »Befreit« ganz einfach auf die Zeile hindeutet: »Wir haben einander befreit vom Leide«. Ich meine, *mehr* Glück kann ein Mensch dem andern doch wohl nicht bieten. Oder sollte es Menschen geben, die sich nicht einmal »denken« können, daß eine Seele selbst den erschütterndsten Schmerz leidlos zu tragen vermag?

Nun, solche Menschen wissen vielleicht, daß Tränen der Rührung aus Wasser bestehen, selbst die allergerührtesten; aber sie werden trotzdem nicht »begreifen«, daß der Wert der Kunst in Gefühlsbildern liegt, die uns der wäßrigen Rührung *entheben*. Sie werden daher auch nie »verstehen«, daß eine Dichtung um so bedeutender ist, je deutungsvoller dem sinnenden *Geist* — um so ergreifender, je reicher an *un*begreiflichen Gefühlsreizen — oder wie Goethe zu Eckermann sagte: »Je inkommensurabler und für den Verstand unfaßbarer eine poetische Produktion, desto besser!« Das alles geht *über* den — gesunden Menschenverstand.

Und an solche Menschen sollte man »eigentlich« keine Erklärungsversuche verschwenden; aber die Dichter kranken halt alle an unbegreiflicher Offenherzigkeit.

[»Die Musik.« 1908]

Über Frankreich

Natürlich stelle ich nach wie vor den weißen Schild der Humanität über die bunten der Nationen; aber ich kann nicht immerfort die alte Lehre vom Weltfrieden mit neuen Phrasen aufflackieren. Seit zwanzig Jahren bemüht sich nun die intellektuelle Elite von Deutschland wie Frankreich um die gegenseitige Verständigung, und immer wieder belfern die bornierten Instinkte des Pöbels und der Fanfaronneurs dazwischen. Trotzdem wird David über Goliath triumphieren; schließlich siegt doch immer der Geist über die Faust und das große Maul. Es ist nicht wahr, daß die Völker diesseits und jenseits des Rheins zur »Erbfeindschaft« prädestiniert seien. Schon einmal haben Franzosen und Deutsche in jahrhundertelanger Eintracht die europäische Kultur beherrscht; das war, als wir zusammen die Sagen vom Helden Roland dichteten und die gotischen Kathedralen bauten. Es wird wieder sein, schon bauen wir Flugschiffe nach gleichem System und dichten Psalmen der Arbeit im gleichen Rhythmus.

La Grande Revue, Juni 1914

Richard Dehmel und seine Zeitgenossen im Briefwechsel

> *... Ihr Brief hat mir wohlgetan. Aber was ist Menschengröße? Ein Blütenstäubchen aus dem Füllhorn der ewigen Gnade. Das kleinste Zeichen echter Verehrung wiegt auf der Waage der Liebe schwerer als jedes noch so große Verdienst; sie ist Gotteslohn für Menschenwerk.*
>
> RICHARD DEHMEL

Paula Dehmel

Richard Dehmel an Paula Oppenheimer [1]

Berlin, Dienstag früh, Sommer 86.

Meine entflohene Seele,

ja, — ich vernehme Deinen Gesang, immer, immer! denn Du singst immer. Immer summt und braust und flüstert und jauchzt und lacht und schluchzt in Dir das große ewige selige Jubellied, — und was in Deiner Seele tönt, das tönt in mir. Bin ich denn ohne Dich? — Bist Du ohne mich? — Nur ein winziges Stückchen wir vom All! Ja! Und doch wir das All. — Eines durch das andere! In uns durch uns das All! — Wenn wir den erwachenden Morgen fühlen — durch das Auge den glitzernden Tautropfen, das nachterquickte tausendfältige Grün, durch das Ohr den tagesfrohen Schlag der Finken, das lebenslustige Geschwätz des Sperlings, durch alle die Sinne den duftfrischen Hauch, den verjüngten Atem, das muntere Tun alles des Wachsens und Blühens und Lebens um uns —: fühlen wir uns. Wenn das feurige Sonnenauge aus dem ehernen Himmelsantlitz mit dem sengenden Blick uns erbarmungslos anschaut, die wir ringen hier unten um die großen und kleinen Eitelkeiten, daß wir matt die schläfrigen Lider senken, — wenn wir die große Müdigkeit aller der Wesen um uns, der festwebenden, der rastlos umtreibenden, mitleidvoll schauen: fühlen wir uns. Wenn der Regen die Fluren tränkt, wenn wir sehen, wie alle die glutgeneigten Häupter sich durstig aufrichten dem beseelenden Naß entgegen: wir fühlen uns. Wenn der Blitz die schwül geballte Luft zerschleudert und donnernd frohlockt über die erlösende Kraft, wenn er in der unbändigen Wonne zerstört, wo er zugleich doch segnet, — wenn wir aus seinem Wirken ahnen das große Wirken im All: wir ahnen uns. Wenn der Sturm und der Hagel und die Wasserflut vernichtend herunterbrechen, was wir gebaut, — wenn wir staunend gewahren, wie die Natur zerstört, was sie geschaffen, zu neuem Schaffen, zu neuer Zerstörung: sind wir nicht auch so? — Ob uns sollten wir staunen. Wenn der Abend alles zur kühlenden Ruhe lädt, wenn die nächtigen Waldschatten verschwimmen mit der dunstigen Ferne und alles schweigend wird, wenn wir nur noch das Rieseln des Baches vernehmen oder das fernverhallende Brausen der Meerwoge, das nimmermüde Lied der Grille, das heimliche Wispern der Espe, — wenn wir dem Geheimnis der Nacht lauschen: lauschen wir nicht auf uns, meine Seele? — Und doppelt belauschen und ahnen und fühlen und vernehmen wir alles, das All, zwiefach geht es uns auf, — da wir es zwiefach ahnen und empfinden, zwiefach und doch vereint. Da wird uns erst ganz bewußt die große Einheit, die ewige, unabänderliche, die sich nicht hemmen läßt durch Menschentum, in deren Walten, durch deren Walten wir walten müssen: da erst, wenn dem Menschen erfüllt ist das große Geheimnis alles des Werdens, das getrennt sich einende, selbst sein wollende, zum andern müssend gedrängte, — der Mann im Weibe, das Weib durch den Mann! — Ja, Du mein? — mein getrennter Leib, meine, meine Seele?! —

Nun schreibe ich Dir nicht mehr oder nur noch ein Lied, das ich vielleicht in mir finde. Sonst ruft meine Sehnsucht zu laut nach Dir, meine ferne Seele.

Ich bin Dein Herz.

Paula Dehmel an Richard Dehmel [2]

Saßnitz, den 26. 8. 92.

Lieber Einziger.

Ach, wenn Du doch kämst, ich kann es fast nicht mehr aushalten vor Sehnsucht und Unruhe! Wie lebt Ihr denn, Du schreibst nie ein Wort darüber. Du wirst gewiß wieder hungern! Daß Du in Bierbaums so liebe Freunde gefunden hast, freut mich von ganzer Seele, ich hätte nur gar zu gern auch was von ihnen gehabt, sind sie noch in Berlin, bleibt Detlev bis zu meiner Rückkehr? *Kommt Ihr* oder *Du?* Wenn nicht, bleibe ich nicht mehr bis zum Ablauf meines Billetts.

Wir haben hier von der Hitze, über die von allen Seiten geklagt wurde, wenig oder gar nichts gemerkt: unsre Wohnung liegt hoch und luftig, die Abende und Morgen waren immer kühl, so daß es während der ganzen Zeit wundervoll hier war. Ich habe oft an Euch in der Viertreppenhitze gedacht, oder seid Ihr so klug gewesen, Tantens Räume zu benutzen? Tantchen reist Mittwoch wieder zurück und wird Euch alles erzählen.

Die Broschüre, die Du mir geschickt hast, habe ich noch nicht gelesen, denn ich benutze jede freie Minute, um »Krieg und Frieden« zu lesen, was mich in hohem Grade fesselt. Ein wunderbarer Künstler, dieser Tolstoi! In keinem seiner Werke habe ich seine Bedeutung so empfunden wie in *dem* Buche! Wie wahr und scharf die Charaktere, wie meisterhaft die Kriegsbilder, wie klar und zugleich künstlerisch erfaßt die ganze napoleonische Epoche! In diesem Roman ist wohl das Höchste erreicht, was in dieser Kunstgattung geleistet werden kann, und nur kleine Fehler in der Anordnung haben mich manchmal ermüdet. Ist es Dir ebenso ergangen?

— Hineingeguckt habe ich aber auch schon in Deinen Polen, und bei dem flüchtigen Naschen habe ich schon gemerkt, daß viel Geistvolles, Originelles in dem Werkchen steckt; wenn ich auch manches Lächerliche zu finden glaubte, als ich z. B. an einer Stelle las: »Die Frau braucht kein Gehirn« oder dergl. Es muß ein ganz toller Kauz sein! Wenn ich mit »Krieg u. Fr.« fertig bin, werde ich mich damit ernster beschäftigen, hältst Du viel davon? —

— Sind die Räucherwaren gut und schmackhaft zu Euch gelangt? Wenn Du nicht abkommen kannst, schicke ich mit Tanten wieder Etliches mit, deshalb und meiner Unruhe wegen bitte ich Dich nochmal, schreibe mir, ob Du kommst oder nicht. Ich glaube, ich frage heute schon zum vierten Male!

— Wie ist es denn mit Detlevs Verlag des Romans, Du wolltest mir doch darüber schreiben, auch von Fräulein Schöbel habe ich nichts mehr gehört, gefällt sie Detlev? Ach, ich möchte so gern zu Hause sein, nur mit den Tanten und den Kindern ist es doch zuletzt furchtbar öde, wenn sie auch noch so lieb und gut sind, Du fehlst mir doch an allen Enden, und wenn Du Dich auch nicht oft mit mir abgibst, so — doch den Nachsatz kann ich mir sparen!

Weißt Du, ich habe Dich doch noch schrecklich lieb, wenn Du mich auch als »Mitleid erweckendes, verblühendes Weib« betrachtest!

Andre fanden das übrigens ganz und gar nicht! Ich bin aber weder traurig noch böse, ich mache bloß Spaß!

Küsse mich, wie ich Dich im Geiste küsse!

Paula. Deine.

Richard Dehmel an Paula Dehmel [3]

Hamburg, Anfang Novbr. 93, Dienstag früh.
Mein liebstes Wesen!

Das fühl ich erst seit heute nacht ganz und gar. Und gräm Dich nicht um mich und nicht um Dich; darum schreib ich Dir.

Ich habe es nicht mehr aushalten können in dieser Knechtschaft; das hast Du wohl gemerkt. Aber glaube darum nicht an eine Tat der Verzweiflung. Ich bin jetzt, heute ganz gefaßt und sicher über mich, über uns und unsre lieben Kleinen. Nur einmal *los*, endlich *heraus* mußte ich, und mit *einem Ruck*, sonst wär's doch nie geschehen. Und denke nicht an Wahnsinn oder dergleichen. Wenn ich wahnsinnig werden könnte, so wär' ich's vorgestern abend geworden, als ich von Euch weg rannte, in die Felder hinein, und mit den Lokomotiven um die Wette heulte und von allen Seiten das Sonntagsglockengedröhne auf mich einstürzte und am Horizonte zwei große runde Lichter mich anstarrten mit schwarzen Pupillen und einem goldgelben Augenkranz wie ein riesiger Uhu oder der liebe Gott. Und wenn ich dann am Sonntag abend und die Nacht hindurch und auch gestern noch allerlei Exaltiertes tat mit diesen Leuten, die mir ganz im Innersten ja herzlich schnuppe sind, so war's eben nichts als mit den Wölfen heulen, um die zarteren Stimmen nicht zu hören, die sich gegen den einen lauten Freiheitsschrei meines männlichen Gewissens mit all der süßen Macht geliebter und gewohnter Herzenstöne in mir regen wollten. Denn *wie* lieb Ihr mir seid, Du, mein einziges Herz, und unsre Detta und auch schon der Peter Heinz, das weiß ich nun erst, nach dieser halb entsetzlichen, halb wunderbar beglückenden Nacht von Träumen und Halluzinationen. Als wenn Ihr bei mir im Zimmer waret, habe ich mit Euch geredet und gerungen, und wie dann heute morgen, nach fortwährendem Wechsel von Schlaf und Erwachen, von grausigen und entzückenden Visionen (denn Träume kann ich das schon kaum noch nennen), wie sich dann mein ganzes Wesen zu dieser wunderbaren, lächelnden Ruhe hob, in der ich Dir jetzt schreibe, und ich dann noch einmal einschlief und immerfort nichts sah als die Viktoria, die sich oben auf der Kanonensäule um sich selber drehte und mir mit Kranz und Siegesspeer goldglänzend winkte, winkte, — Du, Lieb, es ist ja so sicher, so selbstverständlich sicher, das alles ein glückliches Ende nehmen *muß!* — Nur Freiheit, nicht mehr diese Arbeit im goldenen Käfig; dann wirst Du erst sehn, was ich *kann.* Freiheit, ein paar Wochen Erholung, starke, frische, urwüchsige, kinderlustige Erholung, und dann ein neues Leben! —

Siehst Du: arbeiten, das habe ich gelernt in meinem Amt, das ist der Segen, der immerhin aus dieser siebenjährigen Seelensklaverei für unser Leben erwachsen ist. Nun aber: *würdig* arbeiten! Das werde ich *jetzt* lernen, und brauche es nicht erst zu *lernen,* werde es *können.* Glaube mir, glaube mir, sei mein liebes, vertrauendes, starkes Freundesherz wie ich das Deine.

Ich werde Dir viel erzählen über diese beiden Tage, wenn ich erst wieder bei Dir bin. Denn jetzt: wie gesagt, mein ganzer Organismus muß erst einen völligen Stoffwechsel bestehen, ein Luftbad, eine Kur des natürlichen Individuums. Darum bin ich hierher gefahren. Mein Bruder Otto soll mir Gesellschaft leisten auf einer Wanderfahrt, nur zu Fuß und frei wie der Vogel. Mit diesem lieben lustigen Kerl, der sich noch die Freude am Abenteuer aus unsrer modernen Erwerbstretmühle gerettet hat, mit ihm zusammen will ich mal zwei-drei-vier Wochen lang (eben so lange, wie wir lustig bleiben) spazierengehen in der Herrgottswelt, als richtiger Bummler, der nachher froh sein wird, wieder unter Dach und Fach zu kommen: zu seinen Lieben daheim. Es ist ganz einfach: wir werden mal »*fechten* gehn« — hurrah!

Nun bitte ich Dich, schicke mir *umgehend* an Liliencrons Adresse (vielleicht kommt er *auch* mit, hoffentlich ist er noch jung genug dazu) Folgendes: Kamm und Zahnbürste, 1 Paar Unterhosen, meine guten Stiefel (die

alten, die ich anhabe, werden kaum noch lange reichen), den großen Wind-
und Wetterkragen meines Mantels, ½ Dtzd. Taschentücher und – weiter
nichts. Strümpfe hat Otto genug. Wohin wir gehen, weiß ich noch nicht; ob
nach Norden oder Süden oder Osten oder Westen, die Welt steht offen überall. Unterwegs schreibe ich Dir teutsche Tichterbülletins. Und nun weine
nicht, Liebling: Du sollst sehen, wie leicht ich uns mit freier Feder ernäh-
ren werde. Freilich: etwas einschränken wollen wir uns, und es wäre gut,
wenn wir einfach die Hälfte von unserm Möbelkram (samt meinen »geliebten« Kunstsachen), wenn wir all das *Überflüssige*, den Luxusballast,
kurzentschlossen versilberten. Dadurch kriegen wir gleich ein kleines An-
fangskapital; 1500 bis 2000 M. könnten wir wohl draus herausschlagen.
Das aber können wir wohl mündlich bereden; länger als vier, höchstens
sechs Wochen werde ich die Faulheit nicht aushalten.

Schulden, um bis hierher zu kommen, habe ich nicht viel gemacht: bei
Carl Schleich 10 M., bei meinem Zigarrenhändler 30 M., bei meinem Buch-
händler dito 30. Letzterer kann noch warten. An B. und Schleich könntest
Du die beiden kleinen Summen nächster Tage berichtigen; so viel ersparst
Du ja in der Wirtschaft durch meine Abwesenheit.

Und nun mein Chef. Die Leute werden mich wahrscheinlich für verrückt
halten. Das schadet nichts; um so nachsichtiger werden sie gegen *Dich* sein.
Also hier schicke ich Dir den Schlüssel von meinem *Büro*-Schreibtisch.
Bringe also diesen Schlüssel zu B. und erzähle ihm, wie ich diese entsetzliche, diese meiner unwürdige (meiner Geisteskräfte unwürdige) Arbeit nicht
mehr länger hätte ertragen können und in einem Anfall von seelischer
Zerrissenheit davongelaufen sei. Er möge überzeugt sein, daß ich zurück-
kommen werde; schon aus Liebe zu Dir würde ich das tun. Und dann würde
ich nicht verfehlen, auch die 2000 M., die ich dem Verbande noch schulde,
in freier Tätigkeit allmählich herunter zu schreiben. In dem Schreibtisch des
Büros ist das Briefmarken- und Postkartenquantum, das wohl ausreichen
wird, den Portovorschuß zu decken. Ich habe bis zum letzten Tage ordentlich Buch geführt; es liegt in dem Schreibtisch. Es können höchstens 2–3
Mark fehlen; ich bitte Dich, mit B. abzurechnen. Bitte ihn, daß er Dir auch
noch mein Gehalt für den nächsten Monat auszahlt. Durch meine bis zum
letzten Tage gewissenhafte Arbeit für den Verband dürfte ich das verdient
haben. Selbstverständlich bin ich bereit, auch diese Summe später durch
Artikel abzuleisten. Nur nicht mehr diesen furchtbaren Tageszwang als
Karrengaul! – Und nun leb wohl! sei geküßt und vertraue mir! Mit Leib
und Seele bin ich Dir treu. Und küsse auch die Kinder!

Ich bin Dein Richard.

Dienstag mittag.

Mein Lieb!

Ich bin jetzt bei Detlev, den ich leider nicht antraf. Ich werde aber immer ruhiger. Noch wollte ich Dir sagen: bring doch Herrn Bueck den letzten Bogen der Sparkassen-Eingabe, der zuhause auf meinem Schreibtisch liegt, samt dem zugehörigen »Material«, — wie ekelhaft dies Wort mir klingt! In meinem Brief heut morgen vergaß ich, Dich darum zu bitten. Ferner vergaß ich: schicke dem kleinen Franzosen (Henri Albert Hang, Paris, Rue Jacob 25) das gleichfalls auf dem Schreibtisch liegende Ms. seiner Übersetzung von Hedwig's Aufsatz über Verlaine. Bemerke ihm dazu, daß die Übersetzung nach Hedwigs Urteil »ausgezeichnet« ist.

Wenn Du mit Bueck sprichst, so kannst Du als ein Motiv meines Entschlusses, das *ihm begreiflich* sein wird, vielleicht noch hinzufügen: der brave Unteroffizier, den mir die Herren bewilligt haben als »Hilfskraft«, sei ein Dusseltier und habe mir mehr Arbeit gemacht durch seine »Hilfe«, als wenn ich die Sachen gleich von vornherein alleine abgeschrieben hätte. Ich habe alles durchkorrigieren und ein großes Stück noch mal von vorn anfangen und alleine fertig machen müssen. Meine Empfindungen dabei kannst Du Dir ungefähr vorstellen; das hat dem Faß den Boden ausschlagen helfen.

Wenn Du Dir persönlich nicht die Kraft zutraust, mit Bueck zu reden, so nimm Franz mit. Kannst ihm meinen Brief von heute morgen zeigen und ihn bitten, daß er Dich beruhigen hilft und Dir die »Familie« vom Halse hält.

Um Dir zu zeigen, daß ich vollkommen bei klarem, logischem Bewußtsein bin, will ich Dir auch sagen, warum ich fortging von Berlin und grade nach Hamburg. Fort mußte ich, weil sonst womöglich Bueck mir auf die Bude gerückt wäre und Ihr alle zusammen mich entweder in meinem Entschlusse wankend und dann *wirklich* verrückt gemacht hättet. Denn so konnte es nicht weitergehen, ohne Gefahr für mein Seelenleben, und man hat doch auch gewisse Pflichten gegen sich selbst! Und nach Hamburg ging ich, weil ich eines freien und ebenbürtigen Menschen bedurfte in diesen Tagen, die mir wahrhaftig nicht leicht fallen; dieser Mensch ist Detlev. Und dann eben, weil ich mit Bruder Otto wandern will, diesem prächtigen Bengel, der Humor hat. Er weiß Bescheid mit Gesellenherbergen u. dgl., wo es billig ist. Und er wird in Brauereien fechten und ich bei Pfarrern, Ärzten oder wir beide zusammen mal in irgendeiner Försterei. Wir werden schon durchkommen! Und dann, nach sechs Wochen dieser köstlichen Erholung, geht's an die Arbeit, die wirklich Arbeit *ist* für mich. Zum Teufel: ich habe doch Ideen einen ganzen Sack voll! Man kann auch andre Sachen schreiben, die was wert sind und die Welt mehr interessieren als Gedichte. Und ich habe wieder *Mut,* das fühle ich von Stunde zu Stunde mehr. Es war ja *grauenhaft, wie* ich am Boden lag und mir selber immerfort ins Gesicht spuckte. Es sah *scheußlich* in mir aus die letzten Wochen. Du hast Grund zur *Freude,* mein Herz, und *nur* zur Freude, zu *gar* keiner Trauer; denn ich habe mich wiedergefunden, auch zu *Dir* hin! Mein Geliebtes Du! mein Duling!

Dein, Dein Richard.

Ich mache den Brief noch mal auf, weil eben Depesche kam von »Dr. Oppenheimer« (doch wohl Franz?!) — Ich habe sie geöffnet, weil ich mir ja denken konnte, daß sie mich betraf; Detlev wird mir diese »Verletzung des Briefgeheimnisses« wohl verzeihen.

Aus meinen Briefen werdet Ihr wohl sehen, daß ich mich schon *selber* »beruhigt« habe. Daß Herr Bueck »Urlaub bewilligt« hat, darauf *pfeifffe* ich, mit *fff! —*

Ich bin kein Volk Israel, das sich nach den Fleischtöpfen Ägyptens zurücksehnt. Was ich Dir heut früh über die Einrichtung unseres künftigen Lebens schrieb, war mein fester, freudiger, ernster Wille!

Dein R.

Die telegraphischen Antworten, die jetzt an Dich und Franz abgehen, sind also von mir. »Detlev« und »Liliencron« habe ich Eurer Beruhigung wegen unterzeichnet. Ich werde aber Detlev veranlassen, daß er nachher noch selbst an Euch schreibt und meine Worte bestätigt.

[An den Rand geschrieben]: Wundervoller Sonnenschein und erster Frost; ein herrlicher Tag! — Schicke doch auch meine wollenen Handschuhe mit, und falls Du schon *Flanell*hemden haben solltest, auch davon eins. Eins habe ich mir vorhin selbst gekauft.

Paula Dehmel an Richard Dehmel [5]

Dienstag abend spät.

Mein Richard!

Die schlimmste Aufregung ist vorüber; ich fange an, ruhiger über die Sache zu denken und will stark sein und Dir nichts vorklagen. Ich habe durch Dein Gedrücktsein ebenso unter Deiner Bürotätigkeit gelitten wie Du selbst, und wenn ich auch nicht so todesmutig einer pekuniären Notlage oder vielmehr einer Abhängigkeits-Notlage ins Auge sehe wie Du, so will ich doch versuchen, diese so klein als möglich zu machen.

Vorher aber eins: Bierbaum und Franz waren bei Bueck, der wirklich warmen Anteil an Dir nimmt, stellten ihm die Sache dar als Überreizung

Deiner Nerven, worauf er jedes Mittel anzuwenden bat, Dich wiederher-
zustellen, Dich auf längere Zeit nach Italien oder sonstwohin zu schicken
usw. Er war sogar hier draußen, um mit mir zu sprechen, fand unglücklicher
Weise nur Tante Lise, suchte mich bei Franz auf, fragte mich, ob Du vielleicht noch pekuniäre Sorgen hättest, sagte mir, wie ungern er Dich verlieren würde. Er schien wirklich betrübt zu sein.

Willst Du das nicht benutzen und nach mehrwöchentlicher Ausspannung
Dein Amt bis zum Frühjahr noch ertragen? Ich verspreche Dir feierlich,
Dich nicht mit einer Miene zum Bleiben zu bitten. Du hast dann den Vor-
teil, nicht wie ein Junge aus der Lehre gelaufen zu sein, kannst den Leuten
anständig kündigen, Deinen Nachfolger etwas einarbeiten — kurz, gehst als
Mann und nicht als Primaner aus der Affäre heraus. Außerdem läuft im
Frühjahr unser Mietkontrakt erst ab, und die Miete würde uns sehr schwer
fallen. Bitte, bitte, ertrage es die paar Monate noch!

Und dann pachten wir uns ein Häuschen an der See, und ich nehme
Sommergäste, wodurch wir wenigstens das Mitessen haben. Deshalb ver-
kaufe ich um *keinen Preis* meine Möbel, denn man bekommt blutwenig
dafür, und es bietet immerhin eine Erwerbsquelle. Ich werde es schon ein-
richten, daß Dich nichts stört. Die 7000 M. von Großmutter liefern das
Anlagekapital. Es muß gehen, denn auf Deine Feder *können* wir nicht ausschließlich bauen. Bierbaum, der mit der Gusti allein ist und viel und gewandt schreibt, sagt mir, er hätte nicht sorgenfrei leben können!

Ich kann nicht mehr, mein Lieb, ich bin wie tot vor Erschöpfung und
will Dir bloß noch einen recht recht lieben Kuß geben, Du mein Gelieb-
tester!

Deine Freundin immer
und immer!

Detlev von Liliencron

Richard Dehmel an Detlev von Liliencron [6]

Berlin, Sonntag, 4. 10. 91.

Lieber Edler!

Dank für den Ritterschlag! ich meine: wie der Knappe dankt, der sich selbst ja schon als Ritter fühlt, aber doch vor Freude aufglüht und erschauert, wenn er nun das Schwert der Gleichheit in die Hand empfängt: das Schwert der freien Herren! und gar von einem Ordensmeister! Denn Sie waren der Erste, der mir ohne Wenn und Aber sagte: du bist ein Dichter, schuldest nur dir selbst Gehorsam. Ist es doch das schwerste — das Gesetz der eignen Wahl. Wenn sie's nur begreifen wollten endlich, all die guten Wackern, daß eben das, was ihnen nicht behagt an unserer Weise, doch nicht minder auch den Zauber wirkt, durch den sie dieser Weise lauschen müssen. Da kommen sie und brüllen von »Tendenz«, die blinden Kühe, — und sehen nicht die grüne Weide meiner Welt, auf der ja freilich auch Disteln wachsen und andre bittere Kräuter, — und nicht das Sonnenideal am Morgenhorizont, — und trampeln schnaufend weiter hinterm Lattenzaun der eigenen Tendenz. Das ist ja freilich auch ein Horizont, und für manchen ein beneidenswert fester. Aber hilf Himmel: hoffentlich verlerne ich die Wandersehnsucht nach dem Horizont, dem ewig fernen, niemals niemals! diese Sehnsucht unsrer Kinderzeit. Ach, ich möchte wieder in die Felder — lange lange Jahre — oder ans Meer — oder auf den höchsten Berg! hier sind überall Wände, und selbst Edle lernen hier zum Brotkorb beten. Und mancher, der den Götzen haßt, vergeudet seine beste Glut damit und muß noch obendrein die kalte Maske tragen, damit die Gläubigen und Gläubiger ihn nicht verhungern lassen. Oh, Sie werden's wohl erfahren haben mit Ihrer Frage »An wen?«, wieviel edle deutsche Doggen an der Kette liegen; mehr als Eine wird ihr klagendes Geheul vor Ihnen lautgegeben haben, — aber mehr als eine stolze Klage wird auch in der stummen Brust geblieben sein, mit dem bittern Kraftgefühl:

der Du da »mit knochiger rissiger Faust«, mit dem heilig menschengläubigen Herzen Deine gastliche Türe öffnest, Schande meiner eignen Faust, Schande meinem Glauben an mich selbst, wollt' ich anders als zum Kusse diese Hand ergreifen, wollt' ich nicht die Kette selbst zerreißen, nicht mit eigner rissiger Hand mir die eigne Hütte bauen, mir die eignen Gäste laden! Laß die Schwachen sich verbünden, — Ich will selber meine Kette sprengen oder, bin ich nur zum Zerren stark genug, an der Kette mich erwürgen: Ich Mich! — — Herr du mein Federstiel: alter Schwatzmichel! Ja, Sie haben schon recht: so eine Dichterseele ist eigentlich die schamloseste aller Kreaturen. Aber Ihre Folgerung daraus?? na, Sie wollten mir wohl bloß den obligaten Backenstreich nicht vorenthalten, der nun mal zum Ritterschlag gehört. Denn sehen Sie: die »mancherlei Stellen in Sperrschrift« sind ja eigentlich der Gipfel der Schamlosigkeit. Wenn schon, denn schon — sagt der Berliner. Aber Scherz beiseite! mir ist es eine Vorstellung, bei der mir gradezu übel werden kann, daß jeder Hansarsch ohne weiteres in der Lage sein soll, mein liebes Gedicht nach seinem brägenklütrigen Ermessen zu verhunzen. Und das eben wollte ich dem Lesepöbel nach Möglichkeit versalzen. Ja: wenn man nur von Dichtern gelesen würde! — Na, vielleicht werde ich in dieser Hinsicht noch dickfelliger. Gegen den Rezensentenpöbel bin ich's schon.

Gegengruß und Handschlag!
Ihr Richard Dehmel.

Detlev von Liliencron an Richard Dehmel [7]

Altona (Elbe), Palmaille 5, Sonnabend, 9. 10. 92.

Mein lieber einziger Richard, eben war meine liebenswürdige Wirtin bei mir: sie sprach sehr ernst mit mir über die fehlende Miete. Zu gleicher Zeit hatt' ich gestern und heut die allerfatalsten, sogar lärmenden Szenen mit Handwerkern, kleinen Leuten (die mir Geld geliehen) usw. in meiner Wohnung. Alles dies halte ich noch mit sehr konzentrierter, aber auch mit meiner *letzten* Kraft aus. Gehts nicht bis Schluß nächster Woche, muß ich dran glauben. [...]

Nun ist mir doch noch Rud. Mosse eingefallen. Und zwar bitte ich Dich, Dich mit Wolzogen darüber besprechen zu wollen. Der ist mir sehr gut. Er weiß von allen meinen Verhältnissen Bescheid; und *er würde zu R. Mosse gerne gehn.*

Da die Sache eine so außerordentlich dringliche, nicht mehr aufschiebbare ist, so bitte ich Dich um diesen Beweis Deiner Freundschaft. Es sind vorläufig, d. h. für nächste Woche, nur 100 Mk. nötig. Die Andere (die anderen Gläubiger) halte ich bis Weihnachten, resp. bis der Verleger Geld schickt.

Dein Detlev.

Ist »Stündlich der Geldnot ins Gebiß zu müssen« nicht gut?

142

Vertrag.

Herr Rudolf Mosse überweist Herrn Detlev Freiherrn von Liliencron zur Tilgung seiner Schulden und zu seinem Lebensunterhalt successive den Betrag von viertausend Mark; Nach Begleich der Schulden hat Herr v. Liliencron Herrn Mosse die Quittungen zu überreichen. Herr v. Liliencron verpflichtet sich, gegen dies Darlehn alle seine novellistischen Arbeiten oder Romane für den Zeitungsabdruck Herrn Mosse so lange zur Verfügung zu stellen, als jener Schuldbetrag nicht durch die für den Abdruck zu zahlenden üblichen Honorarbeträge gedeckt ist. Im Übrigen behält sich Herr v. Liliencron vor, das Darlehn auch in bar zurückzuerstatten, sobald er in der Lage ist.

Berlin, Oktober 1892   [Abschrift von Liliencron.]

Detlev von Liliencron an Richard Dehmel [8]

[Februar 1893]

Geliebter! Deine Venus Bestia ist ja ganz ausgezeichnet. Was ich aber zuallererst daran auszusetzen habe, ist das schwankende Versmaß. Wo bleibt der Knittelvers? Das ist mir zu sehr skandierte Prosa. Du weißt, Richard, wie ich — durch Dein Vorlesen veranlaßt — jetzt auch nur nach dem *lauten* Lesen meinen Knittelvers einrichte. Aber das ist mir *zu* willkürlich bei Dir; man hört den Vers nicht mehr. Grade der Knittelvers ist so sehr modulationsfähig. Ich bilde mir etwas drauf ein, daß ich in den meisten Gedichten dieses Versmaßes gut und klingend (— es ist etwas geschnatterhaft-Erzählendes drin —) u. singend gebildet habe. Bitte lies nur daraufhin einige Verse z. B. in »Sommertag« oder im »Heidegänger«. Wie leicht könntest Du das ändern; denn wie gesagt, es ist oft kein Knittelvers mehr, sondern nur noch Prosa, die mit Keulen und Brettern und Schwertern in eine willkürliche Einteilung gehauen ist. Viel mehr würde ich gereimte freie Rhythmen daraus erkennen. Oder wolltest Du das?

Dein Detlev.

Detlev von Liliencron an Richard Dehmel [9]

Mittwoch, 18. April 94.

Lieber Richard. Das Komitee. (Die 3 Herren sind so zuvorkommend wie möglich. Namentlich ist es Hanssen, mit dem ich täglich zu tun habe. Er sagt sehr richtig und denkt ehrenhaft: Daß zuerst die Schulden bezahlt

143

werden müssen. Hanssen hatte mir in seiner Güte Hunderte und aber Hunderte geliehen, die er selbstverständlich sich zuerst abzog. Er ist alter Corpsstudent und versteht *alles* im Leben; ist er doch selbst noch heut ein Lebemann. Er hat mich doch durch seine immerwährende Güte monatelang gehalten.) Nun verlangt das Komitee (Hanssen) über jeden mir gegebenen Pfennig Quittung, und auch sicher mit Recht. Aber da sind einzelne Teile (Personen), wo's denn doch nicht gut möglich ist, z. B. mein Friseur. Na, das ginge noch. Aber meine alte Dame R. kann ich doch nicht quittieren lassen über 10 M. Die würde »mien lütt Baron« schön ansehn; ich habe dort (in Hamburg) meine zweite Wohnung. — Dann bin ich seit 7 (!) Jahren für ein verlorenes Vielliebchen einem Mädel eine Papeterie schuldig. Dann bin ich einem andern Mädel, wo ich eine Wette verlor, eine Brustnadel (à 20 M.) schuldig. Dann bekommt aus alter Anhänglichkeit die süße, sonderbare Fite jeden Pfingsten einen Sommerhut (à 20 M.). Du, Richard, lasest grade das letzte Mal, als ich bei Euch war, den köstlichen Brief von ihr. — Dann bin ich einer vornehmen jungen Dame 40 M. schuldig. Und bei allen diesen kann ich keine Quittung fordern. Was ist da zu machen? Da sind auch noch 20 M. (praeter propter) für ein kleines Abendessen usw.: Ich war neulich spät von Hamburg mit der Bahn gekommen. Auf dem Perron, beim Durchgehen, stand ein Mädchen. Ich redete sie an; sie war eine Lehrerin aus Pinneberg. Sie war zu spät gekommen zum Zuge. Da hatte ich das »artigste« (wie Goethe sagen würde) Abenteuer. Dafür kann ich aber doch auch keine Quittung vom Wirt mir geben lassen. [...]

Gestern wurde mir vom Komitee Wäsche gekauft. Hanssen führte mich zu dem Ende — »um Ihnen zu zeigen, wie man spart« — in einen ganz scheußlichen Laden für Arbeiter und Matrosen. Und hier mußte ich mir nun Hemden, Unterhosen p. p. kaufen, statt in einem feinen Herrengarderobemagazin, wie ich's gewohnt bin sonst als Kavalier; dann ging's in die Große Johannisstraße, wo *nur* Plebs und »kleine Leute« wohnen. Und hier kaufte Hanssen mir einen scheußlichen Regenschirm für 8 M., da ich sonst nur meine Schirme zwischen 15 — 20 M. kaufe. Zigarren soll ich nur noch zu 5 Pf. rauchen.

Dein Detlev.

Detlev von Liliencron an Richard Dehmel [10]

Kiel, 2. Juli, morgens 10 Uhr, 1894.

Eben Deine liebe herrliche Karte, *mein* Richard. Zugleich kam die anliegende Depesche. Und in demselben Augenblick, als ich sie aufschlage, donnern 200 Geschütze (der Kriegsschiffe: bei der Abfahrt Seiner Majestät nach Norwegen) zu Ehren *meiner* Tochter..... Richard!.... Die edelste, stille, vornehme Anna: *Mutter.* Der Schlingel aller Schlingel: ich: *Vadder!* Und kein Pfennig von Geld. Zwei hiesige Freunde grade verreist. Mußte im Hotel bleiben, weil nicht bezahlen kann. Und dabei ein Kind in die Welt gesetzt. Aber Mittwoch früh fahr ich *doch* zurück. Pumpe mir vom netten Oberkellner usw.

Ach, *Richard!* — Sie heißt: *Abel* Wiebke Anna Sylvestra.

Richard Dehmel an Detlev von Liliencron [11]

Rantum, bei Gastwirt Nissen, 18. Mai 99.

Mein alter Einziger!

Wie unendlich liebevoll hast Du Dich wieder über mich ausgesprochen! zu meiner Freundin. Sie schickte mir Deinen Brief natürlich, und wenn Du sähest, was sie für Ausrufungszeichen hinter einige Deiner Worte in Klammern gesetzt hat — ich sage Dir: *strahlende* Ausrufungszeichen — dann würdest Du Dir die Hand von mir küssen lassen. Und daß Du ihr mein Jugendbild geschenkt hast! Du immer Gütiger! — Es ist Dir wohl allmählich deutlich geworden, daß sie mir *mehr* ist, unsäglich mehr als bloß mein Bettweib oder bengalisches Feuer.

Es ist nun beschlossene Sache, daß Paula sich von mir trennt. Es ist ihr eigener Wunsch; sie »weicht der Übermacht«, schrieb sie mir, d. h. der Natur, dem Leben! — Darüber ist nichts weiter zu sagen.

Ich wohne hier, wie ich soeben schon Sch. dankerfüllt schrieb, in einem wahrhaft homerischen Asyl. Laß Dir von Falke erzählen, wie's ist; er hat im vorigen Sommer auch hier gehaust. Und wie mir die Nordsee *blutlieb* ist! ich finde keinen entzückteren Ausdruck. Heut auf dem Herweg (anderthalb Stunden einsam den Strand entlang) hab ich mich gleich bis über die Ohren hineingeschmissen; ich *konnt'* einfach nicht anders. Und gestern die herrliche Fahrt durchs Wattenmeer; das Schiff machte Touren wie ein betrunkenes Schaukelpferd. Ich kann *nicht begreifen,* wie Leute seekrank werden können; ich möchte immerfort *schreien* vor Freude, so in den Armen der Windsbraut. Ich glaube, mein Blut hat den Rhythmus der See, der Mutter des Lebens, das wird's wohl sein.

Dein seliger Richard.

Altona (Elbe), 24. Mai 1899

Mein lieber, teurer Richard, ja, Rantum. Aber es liegt an der östlichen Seite, leider. Dennoch bist Du wohl in einer Viertelstunde an der Westseite von Sylt. Weißt Du, daß Du grad da bist, wo »Pidder Lüng« spielt? Die »Hörnumer Rhee« ist ja in Deiner unmittelbaren Nähe!!! Schade, daß ich neulich für den Schauspieler das Gedicht Pidder Lüng aus den »Neuen Gedichten« herausschnitt. Sonst hätte ich's für Dich herausgeschnitten und Dir gesandt. Und Du hättest es mal den Rantumern vorlesen können. Denn ich glaube, grade in Rantum wohnte Pidder Lüng, der lange Peter. Ja, »blutlieb« *muß* Dir die Nordsee sein. Von dem Augenblick an, wo ich Dich kennenlernte, war mein stetes Bemühen (Du wirst Dich erinnern), Dich auf einige Zeit an die Nordsee, meine liebe, herrliche, heilige Nordsee-Mordsee, zu ziehen. Denn instinktiv hab ich mir sofort gesagt, als ich Dich kennenlernte, und weiter während unserer Freundschaft: *das* ist die »Landschaft« (sozusagen) für Richard. Ganz unbedingt gehört und gehörte zu Deinem Leben wie Dichten, daß Du (gerade Du!!!) einmal gründlich die Großartigkeit, die heilige Kraft der Nordsee fühlen und empfinden mußtest.

Mir geht es »nicht gut«. Nachdem die Matinee, in finanzieller Hinsicht, so schlecht ausgefallen ist, kamen und kommen erst recht die Gläubiger über mich, wie das ja vorauszusehen war. Wann wird einmal dieser elende, unwürdige Zustand enden. [...]

Dein auf ewig! Detlev.

Detlev von Liliencron an Richard Dehmel [13]

A. R. b. Hbg. 22. 5. 01.

Mein geliebter Richard, eine Sache von äußerster Wichtigkeit habe ich mit Dir zu besprechen. Und erbitte darin Deinen offenen Rat. Wie der Teufel hinter der armen Seele, sind nämlich jetzt die »Überbrettl«-Theater hinter mir her. Gestern kam schon der *fünfte*!!! Ich hab's immer ausgeschlagen bisher, meines künstlerischen, meines literarischen Rufes wegen, denn der geht damit futsch. Nun kam gestern aus Berlin zu mir ein Herr Karl Jahnke, abgesandt von der Gesellschaft »Buntes Brettl, Künstlerkabarett«, und bot mir — — — 1000 (tausend!) Mark für den *Monat*! O Versucher, Versucher! Ich solle nur die »künstlerische Leitung« (wie auf dem Programm bei der Reklame pp, stehn solle) haben, brauche niemals auf die Bühne, und habe nur die Verpflichtung: einmal monatlich nach Berlin zu kommen. *Alles* müsse mir erst vorgelegt werden usw., usw. O Versucher, o Versucher! Ich dachte mir, wenn die Sache nicht gleich verkracht (denn Wolzogen allein hat das Fett abgeschöpft; die jetzt wie die Pilze aus der Erde schießenden »Überbrettl« sind nur geldgierige Unternehmen, die Wolzogen nie erreichen werden) — ich dachte mir also: Herrgott, 1000 M. monatlich, vielleicht zwei Jahre! da könnt ich ja Schulden bezahlen und meiner Familie und mir mal ein menschenwürdiges Dasein schaffen! O Versucher, o Versucher! Bis Pfingsten soll ich mich entscheiden, bis Pfingstmontag! Ich sage mir nun, und so wirst Du mit mir sagen:

Der »feine« künstlerische Ruf für mich geht dann auf alle Zeit zum Teufel, denn — Tingeltangel bleibt Tingeltangel, das läßt sich einmal nicht davon trennen. Nun bitt ich um Deine Meinung! Soll ich weiter das unerhörte Geld-Martyrium tragen? Oder soll ich meinen künstlerischen Ruf für immer opfern? Möchtest Du mir bis spätestens Sonntag darüber Deine ernste wohlerwogene Meinung sagen?

Darf ich noch einen (rasch hier geschriebenen) Poggfred-Cantus senden? 24 Stanzen. »Die singende Engelsstimme im Orgelchor der Klosterkirche.« Entzückend! sage ich Dir. Da es aber nun (diese ewige, nachgerade zum Ekel werdende Poggfrederei) bei mir zur Manier und zur Manie geworden ist, habe ich Punktum mit diesem letzten Cantus gesagt.

Dein Detlev, den der Teufel am Kragen hat!

Daß ich immer »Poggfred-Cantusse« schreibe, liegt daran, daß ich (Du weißt ja) Mosses wegen (!) keine Prosa schreiben darf. Denn sonst wären mindestens 10 Cantusse zu Novellen pp. geworden.

Richard Dehmel an Detlev von Liliencron [14]

Heidelberg, 23. Mai 01.

Mein lieber alter herrlicher Detlev!
Greif zu!!!
Nachdem ich mehrere Stunden lang alle Für und Wider überlegt habe, kann ich vernünftigerweise Dir keinen andern Rat geben, und auch Frau Isi ist meiner Meinung. Ich will Dir dabei gar nicht verhehlen, daß ich selber die Offerte wahrscheinlich ablehnen würde; ich sage kleinlaut »wahrscheinlich«, denn für 12000 M jährlich lernt mancher große Mund auf sich pfeifen, und schließlich ist »Herr Tingeltangeldirektor« noch lange nicht der

schlimmste Ehrentitel. Immerhin aber bin ich nicht in der Notlage wie Du und bin vor allem noch nicht berechtigt, mich auf meinen Lorbeeren auszuruhen; es wäre also gewissermaßen Sünde wider den Heiligen Geist, wenn ich in meinen jungen Jahren um Geldes willen ein Amt übernähme, das mich rein künstlerischen Aufgaben entfremden würde. Von Dir dagegen wär's Donquixoterie, wenn Du Dich sperren wolltest. Dich will man nicht engagieren wie eine jüngere Arbeitskraft, damit Du Dich geschäftlich ins Zeug legst, sondern lediglich um Reklame mit Deinem Namen zu machen: das aber »blamiert« Dich nicht im geringsten, denn die künstlerische Bedeutung Deines Namens steht *längst fest für immer, mein Einziger* — sie steht so fest, daß Du auf Deine alten Tage anfangen könntest, was Du wolltest, es würde sie nicht erschüttern! — Der Einzige, den diese Deine notgedrungene Zuflucht zur allzu leicht geschürzten Muse wirklich blamieren sollte, ist der *deutsche Michel*! und eines Tages wird sich unsre »Literaturhistorie« *schämen*, daß *Du* Dich so vermieten mußtest. Auf die werten Zeitgenossen kannst Du wahrhaftig *spucken,* sie *verdienen* ihr »Überbrettl«. Vorläufig jedenfalls ist gegen diese Tändelkunst kein Kraut gewachsen, das Publikum hat die Varietémanie »so lange wie's dauert«, — und ich sehe nicht ein, warum Du die Schröpfgebühren lauter schlechteren Leuten überlassen sollst.

Im Gegenteil: Du kannst vielleicht sogar noch retten, was für die ernstere Kunst dabei zu retten ist. Auf alle Fälle mußt *Du Dir* das absolute Veto in allen Repertoirefragen wahren, damit Du wenigstens verhüten kannst, daß veritabler Schund aufs Programm kommt. Und vergiß nicht, Dir mindestens fürs erste Jahr vierteljährliche (oder noch besser halbjährliche) Vorausbezahlung des Gehaltes zu bedingen, sonst kriegst Du womöglich schon nach 4 Wochen keinen Pfennig mehr. Vor allem würde ich mich dann an Deiner Stelle von Mosse loskaufen, damit Du endlich wieder Prosa schreiben kannst. Auf den neuesten Poggfred-Cantus warte ich natürlich wie immer mit Spannung, aber allmählich kriege ich Angst vor Deiner »epischen Breite«.

Dein schlanker Richard.

Arno Holz

Arno Holz an Richard Dehmel [15]

Berlin W., Sonnabend, 92.

Lieber Freund!
Meinen allerherzlichsten Dank für Ihren Brief. Ich komme Dienstag.
Wenn es Ihnen recht ist, schon um vier. Hätte dann bis sieben Zeit. Montag
eine wichtige Entscheidung für mich, von der viel abhängt. [...] Soll ich
auch zugleich Schmidt bitten?
Über Verlaine hat Schlaf nichts geschrieben. Er hat nur, im Vorbeigehen,
etwas von ihm zitiert. Ich glaube kaum, daß er ihn mehr kennt als ich. Und
ich kenne ihn leider fast gar nicht. Haben Sie ihn? dann bitte!! Ich würde
mich außerordentlich freuen, wenn ich ihn Montag früh mit der Paketfahrt
erhielte. Wollen Sie die zehn Pfennige an mich dranwenden? Und dann
zugleich Ihre Übersetzungen und die übrigen Originale, die Sie mir schicken
wollten? Ich bitte Sie herzlich darum. Die »Erlösungen«, deren Lektüre mir
von A bis Z kaum gelungen wäre, wenn nicht das persönliche Interesse an
Ihnen immer wieder und wieder dazugetreten wäre, bieten mir noch ein
zu wenig faßliches Bild von Ihnen. Und ich bin überzeugt, Ihre neueren Sachen werden mir mehr sagen. Cf. »Oben und unten«. Heute, zu meinem
Gaudium, erhielt ich eine Carl Blanck gezeichnete Postkarte aus dem Meck-
lenburgischen mit einem — Sonett!!! In diesem u. a. folgende Vierzeile:

> »Nicht schmähen will ich Weimars große Toten;
> Seitdem der Menschheit Kronschatz du vermehrt,
> Sei mir indeß die Frage nicht verwehrt:
> Ist je vorher so Schönes uns geboten?«

Notabene, es handelt sich um das »Buch der Zeit«. Die Naiven werden
nicht alle! —

In diesem Sinne. Herzlich Arno Holz.

Richard Dehmel an Arno Holz [16]

Berlin, 17. 7. 92.

Lieber Arno Holz,
eben komme ich von Bahnhof Liliencron zurück und will gleich tun, was
ich schon seit gestern will: Ihnen ein paar herzliche Zeilen schreiben. Ehe

nämlich wieder Sand dazwischenweht. Ich glaube, daß wir uns lieben könnten, auch ohne uns zu billigen; und vielleicht lernen wir auch das noch. Jedenfalls fühle ich ein Bedürfnis, Sie öfter zu sehen, und ich achte Sie zu sehr, als daß ich Scheuklappen zwischen uns leiden möchte. Darum schicke ich Ihnen außer dem Buch, daß Sie haben wollten, noch einen Aufsatz mit, worin ich einiges gegen Sie verbrochen habe. Das heißt, in den *allgemeinen* Gesichtspunkten ist meine Überzeugung noch heut so ziemlich dieselbe; aber nach allem, was ich jetzt von Ihnen selbst herausgehört habe, muß ich einräumen, daß ich Ihre persönliche Bedeutung für das neue Drama damals nicht im rechten Lichte sah, vor allem nicht im richtigen Verhältnis zu Gerhart Hauptmann. Das wird vielen so gegangen sein und noch so gehen, ohne üblen Willen; es ist die Schuld der Misere, unter der Sie schweigen müssen.

So kam es, daß ich Sie und Schlaf bloß für die Bessermacher hielt, wo Sie in Wahrheit die Macher waren. Das gab meinem Angriff das *Gepräge*, und *dafür*, wenn auch schuldlos, bitte ich von Herzen um Entschuldigung.

Na: über kurz oder lang wird sich ja Gelegenheit finden, mich auch vor der Nachwelt zu entlasten. Denn im Ernste: mein Gewissen ist die Zukunft, und ich möchte nichts Gedrucktes von mir stehen lassen, wofür ich nicht die Hand ins Feuer legen kann.

Darum eben, lieber Holz, hoffe ich, werden Sie mir anderseits auch nicht verübeln, wenn wir im Gespräche mal zusammenplatzen sollten; ex principio, als »konsequente« Pedanten (leider, leider) und Hitzköpfe (Gott sei Dank.) Denn wie gesagt: der Künstler in Ihnen scheint mir nun einmal dem Dichter (Sie wissen: ποίητις u. τέχνη) mitunter ein Bein zu stellen. Vielleicht auch liegt es nur an dem, daß ich selbst nicht logisch genug veranlagt bin, oder meine Logik ist zu mythisch; aber − na, Punktum, Schwamm drüber.

Also bitte, nach dieser Liebeserklärung, deutsch schwerfällig comme il faut, bitte besuchen Sie mich bald! Ich würde ebenso gern zu Ihnen kommen; aber Sie sind freier, der Zeit nach wenigstens, und außerdem scheint meine Frau Sie in ihr Herz geschlossen zu haben. Nicht erst seit neulich; sie hat schon immer behauptet, ich sei »zu kritisch« gegen Sie. Das ist nämlich einer ihrer schwersten Vorwürfe, und sie hat wohl recht; nicht bloß gegen Sie, sondern überhaupt. Ich fühl's jetzt doppelt, nach diesen acht Tagen mit Liliencron − Herrgott, Er und das Bibelwort: »So ihr nicht werdet wie die Kindlein« usw. Und wissen Sie, noch ein Wort, das mich die ganze Zeit nicht losgelassen hat mit ihm zusammen; es ist vom − ollen Schiller (der mitunter nämlich *auch* ins tumpe Menschenherz zu kucken wußte) und paßt wie gemünzt auf Liliencron:

> *»Wer durchs Leben wandert ohne Wunsch,*
> (Das ist freilich recht platt, dann aber kommt's:)
> *sich jeden Zweck versagen kann, der wohnt*
> *im leichten Feuer mit dem Salamander*
> *und hält sich rein im reinen Element.«*

Solche psychologischen Offenbarungen gibt's nicht viele! — Nu aber Schluß, denn Ihre neue Folge »Kunst« lauert neben mir. Vorerst von Herzen Dank! Und daß ich's nicht vergesse: noch »tausend herzliche Grüße an den prächtigen vornehmen Arno Holz« hat mir unser »Tichter« auf dem Bahnsteig mitgegeben.

Ihr Richard Dehmel.

Mein Buch bitte ich wie gesagt, was die τέχνη betrifft, sehr mit Auswahl zu lesen. Auch die alberne Sperrschrift im Text (es war eine Augenblicksmarotte) wird Sie hoffentlich nicht irritieren.

Richard Dehmel an Arno Holz [17]

Pankow, 24. 8. 95.

Anbei 4 Bände Stefan George und IIter Jahrgang »Blätter für die Kunst«. Du mußt mir aber alle wiederschicken, da sie sämtlich der Tiergartendame gehören. Also sieh Dich vor, daß Euer Djunny keine Flecke in die heiligen Schriften macht! —

Bei diesem George scheint mir übrigens die mystagogische Gebärde *mehr* als bloßes Getue zu sein. Einiges ist wirklich »voll der Gnaden«. Aber da auch manches drunter ist, wovon einem schlimm werden kann, so rat' ich Dir, zuerst die folgenden zu lesen, die mir unterwegs bei flüchtiger Durchblätterung als »Perlen« aufgefallen sind:

Bl. f. d. Kunst, Seite 66—74, 100—103, 130—135. Interessant ist auch die Übertragung nach Verlaine auf S. 158, im Vergleich zu der von mir (»Da kam ein stiller Reiter — geritten durch den Hain« etc.), obgleich ich glaube, daß meine packender ist —

Ferner: Hymnen, Seite 10 und 22. — Pilgerfahrten, S. 9, 19, 30, 34, 36, 41 und 44. — Algabal, Seite 8, 13, 16/17, 21, 22 und 38. — Die Übertragungen nach Baudelaire sind, soweit ich las, sehr tüchtig; ich bewundre schon, daß einer solche Quantitäten Baudelaire verdauen kann, ohne an Brechreiz zu sterben. Diese hysterischen Kammerpoeten müssen Nerven haben wie die Nilpferde. Gott straf mich, aber *die* Art Künstler wünsch' ich von Herzen und mit Hochachtung zum Teufel!

Dein Riehtze,
Lebenskandidat.

Hans Thoma

Richard Dehmel an Hans Thoma [18]

Berlin, 29. 1. 93.

Geehrter Herr,
innig verehrter Künstler,
von meinem Freunde Bierbaum weiß ich, daß Sie Briefe von jungen Dichtern liebevoll aufnehmen. Vielleicht darf ich hoffen, Ihnen aus dem Modernen Almanach schon bekannt zu sein, und so wage ich eine Bitte.

Der Verleger des Almanachs hat mir angeboten, mein nächstes (zweites) Buch herauszugeben. Nun habe ich in Ihren lieben »Federspielen« unter all den andern Herrlichkeiten eine Zeichnung gefunden, die mich nimmer losläßt und die ich meinem Buche gern als hieroglyphische Stirnbinde mitgeben möcht. Ich meine die tiefe lebenssymbolische Phantasie auf Seite 37, unter die Herr Thode »Umsonst« geschrieben hat.

Mein Buch führt den Titel »Aber die Liebe« und wird Gedichte und novellistische Seelenstudien enthalten. Auf den Deckel und das Titelblatt möchte ich Ihre Zeichnung setzen und darunter folgende Verse, wegen deren mir Herr Thode nicht zürnen möge.

> In allen Tiefen
> mußt du dich prüfen,
> zu Deinen Zielen
> dich klarzufühlen;
> aber die Liebe
> ist das Trübe.
>
> Jedweder Nachen,
> drin Sehnsucht singt,
> ist auch der Rachen,
> der sie verschlingt;
> aber ob rings von Zähnen umgiert,
> das Leben sitzt und jubiliert.

Darf ich glauben, in der zweiten Strophe zugleich mit meiner auch Ihre Grundidee gesagt zu haben?

Wenn Sie, hochverehrter Herr, geneigt sind, meine Bitte zu erfüllen, so haben Sie wohl die Güte, mir zu schreiben, ob Sie selber im Besitz des Klischees der Zeichnung sind oder ob ich mich deswegen an Ihren Herrn Verleger wenden muß; im letzteren Falle würde ich Sie herzlich bitten, da ich mit »Glücksgütern« nicht eben gesegnet bin, bei dem Herrn ein gutes Wort für mich einzulegen. Oder darf ich mir, direkt nach dem in den »Federspielen« enthaltenen Holzschnitt, von meinem Verleger auf photogalvanischem Wege ein Klischee herstellen lassen?

Ich weiß, sehr lieber Meister, wie anspruchsvoll meine Bitte ist, und würde nicht erstaunt sein noch mich gekränkt fühlen, wenn Sie es ablehnen sollten, Ihren Mannesnamen neben meinem jungen in die Welt zu schicken. Möge dann meine große Freude an Ihrer Kunst den kecken Wunsch entschuldigen!

In Verehrung und Ergebenheit

Richard Dehmel.

Hans Thoma an Richard Dehmel [19]

Frankfurt a. M., 17. Febr. 1893

Sehr geehrter Herr!

Wenn ich so freundliche liebe Zusendungen erhalte wie die Ihrigen, so kommt es mir vor, als wäre ich einer jüngeren Zeit in die Arme geflogen, nachdem mich die, welcher meine Jugend angehörte, von sich geworfen hat. — Wie schön ist dies — da kann ich mich mit meinen dreiundfünfzig Jahren nochmals jung fühlen.

Zu der damaligen Zeit herrschte so eine gar verständige Kunst — man wußte alles so genau, daß man jeden, der in Jugendtorheit suchte — selbst nicht wußte, was er eigentlich suchte — aber zum Schluß sein eignes Selbst suchte, verwundert ansah und anfuhr: Ja: was willst *du* denn! Man wurde grob, wenn er weiter suchte: »Glaubst du am Ende nicht daran, daß wir schon alles erreicht haben — zweifelst du an unsern Tugenden? Die Kunst soll uns das Leben verschönern, das Schöne bieten wir der Welt — was suchst du denn noch darüber hinaus — suchst du wohl gar nach dem Häßlichen? Pfui, schäme dich!«

Ich war jung und unschuldig, und ich schämte mich auch — da man einen Trost braucht, so dachte ich, daß es mein Beruf sei zu suchen. — Zwei Schalen bot mir meine Zeit: »Zwischen diesen sollst du wählen, es sind ewige Gegensätze, sie heißen schön und häßlich.« Aber leer fand ich ihre Schönheit u. leer ihre Häßlichkeit, nur Schalen. »Schön oder häßlich! höchstens noch beides mit Geschmack gemischt — gibt es noch etwas anderes für die Kunst?« So wurde ich in die Enge getrieben, ja eigentlich hinausgeworfen. Da stand ich auf einmal, ich Sucher wurde so recht darauf hingeworfen auf das, was ich suchte, da stand ich jenseits von Schön und Häßlich mitten im Leben voll Ahnung, daß dies der Leitstern der Kunst von jeher gewesen und immer sein wird. — Da wurde ich stark wie — ein Kind! — Was ist stärker als ein Kind, das wächst und wird, wie es werden muß? Welcher Gewaltige will es daran hindern? —

Ihr Gedicht hat mir einen tiefen Eindruck gemacht — ich weiß ja wenig über dasselbe zu sagen — aber das hat es bewirkt, daß ich mich voll Vertrauen Ihnen näher fühle, daß ich Ihnen nun vieles zu sagen weiß und Ihnen gerne sage. Was will man mehr von einem Kunstwerk, als daß es die Seelen erschließt. — Nun freue ich mich erst recht, daß meine Hieroglyphe Ihre Gedichte begleiten darf. —

24. Februar. —

Der Brief blieb liegen — durch allerlei Zufälligkeiten gehindert, sende ich Ihnen denselben jetzt erst ab — entschuldigen Sie, daß mein Dank für Ihre Sendung sich so lange verzögerte; er ist deshalb nicht minder herzlich und warm. — Vor ein paar Tagen las ich auch das Gedicht meiner Frau vor — ohne Vorbereitung und ohne ihr zu sagen, von wem es sei pp. — sie war so ergriffen und erregt davon, daß auch ich die Wucht desselben freudig nochmals erlebte. Es lebe die Kunst, welche die Herzen erschüttert und weich macht! —

Weiches Herz und harter Kopf, aus diesen entsteht der Schaffende. —

Mit herzlichem Gruß Ihr ergebener
Hans Thoma.

Hugo von Hofmannsthal

Hugo von Hofmannsthal an Richard Dehmel [20]

Wien, 6. November. [1893?]

Lieber Richard Dehmel!

Wie schön ist das von Ihnen, wie wunderschön und wie lieb, daß Sie meinen Namen in den dunkelglühenden Garten Ihrer Träume auf eine weiße Steinplatte geschrieben haben, neben diese andern, jungen, lebendigen, funkelnden!

Daß Sie ein Künstler sind, weiß ich schon lang, ein paar Jahre lang, aus einem wunderbaren Gedicht in freien Rhythmen, das einmal in der verschwundenen Wiener »Modernen Rundschau« gestanden ist. Wir sind hier, in diesem capuanischen Wien, ein paar moderne Menschen, vielleicht Künstler, isoliert hochmütig und empfänglich, kümmern uns um Kunst und freuen uns an jedem feuchtwarmen Vers des Liliencron, an dem Frühling des Schlaf und der Sehnsucht des einen Hart. Wenn Sie von denen einen sehen, grüßen Sie ihn von mir; wenn er auch von mir nichts weiß, wird's ihn doch vielleicht freuen, weil's von weit her kommt.

Was den Herrn Geheimrat betrifft: das ist ein erlauchtes und wundervolles Gespenst, und wenn das einmal zu einem kommt und mit einem durch die Nacht fliegen will, so soll man sich nicht wehren und sperren, sonst versäumt man viel: es fliegt mit einem durchs Fenster, da schwebt man mit nackten Füßen und streift über den Wipfel der schwarzen rauschenden Bäume hin und spürt viel vom Saft und Sinn der Dinge, und ist ein großer seltener Rausch. Seinem goldenen Wagen aber nachzulaufen, fällt mir für gewöhnlich nicht ein: sehen Sie dieses »Gestern« an; das hat in seinem dürren nervösen Ton gar nichts vom Epigonenrhythmus.

Fahren Sie fort, mehr von mir zu halten, wie ich selbst, so lieb und gütig an mich zu denken und, wenn's einmal sich gibt, durch ähnlichen Ausdruck von Wohlwollen wieder herzlich zu erfreuen

Ihren Loris.

Richard Dehmel an Hugo von Hofmannsthal [21]*

Blankenese, 27. 3. 1907

Lieber Hofmannsthal!

Ich denke, es ist die beste Antwort, wenn ich Ihnen gleich ein Manuskript schicke. Sie werden sich wundern, wie gut es zu dem Titel Ihrer Zeitschrift paßt; wenigstens der Schluß. Der zweite der 5 Träume hat zwar größtenteils schon in meiner ersten Ausgabe »Aber die Liebe« gestanden; aber da ziemlich viel dran geändert ist, wird Sie das wohl nicht weiter genieren. Natürlich müssen alle 5 Träume auf einmal abgedruckt werden, also nicht etwa in Fortsetzungen; und ich muß die Bedingung stellen, daß es im *ersten* Heft der Zeitschrift geschieht. Wenn Sie darauf nicht eingehen können, erbitte ich das Manuskript zurück. Mein Honorarsatz ist 50 Pfennige für jede Zeile, jedoch im ganzen nicht unter 300 Mark; und *Korrektursendung* ist unerläßlich. Von unbekannten Dichtern empfehle ich Ihnen Herrn Dr. med. Carossa (Passau/Bayern) angelegentlichst. Eine junge dichtende Elisabeth Janssen werde ich selber ersuchen, Ihnen einmal einen kleinen Zyklus Verse zu schicken. Momberts Adresse ist: Heidelberg, Sophienstr. 15; neuerdings hat er seine Menschenscheu etwas abgelegt, will aber immer noch nicht viel von Zeitschriften wissen. Über George hätten Sie mir kein Wort zu sagen brauchen; ich empfinde ihn nicht als Rivalen. Ich habe nie danach gestrebt, einen »Kreis« um mich zu bilden, eher ist es mein Bestreben, wenn sich ein Kreis um mich bilden will, ihn immer möglichst bald loszuwerden. Stefan Georges Gegenkreisler ist meines Erachtens Arno Holz. Das ist ja alles aber sehr nebensächlich; wir leben nicht mehr im Gildenzeitalter. Grüßen Sie Keßler herzlich wieder, den connaisseur de vie par excellence! Und bitte, bestellen Sie auch Ihrer Frau Gemahlin einen so lebensvollen Gruß, wie sie ihn mag.

Gern Ihr Dehmel.

Hugo von Hofmannsthal an Richard Dehmel [22]

Rodaun, 23. Dezember 1907

Mein lieber Dehmel, ich danke Ihnen herzlich. Sie haben mir eine so große Freude gemacht! Wie ganz abseits von allem literarischen Getue, wie besonders und wie *überraschend* ist es doch, wenn einem ein Mensch sagt: das hat mir *wirklich* gefallen. Ich bin immer vor allem so sehr überrascht. Die besonderste Freude hatte ich daran, daß Sie mir dann, um mich für den Aufsatz zu belohnen, ein Gedicht in Ihrer Handschrift schenkten. Sie

156

müßten es fast erraten haben, daß es mir so schwer war, mich um des lang-weiligen »Morgen« willen von dem so schönen Manuskript der »Träume« zu trennen. Ich liebe die Einheit Ihrer Handschrift mit dem, was ich als Ihren Stil empfinde, sehr.

Ich fand fast alles an den Träumen prachtvoll, damals und jetzt wieder. Überhaupt ist mir die Entwicklung Ihres Prosastils ein Schauspiel wie ein schöner, starker Flußlauf oder das Anwachsen einer Gewitterwolke.

Die kleine Sache, die Erklärung über Harden, fand ich einfach vorzüg-lich (rein stilistisch). Die meinige, stehend, eilig, im Hotel, nur mit den Hän-den, nicht mit dem Kopf geschrieben, kam auch, abgesehen von Druckfeh-lern, daneben freilich nicht in Betracht, aber auch *keine* der anderen.

Ich danke Ihnen *sehr*. Auf Wiedersehen.

Ihr Hofmannsthal.

Bitte, geben Sie *mir* für den »Morgen« wieder was, Prosa oder Verse.

Richard Dehmel an Hugo von Hofmannsthal [23]

Blankenese, Weihnachten 1907

Lieber Hofmannsthal!

Lassen Sie mich ganz offen sprechen: nach Ihrem letzten Brief glaube ich, Sie werden es nicht falsch auffassen. Ich habe zur Zeit nichts für den »Mor-gen«, aber auch wenn ich etwas hätte, würde ich's Ihnen jetzt nicht geben. Diese Zeitschrift ist *sehr* übel; ich bedaure, daß ich ihr (meinem ersten Ge-fühl zuwider) das Manuskript meiner 5 Träume so lange im voraus über-lassen habe. Von Woche zu Woche wird sie unausstehlicher. Schon die paar Sätze über Harden habe ich eigentlich nur noch Ihnen zu Ehren an die Re-daktion geschrieben. Gleich darauf zieht sie ein paar Verse von mir an den Haaren herbei, um Bierbaums widerlichen »Prinz Kuckuck«, diese in jedem Betracht unanständige Schauerscharteke, mit meinem Namen zu decken. Da mag ich nicht mehr mittun. Wer solche drei Bände zusammenschmieren kann, müßte bei einer Zeitschrift, an der wir mitarbeiten, überhaupt aus-geschlossen sein. Und allerlei Dilettanten dito; fast in jeder Nummer be-weist die Redaktion, wieviel Instinkt für Distanz ihr fehlt. Ich meine das gar nicht literatürlich; Dilettantismus kann ganz charmant sein: ich meine den Takt der guten Gesellschaft. Vielleicht können Sie durch ein »Quos ego« die Redaktion zur Raison bringen, bevor es zu spät ist. Bei dieser Sorte Sensation rutscht sie zwischen zwei Stühlen durch; die ist weder für die Crapüle noch für die Crême. Es wäre schade um das schöne Geld! —

Also in der Hoffnung, daß vielleicht doch wieder einmal eine Morgenstunde mit Gold im Munde schlägt,

Ihr Dehmel.

Wann sehen wir uns einmal wieder? Mitte März komme ich durch Weimar.

Hugo von Hofmannsthal an Richard Dehmel [24]

Rodaun, d. 7. 1. 08.

Mein lieber Dehmel,
verzeihen Sie mir, ausnahmsweise, die Maschine. Ich komme zeitweise nicht anders auf gegen diese Last: jetzt ist wieder ein Rückstand von 30 Briefen.

Ihnen aber möchte ich danken. Es war sehr gut und lieb von Ihnen, mir in dieser Weise zu schreiben. Ihr Brief faßte nur zusammen, was ich mir mit wachsendem Widerwillen von Nummer zu Nummer selbst gesagt hatte, aber ich stand immer zu Unrecht auf dem Deckel. Niemals war ich dafür gewonnen, niemals wurde ich dafür gezahlt, neben diesen anderen Herrn, die das mit sich selbst abmachen mögen, als »Herausgeber« zu figurieren. Ich war dafür angeworben, ein begrenztes Ressort in aller Freiheit zu leiten und genau dieses Ressort mit meiner Verantwortung zu decken. Ich hatte das angenommen, erstens um der bescheidenen Bezahlung willen, die mir bei ziemlichen materiellen Schwierigkeiten erwünscht war, und dann um Leuten wie Rilke, Schroeder, Carossa (den ich Ihnen verdanke) zu einem Platz für ihre Sachen und anständigem Honorar zu verhelfen. Ich glaube nicht, daß Sie mir eines dieser beiden Motive übel nehmen werden. Als mir die Sache zu bunt wurde, fuhr ich nach Berlin und verlangte die Entfernung meines Namens auf dem Umschlag und innen auf dem Kopftitel die Absonderung meines Namens von den Herausgebern durch die Worte: »unter Mitwirkung von...« Dies ist nichts als die präzise Ausführung dessen, was ich mir im Kontrakt ausbedungen hatte. Der Zwischenzustand hatte zu Unrecht, illoyaler Weise, bestanden. Ganz auszuscheiden, fehlte mir die Handhabe, da man mir schließlich in meinem Ressort alle Freiheit läßt, die der Kontrakt mir sichert. Auch meinte Keßler, nach einem langen, darauf bezüglichen Gespräch, es sei schließlich unklug, ein Instrument fortzuwerfen, bevor man sicher sei, daß es wirklich für immer unbrauchbar wäre. Ähnliches meinen Sie ja selbst am Schluß Ihres Briefes. Der Redakteur, ein hilfloser Mensch mit schwächlichen Nerven, scheidet etwa aus und ist durch einen besseren zu ersetzen. Das Geld ist da, auf drei Jahre, durch Thyssen. Es ist immerhin ein Instrument. Soll ich da zunächst

158

Alfred Mombert

Alfred Mombert an Richard Dehmel [25]

Verehrter Dichter!

Kaum wage ich es, nach dem wunderreichen Buche »Aber die Liebe«, das uns nach langer Zeit wieder einmal eine ebenso schöpferisch freidenkende Kunst als schöpferisch freifühlende Natur geoffenbart, Ihnen eine wenig kritische Sammlung Jugenddichtungen vorzuführen. Doch irre ich nicht, so regt sich darin etwas vom »Willen, der da schafft« — wenn auch noch nicht darüber ruht die Sonne vollbewußter Kunst.

In warmer Freude und Liebe

Karlsruhe, September 1894   A. Mombert.

Richard Dehmel an Alfred Mombert [26]

Berlin 3. 10. 94.

Lieber Dichter!

Und »wagen« Sie's nur noch recht oft, mir solche Bücher zu schicken! —

Ich will Ihnen schon seit zwei Sonntagen, an denen mich Ihr Buch ins Freie begleitet hat, was mir mit Büchern sonst nicht zu passieren pflegt, meine helle Freude schreiben, bin aber so mit Brotarbeit bepackt, daß ich mir die Zeit und Stimmung zu Briefen geradezu abringen muß.

Und nun, Sie Wunderknabe, erlassen Sie es mir, Ihnen diese meine Freude in säuberliche Floskeln zu zerlegen; sie ist mir zu schade dazu. Sondern lassen Sie nun *mich* »es wagen«, Ihnen meine Liebe etwas rauh zu beweisen.

Sie sind ein Künstler, dem Gottseidank nicht zu raten noch zu helfen ist; sonst würde ich Ihnen das übliche Süßholz für junge Talente verabreichen. Aber, Sie Seltener: über dem Künstler, der geboren sein muß, steht der Mensch, der um der Gattung willen selbst sich züchtet und dem andre in der Selbstzucht helfen können. Und dies bewußte Menschentum macht erst den *dichtenden* Künstler aus. Nur der Dichter hat in der Sprache das Darstellungsmittel, das diesen höchsten Seelenwert des Individuums künstlerisch in vollem Maße erschöpfen kann; darum muß er es in vollem Maße wollen. Sonst bleibt er ein schwacher Dichter, auch wenn er ein starker Künstler ist; vergl. Heine.

So bitte ich Sie um Ihres edelsten Berufes willen, der auch der meine ist: geben Sie sich nicht zu sehr den Stimmungen der süßen Müdigkeit hin, sie legen sich wie Mehltau auf die Knospen der Jugend, und dann wird die Mannesblüte fruchtlos. Steigen Sie recht oft in Ihren königlichen Bergforst, schwenken Sie den Tröst-Dich-Gott-Hut noch zerrissener unterm Himmelsbett auf grüner Au, oder auch: tragen Sie Ihr Grubenlämpchen immer tiefer in den Schacht der Nächte,

> an die man sich rasend klammert,
> sooft der Leichenkarren
> durch die Gassen rumpelt.

Aber freilich: König ist der Bergforst! —

Ja, Sie Lieber: es war wohlgetan, daß Sie den schönen blassen Jüngling im Buchenwalde von sich gehen ließen; das war wohl nicht der »Wille, der da schafft«.

Sie haben ein so wunderbares Wort geschrieben, das eine tiefste Wunde des modernen Menschen — oder soll ich lieber sagen: des modernen Jünglings — mit zartem Finger entblößt, und diese Wunde blutet durch Ihr ganzes Buch: Du liebst die Liebe, du armer Mann! Aber wir wollen uns abgewöhnen, Blut aus Wunden zu drücken, die schon im Vernarben sind und uns um eine neue Widerstandskraft bereichert haben. Wir wollen uns als Männer gestehen, daß es eine unermeßliche Vertiefung und Befestigung des schöpferischen Selbstbewußtseins bedeutet, im Individuum die Gattung, im Menschen die Menschheit, in der Geliebten die Liebe zu lieben, die mit dem Tode des genossenen Einzelwesens für uns nicht sterben kann. Und darum soll ein Dichter wie Sie auch seine liebe Mutter fernerhin nicht mehr zu einer »süßen« Mutter erniedrigen; ihr Kuß sei ihm süß, nicht sie selbst. Auch eine Dirne kann ihm süß sein; er verachtet sie zwar nicht, aber — er genießt sie nur.

Ihr Richard Dehmel.

Wollen Sie mir die Freude machen, mir Ihr Bild zu schicken? Aber bitte: kein zu abgelagertes!

Alfred Mombert an Richard Dehmel [27]

Karlsruhe, 15. 10. 94.

Verehrtester Dichter!

Ich schreibe Ihnen heute erst. Denn gestern und vorgestern hatte ich einen unaufschiebbaren Besuch zu machen. In einer Villa. Schönen einsamen Villa. Ringsum wunderbare Herbsthügellandschaft. Die Villa seltsam ab-

161

sichtlich-einsam. Wenn man hineintritt — was mit Schwierigkeiten verbunden ist — totenstill. Nur plötzlich einmal ein Schrei ... Über der Front könnte man lesen: »Lasciate ogni speranza voi ch'entrate« ... aber auch:

>>Kehr' ein, hier findest du Frieden
und weiche Pantoffel und süße Musik« ...

Weg damit!! Ich *will* !! — —

Wie mich Ihre beiden lieben Karten vor einiger Zeit erfreut haben. Und — ich muß es beschämt gestehen — ich war zu stolz-dumm, Ihnen, Herrlicher, zu danken! Ich erinnerte mich einer Stelle in »Aber die Liebe« (S. 137 Abs. 2 »Wie er immerfort«). Aber dann kam Ihr Brief — Ich kenne Sie schon seit langem. Jede Falte Ihres wundervollen Herzens. Treten Sie ja doch so nahe an uns Menschen heran wie noch nie ein Dichter. Man hört Ihr Blut auf und ab strömen.

Ja, es ist wahr:

>>Sie lagen jubelnd an den Silberbächen
und ließen sich mit seinen Blumen schmücken.«

Ja, ich kenne in meinem *kleinen* Kreise viele, denen *Sie* erst die wunderbare Schönheit der Welt eröffnet haben, viele, die ohne Sie dahingekrochen wären als arme Zugtiere durch den grauen Alltag. Und wer von uns jungen Dichtern hätte nicht bei Ihnen seine beste Schule durchgemacht? Was soll ich von mir sagen — Sie haben zwei Worte geschrieben, die ich nie vergessen werde. Zuerst das:

>>Über mich aber komme die Kraft
Gottes,
den ich suche,
seit ich denken kann« — und dann zuletzt:

>>Werden wir immer milder« ...

Was soll ich sagen — *Nehmen Sie meinen heißesten Dank für Ihr wundervolles Herz.*

Ihr AM

Sie sind doch nicht böse, daß ich die Karte von Richard Dehmel bei mir behalte? Solche Dokumente ersetzen mir die mangelnden »Menschen«.

AM

— »Ich« bin ein junger Kerl von 22, der Jus studiert. —

19. 4. 98.

Lieber, Glücklicher!

— Und das Herrlichste an dem Buche ist, daß nun die Jugend so frei und heiter ins Mannesalter hinüberschreitet. Welche Siegsicherheit! Erstaunlich: daß Du fast alles das, was späterhin durch Sinne und Erfahrung im Einzelfall als recht und gut erlebt wurde, in Deiner Jugendbegeisterung a priori vorweggeahnt und ausgesprochen hast! Die heutige Fassung des Buches tut dies wundervoll dar, so daß nun Deine dichterische Persönlichkeit voll geschlossen dasteht. Nun ist die breiteste, lückenlose Grundlage zur Fortentwicklung errungen: das »Allgefühl«. Und die Worte:

> »Drum will der Menschenseele Sinn
> mit allen Sinnen zur *Menschheit* hin« —

hat sich nun in der »Lebensmesse« dahin erkannt:

> »Drum will der Menschenseele Sinn
> mit allen Sinnen zum *Weltall* hin.«

> »Und da steht auch mein Stein,
> auf dem ich manchmal sitze,
> wenn mein Herz so stürmt« . . .

So möcht' ich Dich abgebildet sehen, ein Sinnbild Deiner selbst und der Menschheit. Welch ein Gedicht, »mein Wald«! Ich bin ganz erschrocken, wie ich's plötzlich aufgeschlagen hatte: als fiel' ich in einen Abgrund. Man kann es nicht glauben, daß es durch Hirn, Nerven, Hand eines Menschen aufs Papier gekrochen ist. Das war von immer so und wird immer so bleiben. Als ich es zuerst las, und auch jetzt hab' ich die Empfindung, als ob jedes weitere Dichten und Denken überflüssig wäre, nachdem nun in diesem Gedicht alles gesagt ist. »In meinem lieben Wald, wo nicht ein Baum mein eigen ist« —: ist der Wald nicht die Welt und das Leben, wo nichts uns eigen ist, und die uns doch so »lieb« sind? Und die Menschen gehen durch, und es friert sie drinnen. Und der Stein! der Stein auf dem wir alle sitzen! Mit dem dünnsten Erdeschleier ist hier das Ewige scheu verhüllt. Ob der *Dünne dieses Schleiers* bin ich erschrocken.

»Was ist der Mensch?« —: das ist die Überschrift dieses »Gedichtes«: Dem ganzen Buche möchte ich das Motto geben:

> »Wie schön, o Mensch, mit deinem Palmenzweige,
> stehst du an des Jahrhunderts Neige.«

— Ich denke oft darüber nach, was aus meiner Jugend geworden wäre oder werden würde, wenn ich nicht *Dich* vor mir hätte. Das sind Stunden, in denen die Menschheit *alles das* Dir gewährt, wonach Dein Herz sich sehnt.

Dein Alfred M.
(Dichter, Denker, Deuter)

Liebe Frau Paula Dehmel!
Ich grüße Sie von Herzen. *Ganz von Herzen.*

Ihr Alfred Mombert

N. B. Lieber Richard, Richte bitte einen schönen Gruß an das Zettelepeuche aus. Sie hat Dein Buch mit so schönen Bändern geschmückt. 's ist ein gar lieb Zettelepeuche.

Wolltest Du mir die Adresse von Conrad Ansorge schicken? Wundervolle Musik! Und welch' ein Künstler! (Wie alt ist er?)

Richard Dehmel an Alfred Mombert [29]

Pankow, Sonntag, 24. 4. 98.

Lieber, lieber, lieber Alfred!
Seit drei Tagen geh ich nun mit tausend Liebesworten an Dich schwanger, und konnte nichts aus mir herausbringen, als daß ich einem mir ganz fremden Menschen — dem Komponisten Richard Strauss, der eines meiner unbeholfenen Grünjungenstücklein »vertont« hat — schrieb:

> Was sind Worte, was sind Töne!
> All das Jubeln, all das Klagen,
> All dies meereswogenschöne,
> unstillbare, laute Fragen —
> rauscht es nicht im Grunde leise,
> Seele, immer nur die Weise:
> *Still, o still! wer kann es sagen!?*

Lieber Alfred! Du unendlich Guter, Keuscher, Reiner! Du Einziger, der manchmal überirdisch rein ist! wie beschämst Du mich! — Nein: »*eines* Menschen Nerven, Hirn und Hand« haben das Gedicht, für das Du mich, Du Glühender, umarmst, auch wirklich nicht zu Papier gebracht. Ich habe nur die *letzte* Hand daran gelegt. Entsprungen ist es aus *Deiner* Seele. »Durch welke Blätter muß ich gehn — in meinen Wald« — »Und da steht auch mein Stein« —: das sind Worte, die eines herbstlichen Abends unsrer lieben Frau Paula in den Mund kamen, nachdem wir vorher durch *Deinen* Wald gegangen waren. — Und dann habe ich Ährenleser noch ein paar Halme dazugepflückt.

Weißt Du, was *mein* Eigenstes in diesen neuen »Erlösungen« ist? — Seite 311 —: »und sahst *nur immer weg von mir*« — — es stammt von jenem Abend auf der Parkterrasse bei Dresden, als wir zusammen in den Weltraum starrten, samt unsrer lieben Frau Isi.

Dein Bruder Richard.

Alfred Mombert an Richard Dehmel [30]

Heidelberg, 27. 1. 1907

Lieber Richard!

Höchst und tiefst beteiligt und in Wonne spanne ich auf den immer höher steigenden Neu-Bau Deines Werkes.

Heil dem Geiste, der sieghaft, freigeworden von Schriftsteller-Zufälligkeiten, endlich ausgereifte Seelen zusammenschließt und sie seinem Ziele entgegenführt! Du fühlst es vielleicht: Ich bin ganz »Ja-Sager« Dir gegenüber geworden. Und bin dazu gelangt, vollkommen in Dir zu ruhen. Oft mehr als in mir selber. Kannst Du es empfinden, daß ich Deinen Dichtergeist häufig gänzlich als den meinen empfinde, mein eigen »Ich« aber weltfern und fremd!

Das ist etwas ganz Geheimnisvolles. Und das Seltsame ist: daß es mich sehr beglückt. Ich denke der Stunde: ein Winterabend 1893 unter den Linden in Berlin vor einer Buchhandlung: da lag »Aber die Liebe«; damals fing das an. — Du spürst wohl auch manchmal die Seelenwanderung: es ist was Herrliches. — Wenn ich aus diesem höchsten Gefühl, das mich Dir zugesellt, herausgetreten bin, rührt mich am meisten die Treue, die Du Deinem Werke hältst, von der Stunde der Zeugung bis zum letzten Atemzug. Du, der »erhabene Untertan« Deines Werkes.

Sicher ist mir, daß ganze weite Seelenkomplexe in Deinen Werken auf lange Zeiten einfach festgelegt und erledigt sind. Darüber sich klar zu werden, ist eigentlich für Deine Dichter-Zeitgenossen erster Selbst-Elementarunterricht.

Dein Alfred.

NB. Zu unsrem Gespräch auf der Landstraße vor Cuxhaven:
»Venus consolatrix« ist abgedruckt und eingehend besprochen in einer Broschüre von *Furcht* (Bruns 1899). Sie erschien wohl allerdings vor dem landgerichtl. Urteil und wird daher für die Frage des Wiederabdrucks

ohne Bedeutung sein. Ich wäre *sehr* dafür, das Gedicht abzudrucken und einige bedenkliche Zeilen mit — — — auszufüllen, dazu die bekannte Dehmel-Fußnote! Es schadet gar nichts, wenn die Nachwelt sehen wird, wie es heute aussah! — (Etwa Zeile 12—16 von hinten.)

Alfred Mombert an Richard Dehmel [31]

Heidelberg, 22. Juli 1909

Lieber Richard!

Ich erhielt Deinen lieben Brief. Und jetzt gelangt zu mir die Nachricht vom Tode Liliencrons. — Ich kann es nicht über mich bringen, *Dir* in diesem Augenblick nicht irgend etwas zu sagen.

Was Du in Ihm dem Freunde verlierst, empfinde ich bis in die Tiefe. — Die große Welt der Toten ist so reich, daß sie verzichten könnte. Aber wir — wir Lebenden! —

Nun ist es ihm doch gelungen!

Nun hat er sich den Tod von den Schlachtfeldern geholt! Heil ihm! dem echten Helden und Krieger! Ich will ihm im Geiste alle meine Trommeln wirbeln, alle meine Trompeten ertönen lassen.

Dein A.

Ich glaub', er hört's.

Richard Dehmel an Alfred Mombert [32]

Blankenese, 26. 7. 09.

Lieber Alfred!

Jetzt ist's überstanden. Überwunden noch nicht, das wird lange dauern; der Verlust war zu unerwartet. Ich danke Dir für Deinen Brief. Ich erhielt ihn, als ich grade den Nachruf geschrieben hatte, den ich gestern an Liliencrons Grab sprechen mußte. Ich hatte eben dem Z. meinen Entwurf vorgelesen, und wir saßen beide mit strömenden Tränen, da kam Dein Brief. Ach Alfred, was ist der Mensch! welches Wunder von Schwäche und Kraft! Wie er auf dem Krankenbett lag, den ich immer bloß als Gesundesten kannte! Mit einer Stecknadel hatte er sich einen Zettel an die Tapete geheftet, auf den er mit seiner zitternden Hand den Namen seiner Krankheit geschrieben hatte, und nun las er mit seiner röchelnden Brust mir diese medizinischen Worte vor, Silbe für Silbe gebrochen herausstoßend, mit einer Stimme halb wie ein verwundertes Kind, halb wie ein verletztes Tier, ganz unbegreiflich. Und dann: »wenn ich nur schlafen könnte! seit sechs Tagen

166

nicht geschlafen, Richard!« Und dann — (Alfred, Alfred, was ist der Mensch?!) — seine Augen qualvoll entzückt zur Zimmerdecke erhebend: »ich sehe immer Alexanderzüge da in der Stuckborte — Alexanderzüge, Richard! — und Geschichten von fremden Sternen!« — Und dann noch einmal: »Wenn ich nur *endlich schlafen* könnte!« — Nun schläft er — und wacht erst recht über uns. Was ich an ihm verloren habe, kann ich nur dadurch ein wenig ersetzen, daß ich Dir zu sein versuche, was er mir gewesen ist. Wir wollen ihm »die Birke schenken« — — —

Dein Richard.

Alfred Mombert an Richard Dehmel [33]

Heidelberg, 27. Juli 09, nachts.

Lieber Richard
— Was Du mir schon warst, weißt Du nicht ganz. Und ich kann es nicht sagen. Ein *kosmischer Genius* versiegelt mir in wunderbarer Weise die Lippen — — —
— Ob ich Dir ein wenig von dem sein kann, was Du Ihm gewesen bist? —

Dein A.

Richard Dehmel an Alfred Mombert [34]

Blankenese, 27. 11. 19.

Lieber Alfred, alter Sindbad!
Beinahe hätte Dein »Hauch« mich suchen müssen, wo nur noch Hauch ist. Es waren wundervoll blitzdurchschweifte Phönixnächte, und nur der manchmal aufschwellende Wadenkrampf erinnerte noch an Staub und Asche. So liege ich seit mehr als zwei Wochen im himmlisch glühenden Fieberbett. Mein Kriegsbein hat sich nämlich wieder empört; kein Wunder bei dem Schandfrieden (was ich nicht etwa bloß pathetisch meine, sondern auch von wegen dem Kohlenmangel). Anfangs war nur eine Ader in Feuer geraten; aber da ich zum Geburtstag das Bett verließ, um dem Fleisch zu zeigen, daß der Geist mächtiger ist, machten gleich noch zweie die Entzündung mit, zur Feier meines jugendlichen Leichtsinns. Nun schwebt meine Wade rund und rot wie eine dicke, elektrische Leuchtbake über der aufgetürmten Kissenflut. Seit vorgestern hat sie sich etwas beruhigt, und nur von Zeit zu Zeit versichert sie mir telefunkisch, daß es mit dem Entschweben nicht so weiter geht; also bin ich wohl noch nicht vollendet genug. Aber drei Wochen werden wir noch vor Anker liegen müssen, bis sie sich wieder ganz ans Diesseits gewöhnt hat; und die Heidelberger Schalterdame ist durch Geheimbefehl

bereits angewiesen, Dir während dieser Zeit die Fahrkarte nach Hamburg beharrlich weiter zu verweigern, sintemalen es mir erdenrestlichst peinlich wäre, Dich als barmherzigen Samariter antanzen zu sehen. Überhaupt, nachdem *Du* so lange hast auf *Dich* warten lassen, bist *Du* uns nun einen ganz besonderen Festbesuch schuldig, und zwar am *14. Januar,* als an welchem das Zettelepeu ihren 50. Geburtstag begehen wird. Nachdem sie kurz vorher ihre zwei traurigsten Tage im Jahr (28. Dezember Heinz-Luxens Geburtstag und 6. Jan. seinen Todestag) überstanden hat, wird sie dann doppelt für den Freuden-Engel empfänglich sein, zumal für den Erzengel A-riel; Du weißt ja, daß ihr außer mir nur noch Dein Gesang das Leben verklärt. Schreib nicht ja, daß Du kommen wirst; denn ich möchte es für selbstverständlich halten; aber es soll uns eine Überraschung bleiben.

In Sternenfreundschaft
Dein Ri-el.

Thomas Mann

Richard Dehmel an Thomas Mann [35]

Pankow, 4. 11. 94.

Verehrter Herr!

Ich habe eben Ihre wundervolle Erzählung »Gefallen« in der »Gesellschaft« gelesen und dann nochmals meiner Frau vorgelesen und muß Ihnen mein Entzücken und meine Ergriffenheit schreiben. Es gibt heutzutage so wenig Dichter, die ein Erlebnis in einfacher, seelenvoller Prosa darstellen können, daß Sie mir diese etwas aufdringliche Bekundung meiner Freude und Bewunderung schon erlauben müssen. Falls Sie noch andere Erzählungen von gleicher Reife liegen haben, möchte ich Sie bitten, mir die Manuskripte für die in Gründung begriffene Kunstzeitschrift PAN einzusenden, von der Sie wohl gehört haben und in deren Aufsichtsrat ich sitze. (Honorar: 10—15 Mark für die Druckseite.)

Gruß und Hochachtung!
Richard Dehmel.

P. S. Für die spätere Buchausgabe von »Gefallen« kann ich einige kleine technische Einwendungen nicht unterdrücken. Ich würde an Ihrer Stelle den Absatz Zeile 17 bis 22 (von unten) auf Seite 1457 der »Gesellschaft« *streichen;* er ist für nicht gefühlsblinde Leser völlig überflüssig und wirkt durch seine lehrhaft psychologische Absichtlichkeit höchst störend. Anstatt dessen aber würde ich die »Vase mit frischem Flieder« schon in der einleitenden Szene derart anbringen, daß sie dem Leser in die Augen fällt, und auch sonst noch ein wenig merken lassen, daß draußen wieder mal Frühling ist. Dann müssen Sie das äußerst schleppende und fast nie in Wirklichkeit gesprochene Relativwort »welcher, -che, -ches« (statt »der, die, das«) durchweg herausschaffen und könnten überhaupt den manchmal etwas schleppenden, buchsprachigen Satzbau noch treffender, als Sie es im großen ganzen schon getan, auf den charakteristischen Ton des Erzählers, des Doktors meine ich, abändern. Dann hätten Sie auch nicht nötig, die im Munde dieses Mannes wenig natürliche Bemerkung voraus zu schicken: »ihr wißt ja, daß ich mal Novellenschreiber war«. Endlich scheint mir der Titel zu belanglos. Daß das Mädchen gefallen ist, darauf kommt es doch hier nur sehr mittelbar an; die Hauptsache ist doch, und das gibt Ihrer Erzählung die dichterische Tiefe, daß sich darin ein Naturgesetz ausspricht, ein Emp-

169

findungsgesetz. Im Grunde ist doch auch der Mann gefallen, *durch* das Mädchen, nur in einem anderen Sinne; er hat ein starkes Etwas in sich von ihr brechen lassen. Ich würde die Geschichte betiteln: »Der Zyniker«.

Thomas Mann an Richard Dehmel [36]

München, Rambergstr. 2, d. 9. 11. 94.

Hochverehrter Herr!

Nehmen Sie meinen herzlichsten Dank für Ihren liebenswürdigen Brief und die überaus freundliche Beurteilung, die Sie meiner Novelle »Gefallen« zukommen ließen! Ich kann Ihnen nicht sagen, wie hoch mich das Lob des Autors von »Aber die Liebe«, des Dichters der wunderbaren Verse im Bierbaum'schen Musenalmanach erfreut hat, und Sie können sich denken, wie dankbar ich Ihre Ratschläge in Betreff meiner kleinen Arbeit entgegengenommen habe.

Von der neuen Kunstzeitschrift PAN hatte ich natürlich schon mit großer Freude gelesen und gehört. Der segensreiche Einfluß, den ein solches freies, unabhängiges und materiell sicherstehendes Unternehmen auf die moderne Literatur üben kann, die wir zu oft in Kompromissen an die misera plebs versumpfen sehen, ist gar nicht zu ermessen.

Was Ihr freundliches Anerbieten betrifft, so bedaure ich, momentan nichts Druckfertiges liegen zu haben, werde jedoch nicht verfehlen, sobald etwas Geeignetes vorliegt, es Ihnen zu senden.

Mit vorzüglicher Hochachtung
Thomas Mann.

Thomas Mann an Richard Dehmel [37]

München, d. 15. 5. 95.
Rambergstraße 2

Hochgeehrter Herr Doktor.

Indem ich nun schließlich doch dies Manuskript an Sie abschicke, obgleich ich weiß, daß Sie nicht Zeit haben, jeden schüchternen Anfänger zu belehren und zu ermutigen, — möchte ich wenigstens ausdrücklich bemerken, daß dabei von einem begehrlichen Seitenblick meinerseits auf den PAN durchaus nicht die Rede ist. Ich hoffe nichts, als daß Sie über kurz oder lang einmal Muße finden werden, die Novelle durchzusehen und mir Ihre Meinung darüber mitzuteilen, ob die Arbeit etwas taugt. Das ist auch grade genug der Hoffnung, ist vielleicht schon zuviel verlangt; also wenn ich mich des

Briefes von Ihnen erinnere, der damals für »Gefallen« mich lohnte, so glaube ich fast annehmen zu dürfen, daß Sie sich für meine Fortentwicklung ein wenig interessieren. Auch den »Kleinen Professor«, den nun wohl gelegentlich die »Gesellschaft« bringen wird, haben Sie ja gelesen und mir einen so überaus liebenswürdigen Brief darüber geschrieben! Nehmen Sie nachträglich meinen besten Dank dafür! —

Ich bin mir durchaus nicht darüber im klaren, ob diese neue Novelle gegen »Gefallen« einen Fortschritt bedeutet. Die einen sagen: »einen großen!«, die anderen meinen, daß »Gefallen« hoch darüber steht. Darf ich Sie, Herr Doktor, um die Entscheidung bitten? Glauben Sie, daß »Walter Weiler« meinem Alter von 19 Jahren unangemessener ist als »Gefallen«?

Sollten Sie wirklich Zeit finden, mir eine Antwort zuteil werden zu lassen, so gestatten Sie im voraus meinen herzlichsten Dank.

In hochachtungsvoller Ergebenheit
Thomas Mann.

Thomas Mann an Richard Dehmel [38]

2. 12. 1901
z. Z. Riva a. Gardasee
Villa Christoforo

Verehrter Herr Doktor:

für Ihren Brief meinen verbindlichsten Dank; es ehrt und erfreut mich, daß Sie bei Ihrem schönen, liebenswürdigen Unternehmen meiner gedachten, und es ist selbstverständlich, daß ich die größte Lust habe, Ihrer Aufforderung nachzukommen. Freilich habe ich zur Zeit nichts Derartiges fertig; aber bis September nächsten Jahres ist ja eine lange Zeit, und obgleich mein Kopf voll von allerhand anderen Dingen ist, glaube ich versprechen zu können, daß mir bis dahin etwas Passendes einfallen wird. —

Noch eines! Wenn Sie je dazu kommen sollten, meinen eben bei Fischer erschienenen Roman zu lesen (»Buddenbrooks. Verfall einer Familie«. 2 Bände.), bitte, so teilen Sie mir doch gelegentlich Ihre Eindrücke mit. Ich verlange sehr danach, Ihre Meinung über das Buch zu hören. Sie haben mich ja eigentlich »entdeckt«, — mir wenigstens die ersten Ermunterungen zuteil werden lassen.

Mit nochmaligem Danke für Ihre freundliche Aufforderung begrüße ich Sie, verehrter Herr Doktor, als

Ihr sehr ergebener
Thomas Mann.

Richard Dehmel an Thomas Mann [39]

25. II. 14.

Lieber Verehrter!

Vorgestern las ich im Schützengraben Ihre Gedanken über den Krieg (Neue Rundschau). Ich muß Ihnen sagen, daß mir jedes Wort aus der Seele gesprochen ist. Mag auch die Grenze zwischen kulturellen und bloß zivilisatorischen Werten nicht überall so deutlich bestehen, wie sie sich auf dem Papier ziehen läßt, aber der Maßstab der Wertschätzung mußte einmal mit schärfster Gradierung festgestellt werden, und das haben Sie getan. Diese stille Vorkämpfer-Arbeit ist vielleicht doch ersprießlicher für die Zukunft als aller Kriegslärm der Gegenwart.

Mit einem Friedensgruß
Ihr Dehmel.

Richard Dehmel an Thomas Mann [40]

Blankenese, 22. 12. 18.

Lieber Verehrter!

Nein, Sie dürfen mich nicht als Diplomaten einschätzen. Ich halte jetzt noch mehr als sonst jedes Wort für niederträchtig, das nicht Stimme des eigenen Gewissens ist. Zwar begreife ich, daß Ihnen — wie noch einigen anderen gewissenhaften Deutschen (Emil Strauß z. B. hat deswegen seine Unterschrift verweigert) — das Wort »Gottesurteil« bitter schmeckt. Aber wer überhaupt einen Sinn in der Weltgeschichte sucht, und das tun Sie ja Gottseidank, der hat doch *alles,* was in der Welt geschieht, als Gottesgericht anzuerkennen. Grade wenn Sie unsere Niederlage als egoistische Drückebergerei betrachten, und das ist auch meine Ansicht, dann hat die Hamsterherde eben ihr Schicksal *verdient,* und wer noch ein Fünkchen Schamgefühl unter der Revolutionsmaske trägt, hat sich an die Brust zu schlagen: Gott sei uns Sündern gnädig! Ob wir dadurch den Tugenddünkel der anderen Nationen unterstützen, das ist durchaus nicht unsere Sache; wenn sie sich diesem Teufel trotz unseres Warnrufs (und der ganze Aufruf warnt ja davor) nun erst recht in die Arme werfen, dann wird eben eines Tages das Gottesgericht sie noch härter schlagen als uns. Aber zustimmen muß ich Ihnen, daß der Ausdruck »gerechte Rache« (im Sinn von Schicksalsrache) in diesem Aufruf unangebracht ist; denn der von uns Deutschen aus dem Griechentum übernommene Schicksalsbegriff ist den anderen Nationen leerer Schall. Ich habe daher »Rache« in Genugtuung abgeändert, auch den Appell an das Volksgewissen (im ersten und letzten Absatz) so umgewandelt, daß er internationales Verständnis finden *kann.* Wenn man uns

172

kein Verständnis gewähren *will,* dann mögen die verbiesterten Völker, die
jetzt die Menschheit gepachtet zu haben glauben, die Folgen ihrer Un-
menschlichkeit tragen. »Mahle, Mühle, mahle!«
    In altem Vertrauen auf den guten Geist

Ihr Dehmel.

Wilhelm Schäfer

Wilhelm Schäfer an Richard Dehmel [41]

Elberfeld, 13. 8. 95.
Marienstr. 72

Hochverehrter Herr Dehmel!

Für Ihre freundliche Karte wiederum besten Dank, namentlich auch für Ihre liebenswürdigen Worte über meine »Mannsleut«. Es hat mich damals sehr gefreut, als gerade Sie, von dem ich es eigentlich nicht erwartet hatte, dieses Buch im PAN anerkannten. Nehmen Sie auch dafür heute noch den Ausdruck meiner Freude. Augenblicklich bin ich bei Ihnen schon seit einigen Tagen. Ihre »Lebensblätter« haben's mir angetan. Meine Frau und ich sind ganz vernarrt in sie. »Der Strauß«, »Masken« usw. werden immer wieder deklamiert. Wie wird an Ihnen das Wort von der »Volkskunst« zu Schanden! Wie lange wird diese »Gottesstimme« noch an ihrer eigenen Dummheit zu verdauen haben, bis sie Ihre »Lebensblätter« versteht? 's wär aber auch zu schade, wenn jeder Esel das Recht haben sollte sich daran zu erfreuen. Es lebe die Dummheit!

Sollten Sie zufällig, was ich nicht hoffe, meine »Lieder eines Christen« in die Hände bekommen, so verzeihen Sie mir die Verse. Das Christentum war meine Jugendeselei.

In herzlichster Verehrung
Ihr ergebenster
Wilhelm Schäfer-Dittmar.

(Falls Ihnen eine eingehende und verständige Kritik in der »Düsseldorfer Bürgerzeitung« lieb wäre, beauftragen Sie Ihren Verlag, ein Rez. Ex. an Herrn Gustav Kneist, Gerresheim bei Düsseldorf zu senden. Der Mann ist ein Freund von mir und recht geistvoll. Er wird sehr gern darüber schreiben.)

Richard Dehmel an Wilhelm Schäfer [42]

Pankow, 17. 8. 95.

Sehr geehrter Herr!

Das wundert mich, daß Sie mir keinen Sinn für Dichtungen wie Ihre Bauerngeschichten zutrauen. Sie kennen gewiß nicht meine Erzählung »Die drei Schwestern« (aus »Aber die Liebe«). Auch z. B. ein Gedicht wie »Vierter Klasse« steht doch Ihren »Mannsleut'n« nahe. Ich rufe *mit* Ihnen: es lebe die Dummheit! und sogar ganz *ohne* Ironie. »Volkskunst« ist ein äußerst dehnbarer Begriff. Auf der einen Seite: Kunst, die aus dem Volk hervorgegangen ist, — damit scheint mir's in den mitteleuropäischen Kulturländern so gut wie ganz vorbei zu sein. Auf der andern Seite: Kunst, die ins Volk zu dringen vermag, — und da stehn wir Heutigen sofort vor der verzwickten Frage nach dem »Volk der Zukunft«. Jedes höchste Kunstwerk ist zunächst dem Volk unfaßlich wie jede mächtige und weitausschauende Persönlichkeit; darin aber, wie in jedem Rätsel der Natur, liegt zugleich der Anreiz, in es eindringen zu wollen, zunächst für einzelne Volksangehörige, und so für immer weitere Kreise. *Wie* weit diese Wirkung um sich greifen kann, das hängt meines Erachtens von dem ganzen menschlichen Wesen jedes Künstlers ab, wie ich das genauer in dem Vorwort zu den »Lebensblättern« darzulegen versucht habe; und von diesem höchsten Gesichtspunkt aus *decken* sich natürlich Volk und Menschheit. Darum würde ich für mein Teil nie ein Wort mehr schreiben, wenigstens es nicht veröffentlichen, wenn ich nicht den festen Glauben hätte, *auch* einmal mit meiner Kunst — nicht durch diese oder jene Einzelheit, sondern durch das Ganze meiner Lebensarbeit — ins Volk zu dringen. Ich glaube nicht bloß Leckerbissen für Liebhaber, sondern auch tägliches Brot für einfache Seelen in meiner Küche zu haben. »Wer Vieles bringt, wird manchem Etwas bringen.« Darum laß ich aber auch *nicht bloß* die Dummheit leben, sondern auch die Weisheit und die — Superklugheit, die die größte Dummheit ist.

Ihre »Lieder eines Christen« sind mir unbekannt. Sie sollten aber nicht so despektierlich von den Heiligtümern Ihrer Jugend reden! ich lese heute noch mit tiefster Ergriffenheit Paul Gerhardt; Nietzsche ist an Lebenslust ein Wrack gegen ihn, und gar erst gegen Sebastian Bach! —

Herrn Gustav Kneist lasse ich ein Exemplar der »Lebensblätter« durch die Verlagsanstalt übersenden. Bitte, schreiben Sie ihm, daß es auf Ihre Veranlassung geschieht.

Mit aufrichtigem Gruß und Handschlag
Richard Dehmel.

Richard Dehmel an Wilhelm Schäfer [43]

19. Janr. 1897

Du Scheusal!

Eigentlich wollt ich Dir zu morgen bloß eine Postkarte schreiben: *Sollst leben!* — Aber Du bist ein so ruppiger Lämmergeier, daß ich Dich nicht ungeschoren lassen kann. Bist Du etwa weniger roh, Du Patron, als ich, der

Du meine Liebesmüh so schändlich lohnst! Hättest Du mich nur gesehen, wie ich bei 10 Grad Kälte im Eisenbahnwagen mit krummen Knien und krummerem Rücken mir die Finger blau schrieb Deinem Stil zu Liebe! Zum Donnerwetter, ich behorche die deutsche Sprache doch schon ein paar Jahre länger als Du, und da kannst Du mir schon glauben, daß irgend etwas krumplig bei Dir ist, wenn mein Bleistift ausrutscht. Natürlich kann ich nicht wie Du schreiben, aber ich kann ungefähr fühlen, wo Du selber nicht genug wie Du schreibst, noch nicht ganz genug, und Dir ein bißchen auf die Sprünge helfen. Ein Kerl wie Du hat einfach die verdammte Pflicht und Schuldigkeit, ein *Muster*kerl zu werden. Mit der bloßen Eigentümlichkeit des Ausdrucks ist's nicht getan: er muß auch allgemeingiltig schreiben lernen! und das lernt er nur, wenn er unbarmherzig wie die Natur gegen sich wird. Nicht ein einziges Ding ist nur um seinetwillen da; soweit es nur sich selbst zu Liebe lebt, ist es dem Tode verfallen. So sei's auch in der Kunst! und *ist* es auch. Jede Einzelheit, die nur an sich gefallen will, die nicht so unauffällig wie möglich aufs Ganze zielt, wirkt unwesentlich, und nur das Wesentliche ist unsterblich. Was soll z. B. der letzte Absatz Deiner Vorrede? Der hat mit der Gestalt des Kanzelfriedrichs nicht das mindeste mehr zu schaffen; der ist nichts als eine Selbstbeleuchtung des eitlen Dichters Wilhelm Schäfer. Das ist sehr menschlich, aber wenig künstlerisch. Der Künstler sei göttlich! er verschwinde hinter seiner Welt! —

Und nun, Du gräßlicher Mensch, verzeih mir meine Taperei, daß ich nicht daran dachte, wie meine Bleistiftwinke auf Schuster & Lfflr. wirken könnten. Das ist mir erst nachträglich eingefallen, als Dein wütender Brief kam. Aber deshalb mich gleich »roh« zu schimpfen, war — roh. Wenn Du bedenkst, daß Liliencron mir alle seine Mskrpte, die ich doch sicher nicht für »Schüleraufsätze« halte, mit Wissen von Schuster & Lfflr. zur Durchfeilung zustellt, so wirst Du meine Unbedachtsamkeit wohl einigermaßen begreiflich finden. Dumm war nur, daß ich nicht überlegte, welchen Unterschied die Leute zwischen dem »berühmten« Liliencron und Deiner Wenigkeit machen könnten. Nun, ich habe ihnen gestern *gründlichst* klar gemacht, und zwar brieflich, *schwarz auf weiß,* wie man Künstler Deines Schlages zu behandeln hat. Eigentlich wollte ich Dir's nicht sagen, damit Du nicht etwa denkst, ich hielte mich für Deinen Schutzpatron; aber *so* roh wirst Du wohl nicht sein, Du übergeschnappter Volksschullehrer! Am Ende hast Du mir gar noch übelgenommen, daß ich mir im »Retter v. Breitenbach« die Randbemerkung über den scheußlichen Satzbau erlaubte. Aber dann bist Du wirklich ein vollendeter Esel! Diese Bemerkung war ein Ausruf der *Bewunderung*! Es ist tatsächlich meine Meinung, daß »*nur Du*« und nur an dieser Einen Stelle Dir eine so grandios-groteske Häufung und Verwurschtelung von Nebensätzen leisten durftest, wie der Vordersatz des ganzen Satzgefüges sie aufweist. Mit diesem Vordersatz erzielst

Du eine humoristische Wirkung von so vollkommen erhabener, selbst über die Form erhabener Steigerung, wie sie ähnlich mir noch nie begegnet ist. Wenn Du aber dann im Nachsatz auf diesen großen Purzelbaum noch einen kleinen draufsetzen willst, dann wirkt die ganze Sache als ein prahlerisches Kunststück: seht mal, wie hoch der Purzelbaum war! Einen zweiten ebenso großen oder gar noch größeren wirst Du schwerlich fertig bringen, denn Gott hat dafür gesorgt, daß die Bäume nicht in den Himmel wachsen. Also gar keinen! sondern einfach einen Nachsatz, der kurz und bündig zeigt, daß Du wieder fest auf beiden Beinen stehst. Göttlich, göttlich, göttlich sei der Künstler! Er tue des Guten nie zu viel! — Mit Einem Wort: ich wünsche uns zu Deinem Geburtstag, daß wir uns immer roher behandeln lernen. O Gott, wie wenig Menschen dürfen das einander antun! Ich wünschte, Wilhelm, wir könnten mal ein halbes oder ganzes Jahr lang in nächster Nähe beisammen leben, damit wir uns zuweilen so recht von Herzen in die Haare kriegen könnten, richtig grob und wütend; brieflich geht das ja gar nicht, und bei kurzen Besuchen auch nicht, und es frischt doch so herrlich die Liebe auf. Hier um Berlin herum ist Keiner, zu dem ich das ganz fertig brächte; zu Ansorge höchstens dreiviertel, und Liliencron ist mir zu alt. Dir, glaube ich, würd' ich mit Wollust die Flötentöne biegen. Wegen Deiner verfluchten Manier z. B., die zusammengesetzten Zeitwörter grundsätzlich auseinanderzureißen, könnt' ich Dich direkt backpfeifen. Zum Donnerwetter: bist Du ein Schulmeister oder ein Dichter?! Da haben unsre Ahnen sich jahrhundertelang gequält, bestimmte Vorstellungsverbindungen deutlich auszudrücken, und nun kommt so ein Prinzipienfriedrich und will sie alle auf-lösen. (Willst wohl Minister bei den Anarchisten werden?) —

Über Ansorge urteilst Du auch zu grundsätzlich. Wer sagt Dir, daß er bloß den Ton »Geheimnis« u. dgl. treffen kann? Du bist entschieden durch den Eindruck, den er Dir im Kreise seiner Nachmittagsgäste machte, voreingenommen gegen ihn. — Spiel *und sing* Dir mal »Gib mir« durch! Diese heftige Leidenschaft im Gesang, diese aufbegehrende Sehnsucht in der Begleitung, diese Innigkeit bei aller Wildheit (statt »Wüste« im zweiten Verse muß es übrigens »Wildnis« heißen) —: wer Das kann, dem traue ich auch zu, daß er die »Jungfrau« in der »Lebensmesse« herausbringt. Und ich kenne größere Kompositionen von ihm (ein Orchesterwerk »Zug des Todes« und ein Streichsextett), die es mir wahrscheinlich machen, daß er auch den heroischen Ton der Dichtung, insbesondere den »Helden«, treffen wird. Weit eher zweifle ich, ob seine Musik dem Chor der Mütter, dem einen Sonderling (dem mit dem »Urton«) und vor allem dem Schlußchor gewachsen sein wird, obgleich ich es für möglich halte. Im übrigen: wenn er's nicht gut macht, wird er's schlecht machen — und dann wird einer kommen, der's besser macht.

Morgensterns Aufsatz hab ich noch nicht gesehen. Vielleicht hast Du recht, daß der Mann nur zu grün war, als er seinerzeit das blecherne Zeug über mich schrieb. Aber ich fürchte sehr, daß er nur Einer ist, der gut zu horchen versteht; Du kennst Berlin noch nicht. Man fängt im goldenen Westen an, mich für die neuste Mode zu halten, und nun möchte er nicht im Nachtrab bleiben. Geistreich sind ja diese Leute alle miteinander, aber ihr Gefühl erwärmt sich meistens nur, wenn sie wissen, daß es sie gut kleiden wird. Es soll mich freuen, wenn Morgenstern anders ist. Jedenfalls habe ich keinen Grund, *nicht* »gut zu ihm« zu sein, wenn er mich besuchen sollte. Ich bin doch kein Menschenfresser.

Gott, nun quatsche ich und quatsche und hab Dir noch nicht mal gesagt, wie wundervoll und blau mein Zimmer geworden ist; richtig wodansblau, und oben eine dunkelrote Weinlaub-Borte drum. Heut morgen habe ich die letzten Kleinigkeiten an die Wände gehängt und freu mich über den Plunder mehr als über mein schönstes Gedicht. In den Osterferien also kommt Ihr her und seht's Euch an! Morgen aber bin ich mitten unter Euch! »Dreimal hoch!«

Euer Richard.

Wilhelm Schäfer an Richard Dehmel [44]

[Postkarte mit Stempel
Paris, 5. Febr. 98.]

Mein lieber Richard, da kommt, was ich in der Hauptsache in einer Nacht von gestern zu heute schrieb. Nein, Du Lieber: ich mag die Sinne von diesem Paris nicht. Lies das und sage mir, daß ich unrecht habe, wenn ich mich sobald als möglich von hier fortmache. Ich werde krank sonst vor Sehnsucht. Ich ziehe nach Bregenz am Bodensee, in den schönen, tiefen Bregenzer Wald. Bäume und Wasser und Wind und Wolken: Ich kann nicht an Lackschuhen und Zylinderhüten, Zylinderhüten, Zylinderhüten neben geschminkten Lippen mich täglich vorbeidrücken. Es ist schrecklich. Du hast nicht die Spur einer Ahnung. Wenn ich nicht all die großen tiefen Meister hier hätte, die mir täglich sagen, wie viel tiefer sie ihr Leben sahen als wir, ich wäre schon weg. — Mit Sinnen leben. Wenn man Sinne hier hätte! — Ich möchte in ganz reiche Häuser gehn, wie's mir paßte, bei ganz herrlichem kühlem Wein ganz tief mit schönen Menschen leben. Für den Notbehelf, aus dem alles hier eine Tugend macht, danke ich. — Ich kann Dir nicht sagen, wie unsäglich glücklich ich in mir hier geworden bin. Lies nur diese »Wegkreuzung«. Ich denke, nein, ich fühle, die ist gut. Und »Lerma« ist bloß *gedacht*. Dies hab ich gedichtet. — Schick das Ms. bitte an *Flaischlen*. Ich will

178

es ihm für den PAN anbieten. Er fragte schon ein paarmal um Prosa. Am End ist das auch nicht zu schlecht.

Nun behalte lieb Deinen Wilhelm.

Dies ist nicht Druckmanuskript. Fl. soll es bloß lesen.

Richard Dehmel an Wilhelm Schäfer [45]

Pankow, 7. 2. 98.

Lieber!

Ich schicke Dir den Dreck gleich wieder zurück; wirst wohl inzwischen selber schon die Absendung bedauert haben. An Flaischlen möchte ich das Manuskript schon deshalb nicht schicken, weil er die Verse auf Seite 2 (»der eine, der's begann« etc.) nach Deinem Dehmelbüchlein als Hymnus an *mich* auffassen würde, was gleichbedeutend wäre mit Ablehnung Deiner Dichtung. Sie verdient aber die Ablehnung aus ganz anderem Grunde — weil's nämlich einfach *Mist* ist. Die Verse sind schlechte Prosa, die noch schlechter gereimt ist; und die Szene — »wird zum Tribunal«! Du hast wohl ein Plädoyer gegen den Staatsanwalt schreiben wollen, der mir die Consolatrix hat kastrieren lassen? — Denn wenn dieser Strohmann von »Vater« auch nur ein Fünkchen Leben im Leib hätte, dann schlüge er diesem Porzellanquatschpeter Wilbrecht, der nicht einmal den Wald vor Bäumen erkennt, schon nach der ersten Renommage die hohlen Glasaugen ein. Laß gefälligst Deine poetischen Embryonen *ausreifen,* eh Du sie gebärst und unter Leute bringst! Ob Du das in Paris oder im Bregenzer Wald tun willst, ist mir sehr schnuppe; aber wie gesagt, nach dem »Peter« und nach »Lerma« ist solch unreifes Gequassel einfach unverzeihlich. Mit solchen hirngespinstigen Tiraden erledigt man keine Konflikte, in denen die stärksten Instinkte auf Tod und Leben aneinandergeraten. Und wer nackt sein will, der sei es: die Nacktheit sei ihm *selbstverständlich* (siehe Lerma!) — er protze nicht damit!!! — gewöhn Dir doch, zum Teufel, diese verfluchten Schulmeister-Allüren ab! Ob Du weltbürgerliche oder spießbürgerliche Moral paukst, das ist im Hause unsers Vaters Apollon gleich ridikül. Was soll denn diese Schützenkönigsphrase: »Ich grüße das Leben«! Es läßt vielmals wiederjrüßen! verschluckern Sie sich nur nicht dabei! — Und die Zeile »da ziehn wir unsre Kleider aus« könnte sehr leicht eine starke Verschnupfung zur Folge haben.

Dein ernstlich belustigter Richard.

P. S. Wie man durch eine Nacht, die in einem Hause schläft, also doch wohl ein ziemlich wohlbeleibtes Wesen ist, so mir niscnt dir niscnt hindurchschreiten kann, geht gleichfalls über meine Begriffe. Glück und Strahlen aber, von denen man *schwer* wird, liegen *unter* meinen Begriffen; ich meinte immer, man werde *leicht* dadurch.

Kreuzmillionenscheißschockschwerenot!!!

Wilhelm Schäfer an Richard Dehmel [46]

Hofheim, 14. 11. 17.

Lieber Richard,

ich hätte Dir — vor einer Reise stehend — heute auch geschrieben, wenn mir nicht in der Frankfurter Ztg. der Bericht von Deinem »Menschenfreund« gekommen wäre. Wenn du einen Menschen suchst, der sich in *jeder* Beziehung mitfreut, so nimm Deinen alten Freund dafür; gewisse Anzeichen machen es mir deutlich, daß die Übereinstimmung im Titel mit meinem »Lebenstag eines M.« mehr sei wie ein Zufall: Es ist ein Programm, für das wir mit einer immer noch anders gerichteten Literatur zu kämpfen haben werden.

Wenn ich Dir im Januar meinen »Lebensabriß« schicke, den ich auf Verlangen Müllers schrieb, wirst Du sehen, in welcher Stimmung mich Deine Siegesnachricht traf; auch deshalb persönlich, weil es Deine Siegesnachricht war. Ich bin gerade mit der Niederschrift fertig und noch ganz in diesen Erinnerungen, die eigentlich gar keine persönlichen mehr sind: wenn mir der Dank darin aufgestiegen ist, so ist es nicht mein Dank, sondern der des Volkes, das ihn Dir jetzt ableisten muß.

Ich werde Deinen Geburtstag in Köln feiern und mit Karl Röttger, dieser suchenden, windverwehten Seele, eine Flasche auf Dein Wohl trinken, die mir gut bekommen soll. So gut wie die Klingersche wird sie nicht sein können, aber die war auch Kriegsgewinn. Vielleicht lockt Dich eine Aufführung in Frankfurt oder Köln in meinen Bereich, dann muß uns der Teufel dienen.

Dank dem Schicksal
Dein W.

Richard Dehmel an Wilhelm Schäfer [47]

17. 11. 17.

Lieber Wilhelm!

Nach meiner Rückkehr aus Berlin war mir Dein Brief ein wahres Samariter-Labsal: »und goß drein Öl und Wein« — die einzige ganz reine Freude nach all dem babylonischen Beifallsgeräusch. Inzwischen wirst Du bei Röttger mein Sonett an Dich gelesen haben, und ich brauche Dir nichts weiter zu sagen über unsere Zusammengehörigkeit. Trotzdem sind meine »Menschenfreunde« Deinem »Lebenstag« nicht ganz ebenbürtig; es ist noch zuviel von dem Teufel darin, der »uns dienen muß«, wie Du sagst. Aber ich hoffe nun soweit zu sein, daß ich künftig meinen Gottesdienst ohne Teufelshilfe verrichten kann, gleichviel was die Mitmenschheit dazu sagt. Daß ich mir die Aufführung in Frankfurt oder andern Städten noch ansehen werde, glaube ich kaum; ich habe reichlich genug von dem Berliner Rummel. Und es wird sich auch ohne das Gelegenheit finden, uns mal wieder auszusprechen miteinander; denn —

alles Leid ist Einsamkeit,
alles Glück Gemeinsamkeit.

Dein alter R.

Richard Dehmel an Wilhelm Schäfer [48]

Sonntag, 27. 1. 1918

Lieber Wilhelm,
hab Dank von Herzen!

Nicht bloß der lieben Eitelkeit wegen. Erkenntlichkeit zwischen Schaffenden fällt so schwer, daß sie mich wundersamer rührt als jede andre Herzensgüte, in der doch immer eine Spur Gnadenlaune, also Selbstüberhebung steckt. Und wie gering war meine unreife Liebesmüh, an Deinem reifen Lob gemessen. Daß Du jemals mein »Jünger« warst, habe ich überhaupt nicht gemerkt; ich war ja damals selbst erst ein Werdender, wirkte auf andre mehr durch das, was von Natur aus in mir war, als was meine Kunst draus gemacht hatte. Jedenfalls hast Du mir das Vorbild, das ich Dir anfangs vielleicht an Sprachzucht bot, später reichlich durch das Beispiel Deiner ganzen Geisteszucht aufgewogen; wie denn Freundschaft nur Bestand haben kann, wenn sich Geben und Nehmen immerfort ausgleicht. Kurz und gut, wir wollen's weiter so halten!

Dein Richard.

Ida Dehmel

Ida Auerbach an Richard Dehmel [49]

Berlin W., Lennéstraße 4, 1. 8. 95.

Geehrter Herr!

Vor einigen Jahren schon wollte ich Ihnen schreiben; das war, als ich am Weihnachtsabend von einem kunstsinnigen Freund Ihre »Erlösungen« bekam. Ich gehöre zu den seltenen Menschen, die noch starke Eindrücke empfangen können; Eindrücke, die *bleiben* — Ihre Dichtungen stehen heute noch auf meinem Schreibtisch bei den Allerheiligsten, bei »Also sprach Zarathustra« etc., etc.; ein groß Teil davon kann ich, im Schlaf danach gefragt, hersagen.

Daß Ihre »Lebensblätter« durchschnittlich weniger stark auf mich gewirkt haben, will ich ehrlich eingestehen. Vieles in den »Erlösungen« schlug in mir so verwandte Saiten an, daß es mich durchschüttelte; vieles schien mir mit *eignem* Blut geschrieben — mit *Blut* aber *jedes* Wort. Diese Empfindung blieb in den »Lebensblättern« manchmal aus; verzeihen Sie das offene Geständnis. Soeben nun habe ich die Lektüre Ihres Artikels im PAN II beendet. Mit *größtem* Interesse habe ich gelesen, welche der zuletzt erschienenen Bücher Sie einer Empfehlung wert halten. Ich wende mich nun an Sie mit dieser Frage: Wieso ignorieren auch Sie, der Sie doch rückhaltlos alles Gute, das Sie fanden, nennen, warum ignorieren auch Sie diese ganze Gruppe junger Künstler, die sich in den »Blättern für die Kunst« um ihr Haupt: Herrn Stefan George, gesammelt hat? Ich kann das nicht fassen.

Daß Sie alle, Otto Erich Hartleben, Herr Bierbaum, daß Ihr ganzer großer Kreis von dieser Gruppe nie gehört haben sollte, ist doch wohl ausgeschlossen. Auch erinnere ich mich mehrerer flüchtiger Andeutungen in früheren Jahrgängen der Freien Bühne. Wie kommt es, daß PAN, der dieselben Wege in der Kunst geht, die Stefan George vor langen Jahren gefunden hatte, daß dieser sich nicht um ihn bewirbt, stolz nach seiner Mitarbeit strebt? Ich bedaure das nicht um Stefan Georges willen, der ein einsamer, weltscheuer Mensch ist u. jedes Hervortreten in die Öffentlichkeit scheut; ich bedaure es der Menschen wegen, der *Geschichte* wegen. Es ist gar so beschämend, der Nachwelt die Kenntnis und die Verehrung eines Künstlers zu überlassen. — Sie werden vielleicht ungläubig dazu den Kopf schütteln, daß eine *Frau* gerade aus *diesem* Grunde sich an Sie wendet.

Ich müßte Ihnen dazu erklären können, *wie* ich die Kunst liebe, wie mir ein Gefühl für alles Hohe so eingeboren ist u. in jeder Faser meines Lebens lebt, daß, ja daß ich Ihnen diesen Brief schreibe. Ich schicke Ihnen den letzten Jahrgang der B. f. d. K. mit, er wird Ihnen besser sagen, als ich es kann, welcher Platz Stefan George in der deutschen Kunst und im PAN gebührt.

Mit vorzüglicher Hochachtung
Frau Konsul Auerbach.

Richard Dehmel an Ida Auerbach [50]

Binz auf Rügen, 5. 8. 95.

Gnädige Frau! Sie hätten mir ruhig »schon vor Jahren« schreiben sollen; solche Briefe sind ja jungen Dichtern das Erfreulichste, was es gibt, außer der Schaffensfreude. Was aber Stefan George betrifft, kann ich Ihnen nur mit Einschränkungen recht geben. Zunächst: PAN will durchaus nicht dasselbe, was jener will. George glaubt *die* Kunst gepachtet zu haben; das glauben wir durchaus nicht. Im Hause unsres Vaters Apollon gibt es *viele* Wohnungen! Jener will die Kunst um der Kunst willen; wir wollen eine Kunst fürs Leben, und das Leben ist vielgestaltig, durchaus kein Tempel für nur Eingeweihte. Es ist daher auch nicht im mindesten unsre Absicht, einen Dichter wie George uns vom Leibe zu halten. Wenn ich seiner und des Sammelbandes der »Blätter f. d. Kunst« in meinem Aufsatz nicht Erwähnung tat, so geschah dies lediglich aus Unkenntnis. Ich habe von den »Bl. f. d. K.« nur einige Hefte des ersten Jahrgangs zugeschickt bekommen; daß noch ein zweiter Jahrgang erschienen ist und gar als Sammelband, war mir einfach unbekannt, sonst hätte ich ihm selbstverständlich ein paar Sätze gewidmet. Wenn die Mitarbeiter dieser Zeitschrift alles aufbieten, um »unter sich« zu bleiben, so *bleiben* sie es eben, und wenn sie noch so mächtige Dichter sind. Die Mehrzahl von ihnen halte ich übrigens nicht dafür; ihre Vornehmtuerei erinnert mich zu unabweisbar an die Fabel vom Fuchse und den sauern Trauben. George selber nehme ich natürlich aus; desgleichen Dauthendey, mit dem ich eng befreundet bin, und Hugo von Hofmannsthal. Die andern aber, die ich aus dem ersten Jahrgang kenne, sind höchstens Tapezierer im Tempel der Kunst: stilistische Virtuosen, die an Blutarmut leiden. Da Sie übrigens das »Blut« so lieben, kann ich mir in Paranthese nicht versagen, Sie auf mein *zweites* Buch (»Aber die Liebe«) lüstern zu machen. Das ist viel blutiger als die »Erlösungen« und wird — geb's Gott — mein blutigstes bleiben. Ich fange an, die schöne Haut noch höher zu schätzen, fast so hoch wie Stefan George; nur eben — nicht bleichsüchtig darf sie sein.

Also: so viel wir auch grundsätzlich gegen den Grundsatz einzuwenden haben, der die »Bl. f. d. K.« beseelt, so wenig haben wir — abermals grund-sätzlich — gegen die Vertreter jenes Grundsatzes einzuwenden, wenn sie uns persönlich nahezutreten wünschen, d. h. mit ihren Werken. Sie sehen ja, wir bringen Dichtungen von Loris, Maeterlinck, Mallarmé, bald auch von Dau-thendey u. a. m., die allesamt dem Kreise Stefan Georges nahestehen. Eben-so wie diesen Dichtern ist *auch Herrn George selbst* eine Einladung zur Mitarbeit am PAN zugeschickt worden. Er hat uns aber nicht nur keine Beiträge geliefert, sondern hat bei seinen Pariser Freunden unser Unter-nehmen sogar zu diskreditieren versucht, als eine Brutstätte des deutschen Naturalismus. Es ist doch einfach traurig, daß ein Künstler vom Range Georges über die Schlagwortreiterei noch nicht hinaus ist. Ich halte es für ebenso pöbelhaft, sich einem kleinen Kreise als einzig wahren Symbolisten zu empfehlen, wie einem großen als einzig wahren Naturalisten. Die Lisz-terei und Wagnerei sollte doch hinter uns liegen! *Jede* Form doch, um mit Goethe zu reden, »stammt von oben«, wenn sie aus dem *Wesen* geboren ist, ganz gleich ob aus dem Wesen mehr des Stoffes oder mehr des Künstlers; denn darauf läuft der ganze Rangstreit schließlich bloß hinaus. Philosophi-sche Schnurrpfeifereien! —

Möglich übrigens, daß Herr George sich verletzt gefühlt hat, weil wir ihm nicht eine ganz besondere, handschriftliche Aufforderung zur Mitarbeit gespendet haben. PAN ist doch aber eine *öffentliche* Zeitschrift, keine bloß für einen »geladenen« Kreis; *jeder,* der sich für berufen hält, ist eingeladen, wir backen keine Extra-Pretzeln. Ich persönlich, gnädige Frau, bin freilich gern bereit, wie manchem andern so auch Herrn George um der lieben Eintracht willen ein gutes Wort zu geben, und wenn Sie in der Lage sind, mir seine gegenwärtige Adresse mitzuteilen, werde ich ihn zu bekehren su-chen. Mitte nächster Woche bin ich wieder in Berlin und darf mir wohl er-lauben, dann deshalb bei Ihnen vorzusprechen, zugleich auch den mir freundlichst übersandten Sammelband an Sie zurückzugeben.

Mit vorzüglicher Hochachtung
Richard Dehmel.

Ida Auerbach an Richard Dehmel [51]

[ohne Datum]

Geehrter Herr!

Mitten aus Ihrem »blutigsten Buch« heraus gehe ich zum Schreibtisch, um Ihnen zu sagen, daß ich mich fehr freuen werde, Sie bei mir zu sehen. Alles Weitere über Stefan George will ich Ihnen dann lieber sagen. Nur Eines möchte ich heute schon auf Ihren Brief antworten. Stefan George (er hat als Mensch Fehler wie wir alle und ist gewiß ungerecht gegen andere deutsche Dichter) aber die Schlagwortreiterei haßt er, wie Sie es tun. Aber er kommt oft nicht aus ohne diese Worte, *auch* gewiß wie Sie. Und als er in Paris von Ihrem PAN sprach, da war dieser noch Zukunftsmusik; heute, denk' ich, wird er ihn anerkennen.

»Aber die Liebe« ruft und Frau Förster-Nietzsche's Buch außerdem. Auf Wiedersehn also, oder vielmehr: Auf daß unser Sehen gesegnet sei.

Ida Auerbach.

Ida Auerbach an Richard Dehmel [52]

22. August 95.

Der Einfachheit des Verfahrens halber schicke ich Ihnen Stefan Georges Antwort. Ich stehe diesem sonderbaren Verlangen etwas hilflos gegenüber. Wolfskehl würde ich ihm ja wohl ausreden können, Hofmannsthal (Loris) ist schon Mitarbeiter des PAN, u. von Gérardy halte ich ja sehr viel.

Die »hängenden Gärten«, von denen George schreibt, sind so schön, daß kein kunstverständiger Richter sie zurückweisen kann. Was aber wird Gérardy senden? Ich komme mir erst nachträglich recht unbescheiden vor mit meiner Forderung an Sie, vielleicht weil ich finde, daß mein Urteil über Ihr zweites Werk unverantwortlich voreilig war. Jetzt habe ich es wirklich intus, wenn ich auch noch nicht *ganz* »drum herum« bin; ich will nur sagen, daß mir Ihres Werkes Schönheiten aufgegangen sind, daß seine Rhythmen in mir klingen. Gewissenhaft habe ich mir die Stellen gemerkt, die ich nicht rund bringe, um sie Ihnen zu zeigen, wenn Sie mich wieder durch Ihren Besuch erfreuen wollen. Übrigens habe ich Stefan George gar nicht Ihren Namen genannt; ich erging mich in allerlei Mysterien. Was soll ich ihm nun schreiben?

Freundlichsten Gruß
Ida Auerbach.

Richard Dehmel an Ida Auerbach [53]

Pankow, Parkstr. 25
[ohne Datum]

Gnädige Frau!

George's Verlangen ist nicht so sonderbar, wie es Ihnen erscheint. Im Grunde hat er recht, daß jedes Heft des PAN als künstlerisch geschlossenes Ganzes wirken sollte. Nur nicht um den Preis der Kameraderie. Doch kommen wir darüber besser mündlich ins reine. Wenn Sie erlauben, werde ich morgen (Sonnabend) nachm. gegen drei Uhr bei Ihnen vorsprechen. Sollte Ihnen eine andere Stunde lieber sein und anderer Tag, so erwarte ich Bescheid.

Einstweilen hier Georges Brief zurück.

Ihr ergebener
Richard Dehmel.

Richard Dehmel an Ida Auerbach [54]

Pankow, 29. 8. 95.

Verehrte Frau!

Anbei übersende ich Ihnen, wie versprochen, die Gedichte von Mombert und Hartleben. Ferner einen Brief von Liliencron. Ich habe ihm geschrieben, wie erschüttert Sie von seiner Aldebaran-Dichtung waren und wie nahe Ihnen seine menschliche Notlage gegangen ist, in der Sie ihm wohl gerne beistehn würden, wenn nicht eine erklärliche Scheu Sie hinderte. Mit der Bitte um Diskretion lege ich seine ganze Antwort bei. Rührender als ich es sagen könnte, wird dieser Brief, mit seinem Ton und seiner Handschrift, Sie in den grauenhaften Lebenskampf und fabelhaften Lebensmut dieses Einsamen einweihn. Immerfort von Gläubigern gehetzt, kaum im Stande, für sein Kind (die kleine Abel) auch nur notdürftig zu sorgen: was bleibt ihm schließlich übrig, als den Stolz zu verbeißen und auf fremden Edelsinn zu hoffen! Wenn es Ihnen, gnädige Frau, kein allzu schweres Opfer ist, ihm ein paar Hundertmarkscheine zu schicken, auch wenn's nicht ganz 500 sind, so tun Sie's!! — Am 3. Sept. muß er einige Wechsel decken, ohne zu wissen wovon; denn seine Hoffnung auf das Freifräulein v. Krane scheint mir durchaus nebelhaft. Und obendrein die fürchterlichen »kleinen« Schulden bei Handwerkern, Wirtsleuten usw., wegen deren er beständig den Gerichtsvollzieher zu erdulden hat! Seit Monaten will er mich besuchen, weil wir vieles Wichtige zu besprechen haben, kann aber nicht einmal das Reisegeld erübrigen; das bißchen, das ihm seine Freunde schicken können, geht stets für Nötigeres drauf. Daß er in Ihnen eine »alte reiche Dame« vermutet, ist ein komisches Mißverständnis, das ich Ihnen einmal mündlich aufklären werde.

Ihr ergebener
Richard Dehmel.

[Anfang September]

Ich war ein paar Tage recht krank, und nur mühsam geht mir dieser erste Schreibversuch von der Hand. Auch daß meine Antwort auf Ihre Sendung nicht anders lauten *kann*, als sie lautet, peinigt mich *sehr*. Es ist das erste Mal in meinem Leben, daß ich die große Freude:»Geben zu können«, nicht haben soll. Ich bin eben nicht mehr die in schrankenloser Freiheit lebende Prinzessin zu Horst-Rauchenstein. Als ich Ihren Brief erhielt, war ich sofort entschlossen, den momentanen Inhalt meiner Sparbüchse, 150 Mk., an Ihren Freund zu senden. Mein Mann versprach mir 50 Mk. Zulage, meine Schwester ebensoviel. Das aber war mir nicht genug. Ich wollte dem Armen mindestens 500 Mk. schicken u. den Auftrag zu einer Sendung edlen Weines gab ich auch. Des fehlenden Geldes halber schrieb ich einem mir befreundeten Ehepaar. Das sind wirklich die Leute aus dem Märchen, für die Herr von L. mich zu halten scheint. Der Mann verdient horrendes Geld, und die Frau, die verkörperte Güte, unterstützt Hunderte von Armen. Nun denken Sie sich meine Betrübnis, als ich gestern ihre Antwort erhielt: »Mein Mann hat demselben Herrn aus gleichen Gründen (folgt eine Summe von mehreren Tausend Mark) gegeben und nur Undank und Enttäuschung geerntet. Ich würde Ihnen das verschweigen, um Ihnen Ihre enthusiastische Freude am Geben nicht zu nehmen — aber es sind wirklich so unendlich viel Würdigere da, denen Ihre Gabe zum wahrhaften Segen würde.«

Und nun erlaubt mein Mann nicht, daß ich Herrn von L. irgend etwas schicke. Ehe ich in den sauren Apfel gebissen habe, Ihnen das zu schreiben, Sie können sich denken, wie sehr ich ihn gebeten habe. Aber umsonst. Und hinter seinem Rücken es tun, das kann ich nicht. Ich bin dazu zu grade gewachsen. Mir bleibt bei Tisch der Bissen im Halse stecken, wenn ich daran denke, daß von mir Einer Hilfe erwartet hat, und ich habe sie ihm nicht geboten. Ich bin so betrübt, als wäre mir etwas Köstliches entrissen worden, so ist's auch. Ich bin nicht mehr der Herrgott, der ich Gott sei Dank manchem war. Tut das weh! Finden Sie, ich *bitte* Sie darum, Ihrem Freund die mildesten, sanftesten Worte; daß ich krank bin aus Kummer, ihm nicht helfen zu können. Aber was nutzt ihm das? Brot wollte er, und man gibt ihm Steine.

I. A.

Pankow, 5. 9. 95.

Gnädige Frau!

Ihr Brief hat mich aufs tiefste ergriffen und empört. Ich küsse Ihnen beide Hände für Ihr klares gütiges Menschenherz, dem ich nicht vergebens mein Vertrauen schenkte, und ich möchte mit Fäusten dreinschlagen, daß auch *solch* ein Herz der fürchterlichen Gemeinheit des gesellschaftlichen Klatsches nicht gewachsen ist. Hätten Sie mir nur mit einem Zeilchen angedeutet, daß Sie außer Ihren nächsten Liebsten auch noch Fremde einweihen wollten: ich hätte Ihnen alles dies erspart! Sie kennen ja *Berlin* noch nicht! Sie ahnen nicht, wie hier ein Mensch verfemt wird, der sich nicht mit Würde ins Alltägliche zu schicken weiß. O diese Würdigen! Glauben Sie denn, gnädige Frau, ich hätte jemals eine solche Bitte Ihnen vorgetragen, wenn der Mensch, für den ich sie mir *abrang*, nicht mit seinem ganzen Leben wie eine Bibel vor mir offen läge? Haben Sie von mir den Eindruck empfangen, daß ich meine Freundschaft an Hundsfotte wegwerfe?! Ich weiß sehr wohl, wer jene anspruchsvollen Wohltäter *sind,* die sich von Liliencron »enttäuscht« fühlen. Ich könnte Ihnen diese traurige 4000 Mk.-Geschichte in einem völlig andern Spiegel zeigen! Es war da weniger von Wohltat die Rede als von erkaufter Dienstbarkeit; und einen Abschluß, daß man darüber aburteilen könnte, hat dieses *sehr geschäftliche* Begebnis überhaupt noch nicht gefunden. Ich frage Sie: ist es nicht ein Jammer, daß ein Künstler wie Dieser seine Arbeit einer Klasse von Gebildeten feilbieten muß, die ihm nicht einmal ein sorgenfreies, geschweige denn ein würdiges, ein *seiner* würdiges Dasein verschafft? Haben jene wackern Leute sich wohl schon die Frage vorgelegt, wie weit es einem Menschen, der es nicht versteht, aus seiner reichen Seele Kapital zu schlagen, überhaupt noch möglich ist, in *ihrem* Sinne »würdig« zu bleiben? Haben diese guten Rechenmeister jemals sich darum gekümmert, ob den Schöpfern ihrer feinsten geistigen Genüsse der verdiente materielle Lohn auch nur annähernd zuteil wird? *Wer* ist denn da der Unwürdige?! *Wer darf* denn da von »Undank« reden?! —

Ich bitte um Verzeihung, gnädige Frau: ich kann von diesen Dingen nicht ohne tiefsten Ekel sprechen. Sie wissen nicht, von *was* für Leuten Liliencrons Name begeifert wird. Man hat sich nicht einmal entblödet, dieses ewige Kind, dem alles Tagesgezänk wie Spreu im Winde ist, als einen antisemitischen Heuchler zu verleumden. Es ist unsäglich widerlich.

Ihnen, gnädige Frau, sage ich hiermit Lebewohl und danke Ihnen für die Stunden Ihrer Nähe. Ich würde es nicht ertragen können, daß Liliencron zwischen uns stünde, wenn ich über Schönheit und Natur von Herzen reden möchte. Das konnte ich zu Ihnen, und das ist ein seltenes Glück; mir versagt die Zunge, wo ich merke, daß die »gute Gesellschaft« mächtiger ist als der gute Mensch. Ich habe nur die Bitte noch, daß Sie Ihrem Herrn Gemahl und Ihrer Frau Schwester *auch diesen* Brief zu lesen geben. Ihre schriftlichen Bemühungen für Stefan George werden mir natürlich nach wie vor willkommene Zeichen Ihres künstlerischen Sinnes sein.

Ihr aufrichtig ergebener R. Dehmel.

Ida Auerbach an Richard Dehmel [57]

[7. (?) 9. 95.]

Es hat mich sehr gequält, daß mein Kranksein mich verhindert hat, Ihnen früher zu schreiben, obgleich Sie eigentlich keine Antwort mehr gewollt haben. Daß Sie mir den Bettel meiner Person vor die Füße werfen, habe ich nicht als Demütigung empfunden, denn ich bin nicht eitel. Es hat mir aber *sehr* leid getan. Die Menschen, die meine Sprache sprechen, sind so selten, nicht sechse sind mir in meinem Leben begegnet, zwei davon hat mir das Schicksal entrissen. Daß Sie sich so kurz von mir lossagen, kommt mir *sehr* streng vor. Denken Sie denn, meine Meinung über Ihren Freund hätte sich nur um ein Jota geändert? Ahnen Sie denn, mit welcher quälenden greifbaren Deutlichkeit ich immer und immer wieder die Worte vor mir sehe: Ich zittre, Richard! Ich gäbe Gott weiß was darum, wenn ich helfen könnte, nicht Ihrem Freund, nicht dem Dichter, nicht dem Würdigen, sondern dem armen leidenden Menschen, für den mein Herz blutet. Daß ich seiner nicht vergessen werde, daß ich ihm helfe, sobald ich kann, ist selbstverständlich; nach und nach kann das erst sein. Denn zu lügen ist mir *unmöglich*, und direkt gegen den Willen meines Mannes zu handeln ebenfalls.

Noch eines möchte ich Ihnen sagen: Liliencrons Briefe hat *niemand* gelesen, auch die Ihren nicht. Ich selbst schreibe so manches, was eben nur für den Empfänger gesagt ist, daß ich dasselbe auch bei den andern voraussetze. Meine Nächsten kennen mich, wissen von der absoluten Einsamkeit, in der ich bis jetzt gelebt habe, daß mir zum Herdentier eigentlich alles fehlt. Schon ein *Dritter* stört mich so, daß ich zwar nicht schüchtern werde, aber eisig; um mir nicht die Freude an Ihrem Besuch zu nehmen, hat darum neulich meine Schwester darauf verzichtet, Sie kennenzulernen. Mein Mann frug mich vor einigen Tagen, wieso Sie wohl Ihr Versprechen: mir Ihre Frau zu bringen, nicht gehalten. Darauf habe ich ihm gesagt, es habe Sie gekränkt, Ihren Freund so verkannt zu sehen.

Sie selbst haben mir das Recht genommen, Ihnen mehr zu sagen. So leben Sie wohl. Stefan Georges Zusendungen gehen Ihnen ev. sofort zu;

damit folgen auch die Bücher zurück, die Sie mir geliehen. Mombert ist hie und da recht interessant, Hartleben durchweg geradezu langweilig. Wenn ich daneben an den Aldebaran denke! O du schönes, unseliges Werk! Leben Sie wohl. Wenn Sie die Strömung einer Stimmung einmal zu mir zieht, so wird es wohl kaum Verrat an Ihrem Freunde sein, zu kommen.

Ida Auerbach.

Richard Dehmel an Ida Auerbach [58]

Pankow, 8. 9. 95.

Nein! nein! ich habe Ihnen *nicht* »den Bettel Ihrer Person vor die Füße geworfen«. Ich hätte niemals diese Sprache zu Ihnen gewagt, wenn ich nicht empfunden hätte, daß ich so zu Ihnen sprechen *darf,* daß mein Zorn Sie nicht als lächerlicher Dünkel berühren würde. Nur die tiefe *Ehrfurcht* vor Ihrer Seele trieb mich über die Grenzen der Höflichkeit. Und nur die Furcht, mich jetzt vor Ihnen in der höflichen Lüge üben zu müssen, eine peinliche Erinnerung mit Anstand zu umgehen, gab mir mein Lebewohl in die Feder. Ich bin's gewohnt, verehrte Frau, Menschenherzen zu verlieren; man lernt allmählich, solchen Verlusten vorbeugen, ehe sie zu schmerzlich werden. Und immer waren es gesellschaftliche Vorurteile, die mir meine Freude am Menschen verdarben. Wenn Sie sich stark genug halten, vor der »guten Gesellschaft« einen erbarmungslosen Verächter dieser Gesellschaft als nahen Freund anzuerkennen, dann werden Sie mich wiedersehen. Denn natürlich war es Selbstsucht von mir, daß ich mir die beiden wunderbaren Stunden, die ich Ihnen bisher verdanke, nicht durch künftige Möglichkeiten trüben lassen wollte.

Ihr Richard Dehmel.

Max Dauthendey

Richard Dehmel an Max Dauthendey [59]

Pankow, 20. 10. 95.

Lieber Max! Nun wird Dich wohl der Herbst aus Deiner schönen Burg am Meer vertrieben haben. Anbei erhältst Du mein Drama »Der Mitmensch«. Dieses Buch wird Dir wohl weniger zu Sinnen sprechen als meine andern. Es ist mein letzter Tribut an die moderne Barbarei. Lies es auf die *innere* Handlung hin und mißtraue den Worten der Personen, vor allem diesem törichten Vernunftmenschen Ernst, der sein Herz nicht kennt und doch ein Held und weise ist. Du liebst mich ja; so lies es denn als Beichte, wenn das Kunstwerk nicht nach Deinen Sinnen ist. Lies es mit dem Herzen: Jeder dieser Menschen beichtet *mich*. Leb wohl und schaffe! Mir ist schlecht zu Mute. Ich empfinde alles Frühere von mir nur als Vorspiel zu mir selber und bange nach der großen Harmonie. Ich glaube, daß sie plötzlich dasein wird, und bald; aber Warten tut weh.

Du hast sie schon, sei glücklich! bist es schon.

Dein Richard.

Max Dauthendey an Richard Dehmel [60]

Stockholm, Tegnérgatan 34, II
[Oktober 1895]

Lieber Richard, ich danke Dir herzlich für Dein Buch. Ich erhielt es gestern morgen im Bett, ich las es gleich liegend und stand erst um zwölf Uhr auf, als ich damit fertig war. Ich habe es so gelesen, wie Du es mir empfohlen hast, aber ich hätte es auch ohne diese Empfehlung mit ganzem Herzen gelesen. Ich wußte aus Deiner Erzählung im Sommer, daß es eines jener Dramen war, die man schreibt, weil sie kitzeln wie heilende Wunden.

Du hast eine vorzügliche Komposition in diesem Drama. Als ich es durchgelebt hatte, kreuzten sich zwei Gefühle in mir, Bewunderung für die eiserne Kraft, mit der Du das nackte Leben geschildert hast, und Ekel vor der Brutalität des Lebens. Aber das Ganze hat doch so hart und kalt auf mich gewirkt.

Warum konnte man für keinen Deiner Menschen in Feuer und Glut kommen, so daß man es mit Tränen in den Augen und im Herzen hätte beklagen müssen, daß er litt!

Hättest Du nur eine lyrische Szene zwischen Peter und seiner Braut gegeben, so hätte ich bei ihrem Tod mehr empfunden als ein bloß allgemeines menschliches Mitleid. Keine Person wurde mir lieb in diesem Drama. Sie gingen wie Straßenmenschen halbwarm an mir vorüber. Wären die beiden Brüder *ein* Mann gewesen, so hätten sie wohl stärker gewirkt, als getrennt in zwei halbe Menschen.

Du erzähltest mir einmal, daß Deine Verlobung in einem Park, bei Gewitter und Blitz, unter einem Baum geschehen sei.

Ich erwartete immer, daß wenigstens *eine* liebeserhitzte Stelle in diesem Drama vorkommen sollte, so ungefähr, wie Deine Verlobung war. Ich fürchte mich vor dieser Kälte, mit der Du geschrieben hast. Ich glaube, Du hättest warten sollen mit diesem Drama, bis Du ganz über Deiner Vergangenheit standest und nicht bloß die Qual alter Schmerzen beichten, sondern auch das Glück vergangener Freuden mitteilen konntest.

Ich war erstaunt über den Aufbau, über die gute Steigerung der Akte. Besonders gut finde ich, daß nach dem Tod der Braut noch gesteigerte Kraft für zwei Akte bleibt. Ich glaube, das ist ein dramatisches Meisterstück, diese Schlußsteigerung. Ich kannte Dich bisher nur als Lyriker, ich glaube trotz aller meiner Kritik, daß das Drama stark und fesselnd auf das Publikum wirken wird. Daß es bald angenommen wird, glaube ich ebenso. Habe nochmals herzlichen Dank.

Ich arbeite an meinem Drama »Phallus« am I. Akt. Uddgren hat sich vor vierzehn Tagen verlobt.

Herzl. Grüße, D. Max.

Max Dauthendey an Richard Dehmel [61]

Sander Ring 23
Würzburg, 27. Nov. 1912

Lieber Richard,

Deine Postkarte tat mir recht wohl, besonders in meiner jetzigen Verfassung. Sollte man es für möglich halten, daß ich, trotzdem meine Arbeiten Anerkennung fanden, immer wieder betteln gehen muß und keine Mittel zum Leben habe. Da ich unendliche Schulden aus meinen Reisejahren abzuzahlen hatte, wurde mir sofort das genommen, was ich im Vorjahre vom Theater verdiente. Der Verlag schoß mir auch ein paar Tausend zum Bau eines kleinen Waldhauses vor, damit ich ein kleines Heim haben könnte, aber das Häuschen wird wahrscheinlich niemals mein, da ich es nicht fertig bezahlen kann usw.

Als Du mir im Sommer schriebst, ich solle doch bedenken, daß manche Schriftsteller den Schillerstiftungsfonds notwendig hätten, die nicht beachtet worden sind, und daß ich unterschreiben möchte, wenn ich selbst es auch jetzt nicht mehr nötig hätte, den Fonds in Anspruch zu nehmen (ich zitiere nur den Sinn, nicht den Wortlaut Deines Briefes), da wurde mir recht wehmütig ums Herz, weil niemand an mich denkt und alle annehmen, daß es mir gut geht. So lange ich denken kann, geht es mir schlecht, und ich habe mich, seit ich mein Vaterhaus verließ, mehr als zwanzig Jahre mühselig durchschlagen müssen und besitze heute noch nichts als Schulden und Sorgen in Unendlichkeit. Ich wußte und weiß fast nie, wie ich von einem Monat zum andern Monat leben soll. Alle Einkünfte vom Verlag verschwinden für Schulden und Rechnungen. Selbst bei Wohnung und Essen muß ich heute noch von Kredit leben, das ist mir eine ewige, unendliche Qual.

Mein Hirn ist, nachdem ich in den letzten sechs Jahren fünfzehn Bücher geschrieben und herausgegeben habe, nicht arbeits-, aber sorgenmüde.

Ich möchte Dich bitten, bei der Schillerstiftung für mich zu sprechen, wenn es Dir möglich scheint, daß mir dadurch eine Hülfe (und wenn es nur *eine einmalige* Summe von einigen tausend Mark wäre) kommen kann.

Ich hoffe, mir mit der Zeit durch Theatererfolge eine ständige Einnahme zu verschaffen. Aber vorläufig bin ich erst am Beginn dieser Hoffnungen.

Ich stehe augenblicklich vor einem Nichts, da mein neues Stück zu spät fertig wurde und in dieser Saison nicht mehr gespielt werden wird.

Ich bitte Dich herzlich, mir, wenn es in Deinen Kräften steht, diese augenblickliche Hülfe befürworten zu wollen. Apollo und Aphrodite mögen Dich dann reichlich dafür segnen!

Herzlichste Grüße von Haus zu Haus. — Ich lebe ganz arbeitsabgeschlossen hier, sah seit einem Jahr fast keinen Menschen und weiß mir vor Sorgen jetzt keinen Rat.

Dein Max.

Richard Dehmel an Max Dauthendey [62]

Blankenese, Sonntag, 23. 11. 13.

Lieber Max!

Es ist soviel unverhoffte und unverdiente Güte über mich ausgeschüttet worden, daß ich bis heute gebraucht habe, um mich ein wenig aus meiner Zerknirschtheit zu sammeln. Noch am Tag zuvor war ich der Meinung, ich würde den ganzen Geburtstagsrummel beim besten Willen nicht ernst nehmen können; man hatte — von wenigen Freunden abgesehen — mich ja nie ohne Vorbehalt hingenommen. Und nun auf einmal soviel Gnade — ich habe geweint wie ein armer Sünder. Denn all die reiche Anerkennung, die da auf mich herabregnete, die gebührt doch gleichermaßen auch andern, und denen hab ich sie nun geraubt, bloß weil ich ein paar Jahre älter bin, denn das große Tier »Man« ist nicht oft freigiebig. Und unter diesen andern stehst voran *Du,* und statt daß ich Dir Deinen Anteil abgebe, wie ich gern möchte und nicht kann, überschüttest auch *Du* mich noch mit Liebe. Von allen Seiten hab ich gehört, was Du in Deinem neuen Buch, Du unerschöpflich Fleißiger, Schönes und Gutes von mir Faulpelz gesagt hast; warum läßt Du es mich nicht lesen? Ich bitte Dich herzlich, schick es mir; ich werde nicht übermütig dadurch. Wir sind alle nur Fußtapfen auf Gottes Weg, und einer ergänzt des andern Spur. Wir möchten hinüber einer zum andern, und dann stehn wir starr vor Unvermögen. Sag auch Frau Anni mein armes bißchen Dank, damit es durch Deinen Reichtum zunimmt!

Wir grüßen Euch in treuer Erinnerung

Richard.

Rainer Maria Rilke

Rainer Maria Rilke an Richard Dehmel [63]

München, Brienner Str. 48 R./o., 29. November 1896

Verehrter Meister Dehmel,
heute sende ich Ihnen die jüngste Nummer meiner »Wegwarten«. Diese
Hefte haben sich zu kleinen zwanglos erscheinenden Lyrikanthologien aus-
gewachsen. Sie sollen keine geschäftsmäßige Zeitschrift sein, sondern für
intimere Kreise feinsinnige, echte Lyrik sammeln; nach und nach werden
sie vielleicht doch weitere Ringe werfen in den Wasserspiegel des Unver-
ständnisses und der Gleichgültigkeit. — Das nächste Heft erscheint anfangs
Jänner 1897 und wird, mit neuem Titelblatt, sich formell wie inhaltlich besser darbieten. Es dürften Gustav Falke, Morgenstern, Jacobowski, Telmann,
Prinz Schönaich-Carolath, Schaukal u. a. mittun. Auch Meister Liliencron
hat mir etwas versprochen. Darf ich auch Sie um einen kleinen Beitrag bitten? Zu erwähnen wäre diesbezüglich nur, daß das Heft reine Stimmungs-
lyrik pflegt und das Gedicht noch nirgends veröffentlicht sein darf. Sie
würden mich herzlich erfreuen durch Ihre w. Mitwirkung. — Seit ich »Weib
und Welt« kenne, ist meine Verehrung für Sie tüchtig gewachsen. Das ist
ein Gedichtbuch, wie es alle hundert Jahre einmal kommt. So eine Art
Victoria regia. Stücke wie das »Verhör« sind — Offenbarungen. Mit meinem lieben Kollegen Wilhelm von Scholz gemeinsam hab ich das Buch zuerst durchwandert, wie einen Wundergarten. Und jetzt irre ich oft allein
drin herum auf den dichtverwachsenen Steigen, die sich plötzlich auftun
vor einem ungeheueren See, in dessen Tiefen Kronen schlafen und aus dem
der Morgen wie ein purpurnes Märchen aufsteigt. —
Das und Meister Detlevs »Poggfred«. Jedes dieser Bücher hat ein Stück
Ewigkeit in sich! Ich glaube, daß die Nachfahren, die erst ganz verstehen
werden, was diese Bücher sind, einen großen roten Strich unter das glor-
reiche Jahr 96, in dem sie geboren wurden, setzen werden. Und selig die
Zeit, wenn kluge junge Mütter aus dem Volke an der Wiege singen werden:

»Tipp, Tapp, Stuhlbein . . .«

Meinen Kollegen, Wilhelm von Scholz, hat die augenblicklich mißliche
Lage des großen Detlev (er hat ihm ausführlicher darüber geschrieben)
ebenso bestürzt gemacht wie mich. — Wir suchen nach Möglichkeit, etwas

aufzutreiben. Ich habe vor, wenn ich um Weihnachten für ein paar Tage in meine Heimatstadt, Prag, reisen sollte, dort einen Vortrag zugunsten Liliencrons zu halten und Stellen aus den »Gedichten«, den »Kriegsnovellen«, dem »Heidegänger« und »Poggfred« vorzutragen, beziehentlich vortragen zu lassen. Es muß doch für *diesen Mann* Hilfe möglich sein!

Bitte, Meister Dehmel, mich recht bald durch eine Einsendung zu erfreuen.

In treuinniger Verehrung
René Maria Rilke.

(Wegwartenheft folgt als Drucksache!)

Richard Dehmel an Rainer Maria Rilke [64]

Pankow bei Berlin, Parkstraße 25, 30. 11. 96.

Lieber Herr Rilke!

Meinen herzlichsten Dank für Ihre freundliche Einladung zu den »Wegwarten« und Ihre liebevollen Worte über »Weib und Welt«. Ich würde Ihnen gerne einen ungedruckten Beitrag schicken, habe aber z. Z. nichts einzelnes liegen, da ich mit einer größeren Arbeit epischen Charakters beschäftigt bin. Ich gebe Ihnen anheim, ob Sie aus meinen Gedichtsammlungen dieses oder jenes abdrucken wollen; mit Rücksicht auf meine Verleger müßte ich dann aber zur Bedingung machen, daß Sie den Titel des Buches nebst Verlagsfirma (Schuster & Loeffler, Berlin SW. 46) angeben. Ihr Unternehmen hat meinen wärmsten Beifall; alles Gerede über Kunst kann nichts helfen, wenn die Kunst nicht selbst in weitere Kreise getragen wird. Hat unser Volk sich erst daran gewöhnt, nur aus selbsteigener Anschauung sich Urteile zu bilden, dann wird es auch sehr bald vergleichen und Kunst von Halbkunst unterscheiden lernen. — Es sind sehr schöne Gedichte in dem mir zugeschickten Heft. Von Ihnen haben mich besonders innig »Liebesnacht«, »Morgengang« und »Flurmadonnen« ergriffen. In »Liebesnacht« ist leider ein arger Druckfehler stehen geblieben; in Zeile 3 muß es statt *»kannst«* doch sicher *»kamst«* heißen. — Daß Sie für Liliencron ein bißchen Geld sammeln wollen, möge Ihnen Gott lohnen! Es ist eine Schande fürs deutsche Volk, daß ein solcher Dichter noch auf seine alten Tage Bettelbrot essen muß. Mir wird wohl mal dasselbe Schicksal blühen.

Gruß und Hochachtung!
Ihr Dehmel.

21. Dez. 97. (mit Verspätung erst 27. Dez. abges.)
Berlin-Wilmersdorf, im Rheingau 8./III

Vielverehrter Richard Dehmel,
nach langem Schweigen dieses Buch als Weihnachtsgabe!
Übrigens: Ich bin nun sehr nahe; Meister Detlev schrieb: suchen Sie mal
Dehmel auf. Darf ich's? Ich würde Sie so gerne mal begrüßen; wenn Sie
Ihre Meinung über mein letztes Buch »Traumgekrönt« »schrieben«, viel-
leicht »sagen« Sie mir, wie Sie über dieses denken.

Nach den Festtagen, welche ich in der fernen Heimat Prag (wo das
feindliche Brudervolk Richard Dehmel auch verehrt) verbringe, bin ich
wieder unter obiger Adresse zu finden.

Richtig, noch eines: diese »Lebensmesse« im PAN ist unsagbar herrlich!

Frohe Feste!
Stets Ihr ergebener und treuer
Rainer (René) Maria Rilke

Rainer Maria Rilke an Richard Dehmel [66]

Berlin-Wilmersdorf, im Rheingau 8./III
28. Jan. 98.

Verehrter Richard Dehmel,
es war ein reicher und freigebiger Nachmittag. Nur zuviel Menschen.
Aber mein Wunsch erfüllte sich doch: ich habe Sie gesehen und mich dieser
Erfüllung gefreut, manches bedeutsame Wort klingt mir noch nach, und
außerdem hab ich durch Sie einen neuen Dichter werten gelernt — Mombert — alles in allem eine schwere Ernte für den kurzen Winternach-
mittag.

Er hat aber noch eine andere Bedeutung, welche ich in Kürze verraten
will: eine neue Nuance in Ihren Liedern ist mir durch Ihre Persönlichkeit
erklärt und verdeutlicht worden; u. zw. kann ich Stellen, welche ich früher
gern flüchtig überlas, weil ich etwas mir Fremdes oder Feindliches in ihnen
argwöhnte, nun anders begreifen, und die Furcht vor ihrer Tiefe ist vorbei.

Und daß ich diesen Erfolg mitgenommen, ist mir die größte Freude.

Dabei fällt mir ein, daß Sie von meinen anderen größeren Gedichten, die
in meiner Lade wohnen, nichts wissen; bitte, lesen Sie doch mal eines, z. B.

197

das beiliegende: Der erste Gott, und sagen Sie mir gelegentlich etwas darüber.

Darauf freu ich mich nun, ähnlich, wie ich mich dem gestrigen Nachmittag entgegengefreut habe.

In herzlicher Verehrung:
Rainer Maria Rilke.

Rainer Maria Rilke an Richard Dehmel [67]

Prag II, Pflastergasse No. 1003/5, am 6. März 98.

Lieber Richard Dehmel,
ich glaube, das muß ich Ihnen gleich erzählen. Ich wurde in meine Heimat zu einem Vortrag eingeladen. Ich wählte, was mir lange am Herzen lag: Moderne Lyrik. Nun es war gestern ein unerwartet großer Erfolg. Zwei Stunden sprach ich vor den gespanntesten Mienen. Ich halte es für notwendig, erst über Lyrik zu sprechen, ehe man Proben vergeudet. Ich sprach mich ganz leicht und ledig. Und meine Behauptungen von Wesen und Wert unserer Kunst, die ich an den hervorragendsten Vertretern erklärte, wurden nicht zum wenigsten gestützt durch die Gedichte, die ich »Weib und Welt« entnahm. »Der Aufstieg« fand lauter Lauscher. Es freut mich so: meiner Heimat Liliencron und Falke und Sie verkünden zu dürfen. Und gestern hab ich gesehn, *der Menge gegenüber:* sie sind *gar nicht verstockt;* sie wollen hören und glauben!

Das freut mich so. Und aus dieser Freude strömt der Brief, der Ihnen Liebe und Treue bringt

Ihres Rainer Maria Rilke.

Der Vortrag erscheint später als Essay, Sie erhalten ihn dann!

Rainer Maria Rilke an Richard Dehmel [68]

Paris, 3, rue de l'Abbé de l' Épée,
am 20. Januar 1903

Verehrter Herr Dehmel,
ich war an der bretagnischen Küste und fand Ihre Karte eben erst in Paris vor, wohin sie mir gefolgt war.

Es ist lieb, daß Sie noch einmal an mich gedacht haben; indessen ich habe auch jetzt nichts, gar nichts. Sie wissen, wie gerne ich Ihnen etwas gegeben hätte.

Aber ich wollte Ihnen in einer anderen Sache schon seit Wochen schreiben. Ich erinnere mich, daß Sie mir im August vorigen Jahres (als ich eben im Begriff war, abzureisen) nach Westerwede einen Aufruf schickten und mir rieten, einer Vereinigung gegen unbefugten und unbezahlten Abdruck von Gedichten beizutreten. Über Abreise und Ankunft habe ich meine Beitritts-Erklärung abzugeben versäumt, und nun weiß ich gar nicht mehr, wohin diese zu richten gewesen wäre.

Mir ist aber der Beitritt zu dieser Vereinigung und Ihre Hilfe nun herzlich nötig; denn mir ist arge und ärgerliche Unbill widerfahren. Ein wahrscheinlich allgemein gefürchteter Pfarrer aus dem Odenwald, Karl Ernst Knodt mit Namen, hat in einer Anthologie »Wir sind die Sehnsucht« (Verlag von Greiner und Pfeiffer, Stuttgart) zehn Gedichte aus meinen Büchern ohne leiseste Anfrage abgedruckt. Diese »Liederlese moderner Sehnsucht« ist von solcher Abgeschmacktheit und Armseligkeit, daß ich mich schon aus diesem Grunde auf jeden Fall gegen den groben Mißbrauch meiner Verse wehren möchte. Zudem hat der Herausgeber über Gedichte, die keine Überschrift trugen, Titel nach seinem Gutdünken gesetzt, — eine ganze Reihe unglaublicher Eigenmächtigkeiten, unter denen meine Lieder leiden.

Ich habe seit Jahren niemals Beiträge zu allen den sogenannten Anthologien hergegeben, weil ich sie für schädliche Einrichtungen halte, — aber, als ob er es wüßte, hat dieser rührige Seelen- und Sehnsucht-Sorger sich selbst bedient.

Vielleicht nehmen Sie meine Beitritts-Erklärung entgegen und vermitteln meine Klage der Vereinigung; oder aber Sie sagen mir mit ein paar Worten, an wen ich mich in dieser Sache zu wenden habe.

Verzeihen Sie meinen Anspruch an Sie, und nehmen Sie alle Grüße meiner aufrichtigen Ergebenheit:

Rainer Maria Rilke.

Nachschrift: Der Titel des Buches lautet: *Wir sind die Sehnsucht*, Liederlese moderner Sehnsucht. Ausgewählt von Karl Ernst Knodt. (Druck und Verlag von Greiner u. Pfeiffer, Stuttgart.)

Luise Dehmel

Richard Dehmel an Luise Dehmel [69]

Rantum, 12. 7. 99.

Mein liebes liebes Mutterherz!

Ich schreibe Dir schon heute zu Deinem Geburtstag, weil ich morgen von hier weiterreise und wahrscheinlich 8—14 Tage unterwegs sein werde, bevor ich anderswo festen Aufenthalt nehme. Paula hat mir zwar vor einiger Zeit geschrieben, daß Ihr nun nichts mehr von mir wissen wollt, liebe Eltern; aber ich glaube, Ihr werdet mir den Rücken nicht zukehren, wenn ich mit kindlicher Bitte auf Eure Schwelle trete. Ich hab ja auch wirklich nichts Böses getan. Ich verlasse ja Paula nicht einmal aus eigenem Vorsatz, sondern auf *ihren* Wunsch, und zwar in *völligem Frieden* mit ihr. Daß ich mich nach wie vor um meine Kinder kümmern werde und auch mit Paula stets im Zusammenhang bleiben werde, ist doch selbstverständlich. Ihr müßt nicht meinen, daß ich mich wie ein Don Juan in irgendein Liebesabenteuer verrannt habe oder mit einer gewissenlosen Allerweltsdame durchbrennen will; sondern ich habe nach *jahrelangen* schweren Herzenskämpfen erkannt, daß es von Grund aus eine *Lüge* wäre, wenn ich mit Paula noch länger leben würde, nachdem ich mit Leib und Seele — je länger je mehr — dieser andern Frau ans Herz gewachsen bin durch eine Schicksalsfügung, der sich kein Mensch entziehen kann. Wer Ähnliches nicht erlebt hat, der möge Gott dafür danken, aber nicht ein Gefühl verdammen, dessen schmerzhafte Gewalt er nie an sich selber erfahren hat! Ich würde mich doch sicher nicht so monatelang in Einsamkeit und Fremde herumdrücken, geschweige all mein Eheglück zum Opfer bringen, wenn sich's für mich nicht um mein *ganzes Lebens*glück handelte. Und daß die Frau, der ich mich anvertrauen will, genau so ernst wie ich empfindet, das könnt Ihr mir schon glauben! Ich bin kein grüner Junge mehr, der eine Perle für einen Rheinkiesel weggibt; es muß schon *wirklich* ein Diamant sein. Daß sie, verhärtet durch eine schwere Enttäuschung in ihren Mädchenjahren, sich nach landläufiger Sitte an einen ihr gleichgültigen Mann verheiraten ließ, hat sie bereut und gebüßt genug; sie tut jetzt *alles*, um dies unwürdige Verhältnis zu lösen. Mögen sie andere verurteilen nach Belieben; mir hat sie ihr Innerstes geöffnet, und das ist *reinste Hingebung* für mich. *Nichts* gibt es, was sie nicht für mich hingeben würde oder schon hingegeben hat.

— — Ich wollte alle ehelichen Pflichten gegen Paula — bis auf die eine, die mir jetzt wider die Natur ginge — nach wie vor erfüllen: da Paula damit nicht zufrieden war, mußte ich eben gehen. Sie hat es jetzt in der Hand, nach der tatsächlich vollzogenen Scheidung sich auch formaliter von mir scheiden zu lassen, und da wir wie gesagt in voller Freundschaft auseinandergegangen sind, so sehe ich nicht ein, wieso wir uns deswegen in Haß und Zwietracht stürzen sollten; schließlich ist eine Ehescheidung doch kein so furchtbares Ereignis. Ich würde ihr Zeit meines Lebens dankbar sein, wenn sie mir jetzt, da ich nicht mehr ihr Hausgenosse sein darf, die *ganze* Freiheit gäbe, und mir ermöglichte, nun auch die andere Frau, die nun doch einmal meine Frau *ist,* mit meinem ehrlichen Namen zu decken. Und ich bin Kind genug, liebe Eltern, um mich der Hoffnung hinzugeben, daß Ihr auch *sie* dann als Tochter willkommen heißen werdet. Sie hat es wirklich *verdient* um Euren Ältesten! Sie ist mir einfach unentbehrlich, sogar für meine künstlerische Lebensaufgabe!

— Ich bitte Dich *herzlich,* lieb Mutterherz, und fasse Dich bei der Hand, lieber Vater: schenkt mir zu Mutters Geburtstag die Freude, daß ich mich nicht als verstoßener Sohn auf meinen neuen Lebensweg begeben muß! Ich bin zwar kein Waschlappen, der dran kaputt gehen würde; aber tut's Eurem Fleisch und Blut zu Liebe! und weil's schon sowieso genug Leid in der Welt gibt! Schreib mir *bald* ein paar Zeilen, lieb Mutting — es ist möglich, daß ich auf meiner Reise über Berlin fahren muß, vielleicht noch in diesem Monat, und ich möchte doch nicht so nahe an Euch vorüberfahren, ohne noch einmal, bevor ich ins Ausland gehe, in Eure Augen geguckt zu haben. Und möge der Himmel uns später ein sorgloseres Wiedersehen bescheren und das kommende Lebensjahr Euch weniger Herzeleid durch Eure Kinder bereiten als das vergangene.

Innigst Euer Richard.

Else Lasker-Schüler

Else Lasker-Schüler an Richard Dehmel [70]

9. 2. 1903, Berlin-W.,
Uhlandstraße 173-174, Garten.pt.

Meister!

Das sind Sie, und ich wandte mich schon vor Zeiten an Sie, als mein Buch erschien.

Sie schrieben mir, daß Sie mein Buch bei Ihrem Umzug (gen Welt) verloren hätten. Da erlaube ich mir, Ihnen noch einmal mein Buch zu senden, und vielleicht haben Sie Lust, die Gedichte zu lesen.

Ich habe Ihre Gedichte stets nur bei Freunden oder in Buchhandlungen gelesen, wenn zu meinem Glück der Verleger noch nicht zugegen war. Ich träume nämlich schon seit sieben Jahren von den Mageren Kühen.

Lieber Meister, wie welttief und stark Sie sind, weiß gewiß keiner, auch von dem großen Heer Ihrer Verehrer nicht.

Sie erfassen die Fluchtseelen und wärmen sie.

Man findet in Ihren Gedichten Heimat, und die Welt ist so heimatlos, und da die Menschheit sucht, findet man auch keine in ihnen, höchstens eine Weißbierherzgrube im Menschtum.

Ich habe seit Kind auf gemalt, habe mich dann mit einem Plebejerzigeuner verheiratet, der Tag und Nacht in verräucherten Cafés gespielt hat.

Nun bin ich aber wieder frei, habe mein Leben der Kunst ganz gegeben, und da bitte ich Sie, mich nicht ganz zu übersehen.

Ich habe schon als kleines Kind viel gedichtet, aber ich habe dann gewaltsam alles mit dem Pinsel hinschreiben wollen.

Dr. Jacobowski druckte die ersten Sachen von mir, und so ging es vorwärts. (Die Kultur nahm jetzt auch Sachen von mir.) Ich bekam teils sehr gute Kritiken und eine große Zahl hinrichtender. Aber ich lebe noch —

Ich war vor Wochen in Hamburg und hätte Sie zu gerne besucht, Meister, aber ich wagte es nicht.

Ich hätte Ihnen zu gern mündlich einen Wunsch ausgesprochen, aber ich wußte nicht wie.

Nun lege ich ungedruckte Gedichte ein, lieber Meister, und ich wünschte mir, daß Sie sie mit ein paar Worten Herrn Prof. Bie (Neue Deutsche Rundschau) einsenden. Natürlich nur *dann,* wenn sie Ihnen *besonders* gefallen und Sie es gerne tun, auch mit dem Bewußtsein, daß eine Prinzessin Sie darum bittet, Meister.

Ich bin Ihre Verehrerin, Ihr wildester Jünger, — wie Sie meine Sachen auch beurteilen werden.

Else Lasker-Schüler.

Else Lasker-Schüler an Richard Dehmel [71]

19. 2. 1903

Verehrter Meister.

Selbstredend hätte ich mich schon lange für Ihre Gedichte bedankt — ich war sehr beglückt und doppelt frei, als ich sie las.

Die erste Begierde hat mein Freund komponiert mit noch einigen Ihres Buches. Ich verstehe technisch gar nichts von Musik, aber die Kompositionen wirken grandios auf mich.

Überhaupt sind seine Kompositionen angestaunt, angeprügelt und beneugiert hier. — Er führt die Gedichte in die Heimat.

Ich wollte, Sie würden diese Musik einmal hören, sie ist vom Allerersten, vom ersten Rhythmus, wie auch Ihre Gedichte sind, lieber Meister. —

Halten Sie mich bitte nicht für eine Schwärmerin mit romantisch verglotzten Augen und mit einer schwimmenden Seele. Ich sage doch nie »himmlisch« oder gar »o, wie süß«…

Daß ich Sie verehre, geschieht aus tieferem künstlerischen Verständnis oder besser gesagt Empfinden.

Oder wollten Sie mich ein für allemal vom Hals haben, oder verdrießt es Ihr Gemahl, daß ich Sie künstlerisch verehre? —

Ihre Portraitskizze gibt Sie jedenfalls nicht wieder. Darin entdecke ich weder Herbheit noch Güte noch die Kindlichkeit, die Ihnen gewiß nicht fehlen wird. Die Züge sind schmerzhaft verzerrt. Ich habe Sie nie gesehen — aber der Künstler muß die Seele malen.

Sie müssen Ähnlichkeit mit der des Malers Munch haben, trotzdem ich ihn auch nur von Bildern her kenne — auch mit Klinger. Sein Liszt gefiel mir am tiefsten, es ist der königlichste Vogelkopf, den ich sah.

Kennen Sie gewiß auch Fidus, Meister. Er zeichnete den Deckel meines *Styx*. Daß Ihnen das Sterbelied gefiel, hat mich beglückt, aber daß Sie von erdachten Bildern in Evas Lied schreiben — ist mir unklar — da ich nie denke und viel zu dämlich bin. Ich hatte von jeher einen Strohkopf. Unbrauchbar schon in den Schulen — und ich mit schönen Worten verzieren. — Wanderte durch die Welt, wie ich Ihnen schrieb, Jahre, Jahre durch die Wüste — und nahm auch diese Farbe an, diese müde, heiße Farbe. Sehen

Sie, so wandern Karawanen mit ihren Lasttieren, mit ihren Kamelen über mich. Ich rege mich nicht. Ich langweile Sie, lieber Meister.

Aber wenn Ihr wieder von mir etwas lesen möchtet, Skizzen, Erlebnisse — (Peter Hilles Skizzen von mir) so schreibt mir bitte. —

Lieber Meister! Else Lasker-Schüler.

Else Lasker-Schüler an Richard Dehmel [72]

Halensee-Berlin, Katharinenstr. 5 (Garten Hochpt.) [ohne Datum]

O, du dunkler Kiefernfürst.

Ich bin Tino von Bagdad und liege meist auf dem Dach und denke an deine Gedichte. Du bist der einzige, der außer mir dichten kann, der Blut zaubern —, der Tag und Nacht bereiten kann, der überhaupt ein Dichter ist. Nun steht jeden Abend der Papst der Sterne am Himmel, der Komet mit seiner funkelnden Schleppe. Es ist so leicht nun, sich zu begeistern an den Abenden, und da du ja schon einen Sprühfunken begeistert bist, so schreibe einige Worte über Jethro Bithells Buch, das schön ist, der *selbst* wohltuend zu schauen ist. Ich habe sein Bild. Ich werde später etwas über ihn sagen in Sternen und Zeichen. Tust du's, lieber Fürst? Ich bitte dich darum, zumal der Earl von Manchester für dich *schwärmt*.

(Er weiß um diesen Brief nicht, verrate mich nicht, lieber Fürst!)

Tino von Bagdad (Else Lasker-Schüler)

Frau Engelein besuchte ich lange nicht, ich glaube, sie ist ja in Italien, aber dein lieber, lieber Sohn Heinrich mit dem vielen glücklichen Lächeln im Gesicht — er war vor einigen Tagen bei mir zum Tempelfest. Und Vera, Prinzessin und Liselotte sind wohl nun in Hamburg? Ich verehre Dich in *Wirklichkeit*. Deine Gedichte! Immer wenn hier bei uns Konzert ist, spielt Goldwarth deine Lieder, die bewundert werden.

Jakob Wassermann

Richard Dehmel an Jakob Wassermann [73]

Blankenese, 9. 9. 06.

Lieber Wassermann!

Ich habe Dein Jugendwerk mit großer Ergriffenheit gelesen. Du gehst darin mit so geradem Schritt auf die Natur los, menschliche Natur und über- oder untermenschliche, daß mir Deine kunstvolleren Dichtungen jetzt fast wie Um- und Abwege vorkommen. Nur im Grammont (der ist mir nämlich die eigentliche Hauptperson in der »Clarissa Mirabel«) dienen die Kunstmittel wieder derselben unmittelbaren Naturkraft; da sind Kunst und Natur wirklich harmonisiert. Ich glaube, Du wirst aus den romantischen Kasematten der Historie schließlich doch wieder ganz und gar auf den urwüchsigen Ackerboden der Gegenwart zurückkehren; es steckt ja auch darin genug verwunschene Vergangenheit, und sicher mehr wünschenswerte Zukunft, und ebensoviel Ewigkeit. Du bist kein ästhetischer Alchimist. Deine Mystik ist die des Hirten und Jägers der kriegerischen Bauernvölker. Ich weiß nicht, ob ich Dir's schon gesagt habe: wenn ich Dich ansehe, Deine ganze gedrungene Gestalt und mutigen Augen, muß ich immer an den Propheten Micha denken. Es ist der, der gesungen hat: »Und Du Bethlehem Ephrata (das wird wohl sein Geburtsort gewesen sein), die Du klein bist unter den Städten in Juda, aus Dir soll mir kommen der Held, der in Israel Herr sei, welches Ausgang war von Anfang und von Ewigkeit.« *Lies* mal seine sieben Kapitel; der hat sicher hinterm Pflug gedichtet. Merkwürdig ist, daß ich mich mit dem Schluß der »Juden« ebenso wenig befreunden kann wie mit dem des Grammont; zu willkürlich, nicht unerbittlich genug, ich möchte fast sagen — großstädtisch angehäuchelt. Ich glaube, wenn Du in Deiner Heimat geblieben wärst oder sonstwo mehr auf dem Lande lebtest, würdest Du diesen Schluß nicht geschrieben haben; dadurch schrumpft die wunderweit schweifende Nomadenseele des Agathon, der man eher ein Lebensende wie das des »Predigers in der Wüste« zutraut, zu einem kleinstädtischen Gernegroß zusammen. Darauf ist man grade bei dieser Gestalt (Gott sei Dank! muß ich bekennen) nicht im mindesten vorbereitet. Du hast zwar überhaupt Deiner Rasse ein bißchen reichlich die Leviten gelesen, aber aus alledem spricht doch eine starke Liebe zu der ursprünglichen unverwüstlichen Kraft, die selbst noch in den Gebeugtesten dieser fluchbeladenen Sippschaft ihr altes ahasverisches Wesen treibt; warum da gerade die Hauptgestalt, den echt messianischen Ausnahmemen-

205

schen, so ins Schwächliche abfallen lassen? — Daß ich die ganze Rassentheorie für einen Fehlschluß post propter halte, mit dem wohl ein genereller Beharrungszustand physiologisch erörtert werden, aber niemals ein individueller Entwicklungsvorgang psychologisch begründet werden kann, vor allem keine Ausnahme von der Regel, und grade durch die Ausnahmen geht doch alle Lebensentwicklung vor sich, alle Bildung *neuer* Regeln: das habe ich Dir früher schon mal angedeutet und können wir mündlich mal näher besprechen. Aber sag mal: bist Du noch nie auf die Idee gekommen, eine neue Art *Ballade* zu schreiben?! Ich meine, Du hättest das Zeug dazu. In dem »Vorspiel« zu den Zirndorfern sind wenigstens ein halb Dutzend Stellen, wo man den Satzbau nur rhythmisch zu ordnen brauchte, um richtige Balladenstrophen zu bekommen, im Kolorit wie in den Motiven. Auch darüber hoffentlich bald einmal mündlich. Mit herzlichen Grüßen, auch an Frau Julie und von Frau Li.

Dein Dehmel.

Jakob Wassermann an Richard Dehmel [74]

Wien XIX Grinzing, Feilergasse 5, den 17. 9. 06.

Mein lieber Dehmel, Dein Brief hat mich tief erfreut. Er ist, wie eben Du bist: warm, wahr und groß. Deine Worte gehen mir immer unmittelbar ins Herz, und ich habe meist, wenn ich so einen Brief ausgelesen, die Empfindung: also schleunigst hinreisen und mit ihm reden. Aber es ist, räumlich, doch verteufelt weit.

Mit dem Schluß der »Juden von Zirndorf« muß ich Dir recht geben; ich hatte an eine Änderung gedacht, konnte aber nicht, und zwar aus folgendem Grund. Die Agathon-Gestalt spielt in der »Renate Fuchs« noch eine Hauptrolle; Agathon findet dort ein Ende, und zwar gerade das Ende, das Dir vorgeschwebt hat und das Du andeutest. Ich will Dich nicht ermuntern, es zu lesen, denn, so schön die Figur auch herauskommt und, ideell genommen, ihre Bahn vollendet, so sehr ist sie andrerseits ein Gott aus der Maschine und wird vielleicht dem reifen Mann ein nicht ganz von Sarkasmus freies Befremden erwecken. Wenigstens scheint es mir heute so. Ich will auch da mal verändernd dreinfahren, wenn Zeit und Gelegenheit sich bieten. Freilich ist in dem Judenroman selbst die Heirat mit Monika eine Mesquinerie, aber ich durfte doch das spätere Geschehen nicht desavouieren, da sich beide Romane mir einst als ein geistiges Ganzes darstellten. Immerhin gibt das »laß sie erst reif sein« einen Ausblick — und ist das Vorherige nun wirklich »großstädtisch angehäuchelt«? Ich glaube nicht, ich denke eher kleinstädtisch. Aber vielleicht kommt beides auf eines heraus, jedenfalls war ich damals, als ich das Buch schrieb, noch naiv und arglos, niemals »Schriftsteller«, immer im Grunde Märchen- und Geschichtenerzähler.

Du sagst, dem Buch gegenüber erscheinen Dir die kunstvolleren Dichtungen von mir wie Um- und Abwege. Das begreife ich außerordentlich gut, und ich müßte Dir mal mein ganzes Leben erzählen, — was ich ungern tue, weil es anstrengend ist und weil man es ja unter allen möglichen Formen beständig mit sich herumträgt und verarbeitet, — damit Du einen Einblick gewönnest, auf wie mühevollen, verschlungenen Wegen, wahren Schleich- und Schmuggelwegen, ich überhaupt zur »Kunst« gekommen bin. Ich stak von Anbeginn so voller »Leben« — laß mich's so nennen — Lebensdrang, -sehnsucht, so voll Bildern, in einem solchen Wust von allzu nahen Visionen, daß mir das alles in der verderblichsten Weise über den Kopf zu wachsen drohte. Ich war fortwährend am Bersten wie ein überheizter Kessel, taumelte wie ein Erblindeter dahin, ohne Führung, ohne Muster, ohne Vorbild, ohne rechtes Zutrauen ganz und gar dem Instinkt überlassen. Daß bei alledem an den Tag gekommen ist, was eben da ist, das ist für mich heute noch ein Wunder. Mit einem Wort, ich brauchte die »Kunst«, sie war mir Zügel, Möglichkeit der Beschränkung, der Einkehr, der Ruhe. Ich brauche nicht ausführlicher sein, Du wirst mich verstehen. Jetzt denke ich wohl, daß ich wieder »Leben«, »Natur«, oder wie immer Du es nennen willst, suchen, formen kann und werde. Es fragt sich nur, ob noch derselbe Überfluß vorhanden ist wie ehedem. Nur kein Suchen, alles muß Fülle sein.

Sicher ist, daß das, was Du »Historie« nennst, für mich ein Weg zur »Kunst« war. Aber habe ich mich dabei wirklich in »romantische Kasematten« geflüchtet? Ich weiß nicht. Ist in »Johanna von Castilien« nicht doch mehr moderne Seele und Gegenwart als in einem Auerbachschen, will sagen Frenssenschen Bauernfrack? Muß denn das Kleid allzu ordentlich sein? Zugeben will ich allerdings, daß mich das Fremdartige einer Zeit und das Farbige eines Milieus ungeheuer lockt, aber ich habe bei alledem nicht das Gefühl, der sogenannten Gegenwart ferner zu sein als etwa der Dichter einer echten historischen Tragödie. Nun lernst Du auch mal meine Anmaßung kennen.

Du fragst, ob ich nicht Lust zu Balladen habe? Nein, ganz und gar nicht. Der Vers an sich schwächt mich und beraubt mich meines Fundaments, daß aber viele Stellen meiner Prosa sich rhythmisch fügen lassen, weiß ich wohl, und es ist oft geradezu mein Bestreben, dem Stil Melodie zu verleihen, das (wenn ich so sagen darf) Gesangliche dem Gesagten gegenüberzustellen und eines aufs andere abzuformen und abzuschattieren. Darüber ließe sich gewiß einmal gütlich plaudern, wie ich denn stark darauf rechne, Dich zwischen erstem und 10. November in Berlin zu sehen. Ist es eine vergebliche Hoffnung?

Sei indessen herzlichst gegrüßt und grüße auch Frau Isi von Deinem getreuen

Jakob Wassermann.

Julie grüßt ebenfalls vielmals.

Richard Dehmel an Jakob Wassermann [75]

Berlin, 21. 10. 10.

Lieber Wassermann!

Ja, es wäre wohl gut, wenn wir uns bald mal wiedersähen; besonders (verzeih mir die Offenheit) für Dich! Welch ein Ton der Gehässigkeit hat sich plötzlich bei Dir eingenistet! Nicht etwa der übliche Menschenhaß; sondern, was noch viel unfruchtbarer ist, mit Selbstpeinigung verquickt. Man hat das Gefühl, daß Du immerfort in Dorngestrüpp greifst, nicht um es kurzerhand auszureißen, sondern um Dir mit langsamer Wollust die Stacheln selber ins Fleisch zu treiben. Deine Widmung vor dem »Erwin Reiner«, über die ich mich anfangs (»Richard Dehmel dem *Freunde*«) ganz naiv gefreut hatte, war mir nach der Durchlesung dieses schändlichen Freundschaftsabenteuers so unerträglich, daß ich das Blatt herausgeschnitten habe. Und den gleichen unleidlichen Nachgeruch hinterließen mir Deine Vivisektionen an dem unseligen »Literaten«. Wärst nicht Du der Verfasser gewesen, hätte ich's garnicht zu Ende lesen können. Was soll denn diese Durchhechelung der raffinierten Impotenz! Laß doch den Leutchen ihr Vergnügen, das ihnen ohnehin schmerzlich genug ist! Und falls Dir manchmal die nämliche Laus an der Leber frißt, mußt Du Dir drum die ganze Leber ausschneiden? Es gibt heute viel stärkere Teufeleien, an denen man göttliches Faustrecht üben kann, wenn durchaus geprügelt werden soll. Also komm mal her und laß Dir den Kopf waschen! Also jedenfalls auf heftiges Wiedersehn.

Dein Dehmel.

Wien, den 23. 10. [1910.] – XIX/4, Feilergasse 5

Lieber Dehmel, es war mir seit langem nicht etwas so schmerzlich wie
Dein heutiger Brief. Ja, ich empfinde ihn, abgesehen von der tiefen Ver-
stimmung, die er mir erregt hat, als etwas, was durch Meinungsaustausch
gar nicht aus der Welt zu schaffen ist, so wenig, wie wenn von zweien der
eine behauptet, er habe nachts einen bösen Traum gehabt, und der andere
bestreitet es nicht nur, sondern will ihm auch deswegen »den Kopf waschen«. Von keinem lieber ließe ich mir den »Kopf waschen« als von Dir,
aber zuvörderst müßte ich doch überzeugt sein, daß Schmutz darauf liegt.
Du sprichst von dem Roman als von einem schändlichen Freundschafts-
abenteuer, gesetzt, daß er sonst nichts wäre, – daß er für Dich nichts anderes sein kann, tut mir leid, aber ich muß es hinnehmen, – mußtest Du
darum schon das Widmungsblatt herausschneiden? Darum? Du knüpfst
also ein allgemein Betrachtetes, Figurales eng und richtend an Dein persönliches Verhältnis zu mir? Ich würde es noch verstehen, wenn ich meinen
Helden, statt ihn zu justifizieren, glorifiziert hätte; würde es verstehen,
wenn es etwas allgemein Anzügliches, Frivoles, das Freundschaftsgefühl
Verdächtigendes hätte und nicht das normale, so häufige Erlebnis wäre, in
dem der naive Jüngling gegen den raffinierten Routinier unterliegt. Deine
Handlung erscheint mir wie die eines Mannes, der sich scheiden läßt, weil
etwa seine Gattin eine Dichtung verfaßt hat, worin ein Ehebruch den bloßen Vorwand abgibt, sowohl die Niedrigkeit wie auch den Heldenmut und
die Widerstandskraft menschlicher Charaktere darzustellen. Eine Folgerung, die mir seltsam aufregend und ungeheuerlich erschiene.

Es ist schwer, wenn nicht unmöglich für mich, etwas zur Verteidigung
meines Buches vorzubringen. Ja, es verteidigen zu sollen, ist schon Qual
genug, nun erst: Gründe suchen. Ich weiß, der Stoff widerstrebt Vielen, besonders Norddeutschen. Es muß da eine unüberbrückbare Verschiedenheit
in der Auffassung des Erotischen herrschen. Gleichwohl habe ich das un-
trügliche Bewußtsein, dem Zeitalter einen Spiegel vorgehalten zu haben,
denn solche Charaktere wie Erwin R. sind heut die herrschenden, solche
seelenlosen Talente, solche blendenden Alleskönner, skrupellosen Genießer,
alle diese jungen Leute, die den »Willen zur Macht« haben und keinen
Gott als sich selber, keine innere Stimme, keine Ehrfurcht, – gibt es etwas
Würdigeres für den heiligen Zorn, oder muß es direkter gesagt werden? Ist
es nicht besser, objektiv gestaltet? Nichts könnte Dir besser zeigen, daß ich
keine Gehässigkeit in mir trage, sondern daß ich ruhig war, als ich dies erzählte, so wie ich auch jetzt ruhig bin, nur manchmal, wie in meinem letzten
Brief an Dich, etwas angefröstelt von der allgemeinen Kälte unserer Welt.

Ich habe mir's ja nicht leicht gemacht. Schließlich, es sind zwei Jahre meines Lebens, die an dieser Arbeit hängen, und meine Trauer, daß ein Freund wie Du mit zwei Worten darüber hinwegzieht, mit zwei so grausamen Worten, ist mehr als begreiflich. Die Idee des Romanes liegt ja genetisch in meiner ganzen Produktion; auch hier ist das Motiv von der »Trägheit des Herzens« treibend gewesen. Und das gleiche ist im »Literaten« der Fall, der nächster Tage unter dem Titel: »Mythos und Persönlichkeit« im Insel-Verlag erscheint und den Du als Ganzes vielleicht besser goutieren wirst. Es handelt sich dabei nicht nur um Negatives, sondern um ein wesentlich Positives. Der »Literat« war mir im Anschluß an »Erwin Reiner« fast notwendig zu schreiben, und ich sehe im Typus des Literaten weit mehr als nur den Schriftsteller, der nicht Dichter ist; ich sehe unsere ganze Zeit unter dem Bann des Literaten, des »Fachmannes«, des Spezialisten. Der Literat ist mir der Mensch ohne Religion schlechtweg, der Ungläubige, der Insichbeschlossene. Ich kann wiederum nicht einsehen, daß es heute Dinge gibt, die mehr wert sind, besprochen oder analysiert zu werden. Aber wie dem auch immer sein mag, jetzt bin ich frei, all das ist von der Seele gesunken, und ich sehe weniger von *Zwecken* beschwert in die Zukunft. Ich strebe zu einer reineren, höheren, naiveren Welt und glaube, daß ich Dir von nun ab wieder Freude machen werde. Es wird eben immer wieder Tag und Nacht, Abend und Morgen auch im Leben eines Geistes, und gerade in den Dämmerungsstunden hat man, wie die Kinder, das lebhafteste Bedürfnis nach Freundeswort und -billigung. Glaube mir, daß ich keineswegs verbittert bin, jetzt weniger als je. Man kann unmöglich bitter sein, wenn man noch große Aufgaben vor sich sieht. Und auf deren Vollbringung wollen wir eins trinken, wenn wir wieder beisammen sitzen.

Dein
Jakob Wassermann.

Richard Dehmel an Jakob Wassermann [77]

Berlin, 27. 10. 10.

Aber Lieber!

Muß man denn gleich »Schmutz« auf dem Kopf haben, um ihn sich mal waschen zu lassen? Kann es nicht einfach zur Erfrischung geschehen oder um sich den sauren Schweiß von der Dichterstirn spülen zu lassen? Und muß ich Dir wirklich erst ausdrücklich sagen, daß derlei Säure sehr edel sein kann, selbst wenn sie einem Freunde unlieblich duftet? und daß ich überdies auch lieblichere Düfte aus Deiner Kopfhaut aufsteigen spüre? Das sollte Dir selbstverständlich sein!

Du beschwerst Dich, daß ich »mit nur zwei Worten« über dein Buch »hinwegziehe«, das mir antipathisch ist. Mir scheinen diese zwei Worte schon zuviel; ich hätte sie Dir nicht geschrieben, hättest Du mich nicht gefragt. Das ist es ja grade, was mich verdrießt an Deinen letzten Arbeiten, daß Du »zwei Jahre Deines Lebens« damit verbracht hast, viel Wesens aus Deinen Antipathien zu machen. Nicht Deine Tendenz als solche war mir unleidlich; im Gegenteil, Du hast sehr recht. Aber daß Du Dich so damit abgequält hast, wie ein Flagellant, der die Sünden der Welt am eignen Fleisch glaubt kurieren zu müssen, das war mir einfach schauderhaft. Um so herzlicher freut es mich, daß Du Dich jetzt »frei« von alldem fühlst. Gewiß doch: solche Pferdekur hält auf die Dauer kein Reiter aus. Wer so lospeitscht auf die Trägheit des Herzens, der muß wohl schließlich dahinter kommen, wie ungeheuer rührig das Herz doch ist! Und darauf wollen wir in der Tat eins trinken bei unserm nächsten Wiedersehn!

Dein Dehmel.

Hans Carossa

Hans Carossa an Richard Dehmel [78]

Passau, 22. 11. 06.

Ew. Hochwohlgeboren!
Hochverehrter Herr!

Nehmen Sie die Zusendung dieser Gedichte für nichts als den Ausdruck des wahrsten tiefsten Dankes für das, was Sie mir für die Festigung und Entwicklung meines von Natur unsicheren Charakters geworden sind. Ich bin Arzt in einer kleinen bayrischen Stadt und bin glücklich, daß ich morgen trotz des hohen Krankenstandes meine Praxis werde verlassen und nach München fahren können, um Sie zu sehen und die wunderbaren ewig lebendigen Worte Ihrer Dichtung von Ihnen selbst zu hören. Ich segne mich dafür, daß ich in *einer* Zeit mit Ihnen lebe, ich möchte Ihr Jünger sein.

Dr. H. Carossa.

Richard Dehmel an Hans Carossa [79]

Blankenese, 28. 11. 06.

Lieber Herr Carossa!

Ich hatte mich sehr darauf gefreut, Sie in München nach meinem Vortrag zu begrüßen; aber Sie waren nicht zu entdecken. So muß ich Ihnen denn schriftlich für Ihren Brief danken, dessen herzlicher und geistiger Inhalt mir unvergeßlich bleiben wird. Daß Sie sich meinen Jünger nennen, würde ich mir sehr gern gefallen lassen, wenn nicht in Ihren Gedichten eine so eigenstarke Anschauung des Daseins lebte, daß derlei scholastische Titulaturen zwischen uns hinfällig werden. Ich selber hoffe nie so zu altern, daß ich nicht immer noch von den Jüngeren lernen könnte. Es würde mich freuen, wenn ich bald ein ganzes Buch von Ihnen zu sehen bekäme, und hoffentlich sehen wir uns dann auch einmal von Angesicht zu Angesicht.

Ihr Dehmel.

Hans Carossa an Richard Dehmel [80]

Passau, 1. Januar 1907

Lieber Herr und Meister Richard Dehmel,

Ihnen und allen, die Ihnen nahe sind, wünsche ich ein besonders glückliches und klares Jahr.

Seit 7 Jahren kenne ich Sie nun aus Ihren Werken, und in dieser Zeit ist nichts von Ihrer Hand erschienen, was ich nicht mit voller Hingebung gelesen hätte. Es gibt keinen Dichter, der so viel mit wenigen Worten zu sagen weiß wie Sie; aber Sie sind nicht nur der formgewaltigste Dichter, sondern auch der menschlichste Mensch unserer Zeit; dies ist wohl der Grund, warum Ihre Dichtungen eine so befreiende Kraft haben, und dafür Dank und die Liebe aller Herankommenden.

Die beiden Karten lege ich Ihnen nur bei, um mich über den Besuch Ihres Vortrags zu »legitimieren«. Die zwei kleinen Gedichte sind schon irgendwo veröffentlicht, es hieß aber statt »an R. D.« — an einen Großen. Der Morgengang stammt aus der letzten Zeit.

Stets Ihr
H. Carossa.

Richard Dehmel an Hans Carossa [81]

Blankenese, 3. 1. 07.

Lieber Dichter Carossa!

Jetzt möchte ich Sie fast schelten, daß Sie sich mir in München vorenthalten haben. Die besten Menschen sind von Natur schon einsam genug, daß sie sich nicht noch künstlich voreinander verstecken sollten. Aber Ihre Gedichte sind so schön, daß ich Ihnen jede Sonderlingslaune dafür verzeihe. Ich fand Ihren Brief gestern spät abends beim Nachhausekommen, und das wundervolle kleine Sternenlied nahm mich so hin, daß ich trotz einer schändlichen Erkältung auch noch den langen »Morgengang des Künstlers« stante pede in dem kalten Hausflur las. Hat mir auch nicht im geringsten geschadet; bin sogar heut den Husten fast los. Ich war ganz mit hinaufgeführt in Ihre hohe Einsamkeit, und es gibt wenige Landschaftsgedichte (auch Goethische nicht ausgenommen), in denen die sinnliche Welt und der Naturgeist so innig zur »geltenden Gestalt« verbunden sind. In dieser innigen Verbindung von sinnlicher und geistiger Form steckt überhaupt wohl das Geheimnis der geltenden Gestalt, an das die meisten Künstler nur von ferne rühren. Ich wünsche Ihnen ein fruchtbares Neues Jahr!

Ihr Dehmel.

Richard Dehmel an Hans Carossa [82]

Blankenese, 5. 3. 11.

Lieber Herr Carossa!

Campagnolle schickt mir eben Ihre Postkarte mit dem Sternbilder-Gedicht und der Krankheitsbeichte. Da müssen Sie mir schon erlauben, daß ich Ihnen ein bißchen ins Handwerk pfusche. Also, Sie Lieber, ich nehme Ihre Hand und spreche: Jetzt werden Sie bald wieder gesund sein. Wie können Sie nur dran denken, nach Nürnberg zurückzugehen, in diese Dunstbudenstadt, die Sie krank gemacht hat! Wollen Sie sich mit Gewalt die Lungenpest holen? Das darf ein Mensch nicht, der solche Gedichte im Herzen trägt; es ist kein Überfluß an solchen Herzen auf Erden. Nein, bleiben Sie hübsch in Ihrem bekömmlichen Seestetten! Da ist reinliche Luft und ruhige Kleinstadt; und da haben Sie den bewegten Strom und lebendigen Wald und die ewigen Berge. Ich weiß nicht, ob häusliches Leid Sie etwa wegtreibt oder der Aufruhr der großen Welt Sie weglockt; aber ich sage Ihnen, daß jeder Aufruhr, ob Lust oder Leid, nur den dunklen Gründen unsrer eigenen Seele entströmt, und die Welt gibt nichts als das Strombett dazu. Oder wenn diese selbstherrliche Meinung nicht für alle Seelen gilt, so doch sicher für die liebreichen, die sogar aus ihrer weltlichen Drangsal noch Freiheit in die Welt hinein schöpfen. Also was wollen Sie in der großen Stadt, die »Ihnen nur andres, nicht Größeres« geben kann, als was Sie aus jedem rauschenden Baum, jedem sturmdurchwühlten Unkraut zu entnehmen vermögen! Ich habe mich sehr über Ihre Verse an Campagnolle gefreut, die ein großes Bild und hohes Gefühl so schlicht und stark zusammenfassen, daß ich mir wirklich nicht denken kann, Sie hätten auf die Dauer die schwülstigen Reizmittel nötig, mit denen Sie hin und wieder geliebäugelt haben und ohne die unsre großstadtbeflissenen Modepoeten nicht mehr auszukommen scheinen. Ich gratuliere Ihnen, Herr Sanitätsrat in spe, zur Genesung.

Ihr Dehmel.

Hans Carossa an Richard Dehmel [83]

Seestetten, 10. März 1911

Mein lieber lieber Herr Dehmel!

Unverhoffte starke Freude ist auch keine üble Medizin, und seit ich Ihren Brief erhielt, sind die letzten Fieberfunken in mir erloschen. Ich bin nun auch wirklich entschlossen, wieder in meiner Landschaft zu bleiben; aber das schöne alte Nürnberg dürfen Sie trotz allem nicht schelten! Die paar Monate, die ich mit Weib und Kind dort wohnte, gehören zu den besten meines Lebens, und ich kann nur hoffen, daß sie recht lange nachwirken. Die Praxis war noch mäßig, und das Gefühl der Freiheit, das mir im Getriebe der letzten Jahre oft ganz abhanden gekommen war, kam auch meinen Gedichten zugute: mir war, als ob mein Geist erst eigentlich erwachte.

Ja, eine tiefe tiefe Freude war mir Ihr Brief, und auch meine liebe Frau, die einige recht sorgenvolle Wochen mit mir durchlebt und mir durch ihre immergleiche Ruhe und Güte das Gesundwerden sehr erleichtert hat, erbaut sich an Ihren herrlichen Worten und ist Ihnen dankbar dafür.

Daß Ihnen das kleine Gedicht gefallen hat, soll mich aufs neue ermutigen, dem Naturgeist treu zu bleiben, nie wieder etwas erzwingen zu wollen und mich vor dem Einfachen nicht zu fürchten. Wenn jetzt wenige ohne gewisse Reizmittel auskommen, so wird dies wohl auch darin einen Grund haben, daß das Reizende erlernbar ist und nachgeahmt werden kann, während das Beschwingende, das der Geist verleiht, immer nur einmal da ist und jeden, der ihm nicht mit reinem Herzen naht, zurückweist.

Innigsten Dank! Und Ihrer verehrten Frau Gemahlin einen herzlichen Gruß!

H. Carossa.

Stefan Zweig

Stefan Zweig an Richard Dehmel [84]

VIII. Kochgasse 8 Wien, 30. Okt. 09.

Sehr verehrter Herr Dehmel, ich habe ein großes Buch über Emile Verhaeren geschrieben, das nicht nur im Insel-Verlag in deutscher Sprache, sondern auch beim »Mercure de France« in einer Übertragung von Paul Morisse erscheint. In diesem Buche ist Ihrer oft gedacht, auch zwei Strophen aus dem »Bergpsalm« zitiert, die notwendigerweise übertragen werden mußten. Ich zweifle nicht, daß Sie der Tatsache der Übertragung zustimmen — »um Lebens oder Sterbens willen bitt' ich mir doch ein Wörtchen drüber aus«.

Dieses Buch ist ein Teil der dreibändigen deutschen Verhaeren-Ausgabe, die im Frühling erscheint. Damit schließe ich ein Jahr der Arbeit, die einzig Verhaeren galt, und wende mich Eigenem zu. Hoffentlich wird dies Eigene ebenso wichtig, als es die Durchsetzung Verhaerens in Deutschland gewesen ist.

Ich warte ungeduldig auf Ihre neuen Werke, nun Sie die Fülle der Vergangenheit in definitive Form gebändigt haben. Warte in Ungeduld und Vertrauen.

In Verehrung treu
Ihr ergebener Stefan Zweig.

Richard Dehmel an Stefan Zweig [85]

Blankenese, 1. 11. 09.

Lieber Herr Zweig!

Es ist in jeder Hinsicht bewundernswert, wie Sie für Verhaeren eintreten; und Sie werden sehen, daß Sie dadurch unmerklich auch für Ihren eigenen Weg schrittfester geworden sind. Es ist ja vollkommen einerlei, an was für Aufgaben man seine Kräfte setzt, wenn's nur zu höchsten Aufgaben und nach besten Kräften geschieht. Auch ich werde noch einige Zeit für den höchsten Wert eines andern arbeiten müssen: die Säuberung des Liliencronschen Gedächtnisbildes von dem wohlgemeinten, aber übelbeschaffenen Firnis der vulgären Reklame wird mich noch mindestens ein halbes Jahr

lang beschäftigen (Sichtung des Briefnachlasses u. dergl.). Ich halte die
Zeit nicht für verloren an mir selber; denn man wird sich bei solcher Arbeit
klarer über seelische Allgemeinwerte, als wenn man sich immer bloß
mit seinen eignen Spielen und Zielen befaßt. Übrigens war es vielleicht
eine Dummheit von mir, die Poesie meiner letzten Jahre unter die Titel
meiner früheren Bücher miteinzuschachteln; infolgedessen merken die meisten
Leute gar nicht, was mir wesentlich Neues zugewachsen ist. Aber das
sagt mir wohl bloß das Bewußtsein meiner persönlichen Entwickelung, also
die liebe Eitelkeit; schließlich kommt es doch nur darauf an, was als sachliches
Werk von uns übrigbleibt.

Mit allen guten Wünschen
Ihr Dehmel.

Stefan Zweig an Richard Dehmel [86]

VIII. Kochgasse 8 Wien, 13. 1. 1910

Sehr verehrter Herr Dehmel,
   ich habe seit Tagen auf eine ganz reine und ruhige Stunde gewartet, um
Ihnen für die Gabe der Bilder und des Buches danken zu können. Sie war
schwer zu finden, diese Stunde: denn gerade jetzt, wo ich daran bin, die
Verhaeren-Ausgabe abzuschließen, bin ich — je näher der Augenblick
kommt, wo sie sich in ein Definitives verwandelt — immer unruhiger geworden,
boßle und bessere, füge ein, werfe heraus: es ist wie die Eisenbahn-
nervosität vor der Abfahrt, wo man an kleine Sorgen viel Temperament
und Zeit verschwendet. Im März sind hoffentlich alle drei Bände in Ihren
Händen.
   Ich bin sehr neugierig, wie Sie über das kritische Buch denken werden.
Es ist mir wichtig zu wissen, wie Sie es werten: denn unter meinen Plänen
steht ja seit Jahren auch derjenige, Ihr Werk einmal in einer runden Form
zusammenzufassen. Nur ging es bei Verhaeren leichter: denn trotz aller
Bewunderung gerade für seine jüngsten Werke glaube ich nicht, daß sich
der Schwerpunkt seines Schaffens noch verschieben wird. Seine Rhythmik
ist nicht mehr glutflüssig, sondern schon rein kristallisiert, sein Weltbild
definitiv. Und damit ist mein Buch gewissermaßen in sich gerundet. Während
ich bei Ihnen innerliche Verschiebungen und Wandlungen *eben aus
Ihrem Schweigen*, aus der nur innerlich fortbauenden Art Ihres Schaffens
fühle. Ich bin so unendlich sicher, daß Sie selbst durch Ihr Wachstum alle
Kreise, selbst die weitesten, die Ihnen liebevolle Betrachtung umlegen wird,
zersprengen werden wie ein Baum seinen Eisenring, daß ich zu mutlos bin,
jetzt ein Buch zu beginnen, bei dem ich fühle, daß es vom Gegenstand in

ein oder fünf oder zehn Jahren, aber sicherlich bald, schon überwunden sein wird.

Ich habe das Feuilleton von Hans Kyser jüngst gelesen, das, bei aller Bemühung nach neuen Worten, statt nach neuen Werten, mir sehr gefiel. Nur daß ich gerade bei Ihnen die enge gebannte Form des Essays einmal nicht mag: kondensieren mag man Werke, die viel aussprechen, nicht aber die, in denen alle Werte der Kunst und der Weltbetrachtung in einem sehnsüchtigen Zustand des Gefühles und nicht des formulierten Gedankens ruhen. Um ein Weltgefühl zu erklären, muß man diese Welt erst aufbauen: und wenn's wirklich eine ist, so will sie Raum.

Ich bin jetzt menschlich sehr sicher geworden. Die große Verhaerenausgabe — und hauptsächlich, daß ich sie rechtzeitig, *vor* dem großen Ruhme begann — gibt mir in meinen Augen das Ja zu meiner dichterischen und irdischen Existenz. Ich habe das Gefühl, nicht unnötig gewesen zu sein. Wächst es mir und den Wichtigen dann nochmals aus dem Eigenen empor, das ich nun schaffen will, so will ich's dankbar nehmen wie ein Geschenk. Dies aber war meine Pflicht!

In innigster Treue Ihr ergebener
Stefan Zweig.

Richard Dehmel an Stefan Zweig [87]

Blankenese, 7. 9. 17.

Lieber Stefan Zweig!

Ihr »Jeremias« hat mich innerst ergriffen; er scheint mir die menschlich klarste und künstlerisch reinste Schöpfung, die der Krieg bis jetzt gezeitigt hat. Anfangs, bis über die Mitte des Dramas, hatte ich diesen Eindruck durchaus nicht, fühlte mich sogar zu heftigem Widerspruch gereizt, weil ich befürchtete, es handle sich nur um krasse Friedensapostelei mit platter Nutzanwendung auf Deutschland (was sich so heute als »Aktivismus« spreizt). Sie sind wohl auch ausgegangen von dieser Tendenz und erst während des Dichtens darüber hinausgelangt, dann aber zu einer Erhabenheit, die noch über den Geist des alten Propheten emporsteigt. Man würde den Riß in der Dichtung vielleicht nicht spüren, wenn die in dem wundervollen Gebet auf Seite 160 ausbrechende Seelenwandlung etwas fühlbarer vorbereitet und noch leidenswilliger zugespitzt wäre; es müßte die Erkenntnis aufglühen, daß der Frieden der Welt nicht der »Friede Gottes« ist, daß grade der Krieg erst den Weg zu dem Frieden bahnt, der »höher ist als alle Vernunft«. In den letzten Bildern freilich glüht sie ja auf oder schlägt vielmehr zu hellster Flamme hoch, aber man hat zu lange drauf warten müssen. Der dichterischen Wirkung schadet das nichts, aber ich fürchte für die Bühnenwirkung; selbst dem gesinnungstüchtigsten Pazifisten wird das lange Präludium auf der Friedensschalmei (durch sechs Aufzüge hindurch) gar zu monoton vorkommen. Und da dies Drama sonst alle Ansprüche an hohe Bühnenkunst erfüllt, sollten Sie Ihr Möglichstes tun, ihm einen starken Theatererfolg zu sichern: es will doch zum Volk und zur Menschheit sprechen, nicht bloß zu Literatencliquen und sonstigen einsamen Menschenfreunden. Kürzen müßten Sie doch auf jeden Fall, wenn es aufführbar werden soll; sonst würde es wenigstens fünf Stunden dauern, und das hält heute kein Publikum aus, zumal bei Ihrer wuchtigen Sprache. Es ist das Grunderfordernis der dramatischen Technik, jeden Vorgang möglichst sinnfällig als durch die Hauptperson bewirkt hinzustellen; und Sie dürfen nicht auf die talmudische Ausrede pochen, daß die Hauptperson hier der Herrgott sei (grad Er ist *kein* deus ex machina). Ich wünsche Ihnen rein um der Sache willen den stärksten Erfolg, der sich denken läßt; denn Ihre Dichtung offenbart die jüdische Seele in so allmenschlicher Verklärung, daß sich auch jede deutsche Seele daran läutern kann vom Leid der Selbstsucht.

Mit einem sehr herzlichen Gruß
Ihr Dehmel.

Stefan Zweig an Richard Dehmel [88]

11. September 1917, VIII. Kochgasse 8, Wien

Sehr verehrter Herr Dehmel, aus innigstem Herzen Dank für Ihre Worte! Ich empfand und empfinde es bei Ihnen so wunderbar, daß Sie trotz eines halben Jahrhunderts Literatur so wenig das bloß Literarische beachten und jedem Werke immer im Wesentlichen entgegentreten, es bei seinem Probleme fassen: und vor allem, daß Sie mit bereitem Herzen sich hinzugeben wissen. Es ist dies, was ich rühmend und dankbar sage, eigentlich existenzhaft notwendig für den großen Dichter, aber wie viele derer, die groß waren, sind eingefroren in der Starre ihres Ruhms, der Maske ihres Namens! Ich darf es Ihnen ohne Schamhaftigkeit sagen, daß Sie um dieser lebendigen Art, die Sie fast als Einziger jener Generation sich bewahrt haben, uns heute wie einst der Wichtigste sind, weil Ihnen Problematik noch ins Blut dringt, eines andern Anspannung Ihre Muskeln weckt und die Jugend sich von Ihnen noch immer am stärksten verstanden fühlt.

Ihre Worte waren mir sehr wichtig, und wie richtig Ihr Rat meine Absicht faßte, möge bezeugen, daß ich selbst die zwei Bilder, die Sie mir nannten, zur Ausschaltung bestimmt hatte. An eine vollkommene Bühnenerfüllung wage ich nicht zu denken: irgend etwas Festspielhaftes, Antikes schwebte mir dunkel vor, und ich wehrte mich eigentlich gegen meinen wachen Theaterinstinkt. Messe ich dem Werke selbst Wert zu, so geschieht es vor allem, weil es *gegen* das Gesetz des Gefallens die Mischung des heroischen Dramas mit dem Liebeskonflikt geflissentlich vermied (Wallenstein scheint mir da die ewige Warnung einer Verschmierung tragischer Linie durch himmelblaue Ornamente), und wiederum *gegen* das Gesetz, aber gemäß der Idee des alten Testaments, die *Ekstase* als höchste Triebkraft des Menschen gegen seinen Gott darstellt. Die Ekstase, den vulkanischen Urwillen des berufenen Menschen, nicht den irdischen, zweckstrebigen kleinen Willen des Kraftmenschen, der zu allen Dingen der Welt, aber nie zu Gott gelangt. Und daß Leid selbst die Wehmutter dieses großen Gefühls ist und ewig sein muß — nicht es erzeugend, aber ihm zum Durchbruch helfend — dies habe ich *erlebt*, denn nur unter ungeheuerstem Druck, gequält vom stumpffesten Militärdienst, zerrissen in meinem europäischen Gefühl (dem 10 Jahre Arbeit und Aufbau in Stücke brachen) habe ich mich so zu steigern vermocht. Und der hier den Krieg um der andern, um der Leidenden, der Gegeißelten, der Toten, der Witwen willen verflucht — um seiner selbst willen segnet er den Krieg. Ich weiß, was diese Prüfung mir war! Möge sie es Deutschland, möge sie es der ganzen Welt sein, dem gekreuzigten Europa! Ich danke Ihnen aus allen Tiefen meines Herzens! Ihr getreuer

Stefan Zweig.

P. S. Ich freue mich so sehr auf Ihr neues Werk! Und viele Grüße Ihrer verehrten Frau Gemahlin!

Johannes R. Becher

München, Heßstraße 9/1, den 7. November 1909

Sehr geehrter Herr Dehmel,
seien Sie mir nicht böse, wenn ich Ihnen wieder einmal mein junges Herz ausschütte! Aber ich bin so unglücklich, so tief in mir zerfahren! Und habe niemand, dem ich mich vertrauen könnte!
O Ihr erster Brief!
Das war eine meiner glücklichsten Stunden! »aber den kann Ihnen einzig und allein Ihr eigenes Kraftgefühl verbürgen.«
Künstlerischer Wert? Kraftgefühl? Kraftgefühl? Ich ließ meine Gedichte zurück vom Verleger kommen, prüfte und sah und las: *Mir* klingen sie wie Melodien, wie himmlisches, singendes Sehnen. Aber *Euch? Euch?* Ihr werdet vielleicht drüber lachen! sie verspotten, euch schweigend über sie hinwegsetzen. Ach Kritik! O Gott! Das wäre mir ein Greuel. Der bitterste Schmerz! Und ich weiß, ihr werdet sie verdammen, verachten und bemitleiden und fühlt nicht, wie ich um jeden Vers gekämpft, gerungen und geweint habe. O nur *ein* Freund! Gott, ich bin zu verschlossen. Wem sollte ich hier sagen, daß ich Narr dichte? Wie würden sie mich verlachen. Nur Ihnen, nur Ihnen! *Ein* Freund!
Ich habe mich hingeworfen am Todestag Liliencrons und habe geweint und meine Träume verbrannt und mir geschworen, auch einer der Großen zu werden und neu zu streben, um mein Ziel zu erreichen. Und habe gelobt, Ihnen Abbitte zu leisten für Ihre bisherige Mühe um mein unnützes Zeug und Sie anzuflehen, mein einziger Freund zu werden und ein Führer auf neue Wege. Und so habe ich neu gekämpft und gelebt. Und habe neue Lieder gesungen und gestammelt leise, zitternde Worte, Worte hinaus in so manche Nacht. Gebt mir Musik, Musik, Musik! Töne, die ineinanderfließen und scheiden und zusammensinken und feiern und schlummern. Musik! O du unendliches Wort! Gebt mir Musik! Klänge, wie sie in Eichen peitschen, wie sie in Donnern tollen, wie sie schmettern in Fanfaren! Verzeihen Sie mir, verzeihen Sie mir! Nur *einen* Freund, einen wahren, ehrlichen Freund und ich wäre so glücklich in meinem jungen Schmerz und wäre so froh und reich.

Ich liebe dich, Leben! Ziele! Ziele! Klarheit! Wie Gestammel beben alle Worte von meinen Lippen. Erlösung! Erlösung.

Immer näher, Jugend, deinen Meeren; mußt dich fassen, wirst dich klären.

Soll ich Ihnen etwas von meinen letzten Gedichten schicken. Wollen Sie sich dieser annehmen! O mein Gewissen! Ha! Blödsinniger Gedanke. Bin ja weiter nichts! Nur Stein, Mensch, Stein! Und die Berge, Götter, Olymp! Aber ich *will* und *muß!*

Aufrichtig und hochachtungsvollst
Ihr Hans Becher.

Richard Dehmel an Johannes R. Becher [90]

Blankenese, 13. 3. 10.

Lieber junger Freund, ich gebe Ihnen gern das beiliegende Motto für Ihren Almanach und schicke auch das Ergänzungsblatt zu Venus Consolatrix mit; aber auf Ihren »Anschlag« zu meinem fünfzigsten Geburtstag kann ich mich nicht einlassen. Wenn Sie sich vorgenommen hätten, mich unversehens damit zu überfallen, dann wär's in der Tat ein Anschlag geworden, den ich mir wohl oder übel gefallen lassen müßte. So aber, da Sie mich mit ins Komplott ziehen wollen, kann ich Ihnen nur sagen: lieber nicht! Sie sind weder im Leben noch in der Kunst erfahren genug, um jetzt schon beurteilen zu können, welche Bedeutung für die Zukunft (auch für Ihre eigne Zukunft) meinen Dichtungen beizumessen ist; für den »größten lebenden Lyriker« zu gelten, ist mir eine verdammt belämmerte Ehre. Ich rate Ihnen: lernen Sie erst einen guten Essay schreiben, ehe Sie sich auf die Probe stellen, welches Gewicht Ihre Stimme in der öffentlichen Meinung hat! Ihr »Jugendfeuer«, wenn es kein Strohfeuer ist, wird bis dahin nicht verdampfen. Einstweilen noch ist es mehr Rauch als Flamme, und in der Öffentlichkeit weht ein scharfer Wind, der Ihnen wie mir den Rauch leicht ins Gesicht schlagen könnte. Daß Ihre stille Liebe zu mir mich ebenso freut wie ein lauter Beifall, vorläufig vielleicht sogar noch mehr, davon dürfen Sie überzeugt sein.

Mit einem herzlich aufrichtigen Gruß
Ihr Dehmel.

Gerrit Engelke

Gerrit Engelke an Richard Dehmel [91]

Hannover, 26. 2. 13.

Sehr geehrter Herr Dehmel!
Ich las in den Zeitungen von der Gründung der Kleist-Stiftung und später von der Verteilung der ersten Preise.

Geehrter Herr Dehmel, ich nähre bei mir eine heimliche Hoffnung: die, vielleicht auch einmal von dieser Stiftung unterstützt zu werden.

Erlauben Sie, daß ich mich Ihnen vorstelle und meine Lebensumstände, so kurz es geht, mitteile:

Mein Name: Gerrit Engelke. Ich bin zu Hannover geboren und lebe im 23. Jahr. Ich lernte in der Bürgerschule und später bei einem Malermeister. Ich muß hier zwischenbemerken, daß meine Eltern, durch besondere Umstände veranlaßt, seit längerer Zeit (meine Mutter seit mehreren Jahren, mein Vater schon seit etwa 10 Jahren) in Amerika wohnen und dort eine Speisewirtschaft betreiben. Ich besuchte einige Winter (die arbeitslosen Zeiten des Malers) die hannoversche Kunstgewerbeschule und brachte es zu guten Schularbeiten und zwei Preisen. Im Hause zeichnete ich freilich mehr als in der Schule. Ich zeichnete (wie auch jetzt noch manchmal) ganz eigene, merkwürdige Phantasien, die ich heute »unbewußte Musik« nenne.

Vor drei Jahren im Oktober schrieb ich mein erstes Gedicht. Im andern Monat schrieb ich zwei, dann drei — usw. Von da ab steigerten sich die schriftlichen Äußerungen bis zu einer Höchstzahl von etwa 22 Gedichten, die im letzten Dezember geschrieben sind. Ich habe bis jetzt etwa 110 Gedichte geschrieben, das heißt: nur solche gerechnet, die ich als gültig werte. Ich habe ein kleineres, zusammenhängendes Gedichtwerk, dann ein »Tragisches Gedicht« in dramatischer Form und ein großes Epos angefangen. — Arbeit mehr als genug — aber wenig Zeit. Viele Gedichte sind während der mechanischen, gewohnten Arbeit geschrieben, die meisten aber in den arbeitslosen Zeiten, von denen ich, zu meinem Glück, selbst im Sommer genug hatte. Der Zwiespalt, die Unvereinlichkeit gleichzeitiger körperlicher und geistiger Arbeit wurde mit der wachsenden Zeit immer fühlbarer und endlich unerträglich — es geht nicht mehr.

Und das Ding, welches freie Zeit schafft und lebendig erhält:

Ich besitze kein Geld, ich lebe von meinem erarbeiteten Gelde von Woche zu Woche. In den arbeitslosen Zeiten sahen (und sehen auch jetzt wieder) meine Lebensumstände sehr schlecht aus. Daß ich öfter arbeitslos war, wie mancher Berufsgenosse, können Sie sich, geehrter Herr Dehmel, wohl vorstellen (mein Kopf war ja fast nie bei der Arbeit). Ich habe mitunter kleine Unterstützungen von meinen Eltern erhalten. Sie können mir jetzt aber nichts mehr schicken, denn sie müssen für ihr nicht mehr fernes Alter sorgen. Vor einiger Zeit hatte ich von meinem wenigen Geld Gedichtabschriften anfertigen lassen, die ich an verschiedene Zeitschriften sandte: Jugend, Simplizissimus, Licht und Schatten, Sturm, Zukunft. Ich hatte wohl gehofft, daß hier oder da etwas genommen würde, aber nichts ist genommen. – Also auch keine Dukatenquelle.

Und doch möchte, müßte ich mit meiner Streicharbeit, gerade jetzt, wo es zum Sommer geht, brechen.

Meine Bitte, sehr geehrter Herr Dehmel:

Würden Sie erlauben, daß ich Ihnen in einer gütigst bestimmten Zeit meine Gedichte überbringen und Sie um Rat, vielleicht um gütige Hilfe bitten darf?

Sehr geehrter Herr, ich möchte Sie um Entschuldigung bitten, wenn Sie dieser Brief stören würde.

Ergebenst
Gerrit Engelke.

Gerrit Engelke an Richard Dehmel [92]

Hannover, 15. 6. 13., Cellerstraße 154, I

Sehr verehrter Herr Dehmel,

ich fühle, daß ich seit meinem damaligen Besuch bei Ihnen gewachsen bin. Ich glaube, daß ich dieses Wachstum größtenteils Ihren Belehrungen (eigener, gewachsener zu werden) und Ihren letzten Versen verdanke. Verehrter Herr Dehmel, ich verspüre seit einiger Zeit ein sanftes Drängen: – Ihnen meine Freude dankbarlichst mitzuteilen.

An den Gedichten, die Sie gütigst an Paul Zech vermittelten (drei sind für das 2. Heft angenommen), rügten Sie das »Abstrakte« – ich glaube, in diesen neuen Gedichten werden Sie ein Nachlassen des Abstrakten bemerken.

Verehrter Herr Dehmel, vielleicht werden Sie sich sogar ein wenig über die Verse freuen? – dann hätte mein Brief seine Dank-Schuldigkeit getan.

Es grüßt Sie ganz ergebenst

Ihr Gerrit Engelke.

Paul Zech

Richard Dehmel an Paul Zech [93]

Blankenese, Palmsonntag, 16. 3. 13.

Lieber Herr Zech!

Hier schicke ich Ihnen eine Reihe Gedichte von einem jungen Unbekannten, die wie geboren für Ihre neue Zeitschrift sind. Der Mann heißt Gerrit
Engelke und ist ein gewöhnlicher Stubenmaler (Anstreichergehilfe), einund-
zwanzig Jahre alt, ein wahres Wunder. Ich bin sonst immer mißtrauisch gegen sogenannte Naturpoeten und gehe mit Empfehlungen überhaupt sehr
sparsam um, aber hier *muß* ich eine Ausnahme machen. Bis jetzt hat er nicht
die geringsten Beziehungen zur »Literatur«, lebt ganz zurückgezogen, will
auch vorläufig auf meinen Rat (damit er nicht in den Sumpf der Bohème
gerät) bei seinem Handwerk bleiben, sehnt sich aber natürlich heraus aus
der zeit- und kraftraubenden Tagelöhnerei. Er hat mir das alles selber er-
zählt, kam extra von Hannover herüber, hat sich das Fahrgeld vom Munde
abgespart, wollte sich's aber partout nicht von mir ersetzen lassen. Also
bitte, leisten Sie ihm den Patendienst mit dem gehörigen »Neuen Pathos«!
Ich meine: drucken Sie mindestens fünf der Gedichte *auf einmal* ab und
schreiben Sie ein paar Worte davor, daß Deutschland noch nicht verloren
ist, solange die Volksschule solche Jünglinge zeitigt! — Alles Weitere (wenn
möglich, auch etwas Honorar!) bitte ich *direkt* mit dem Dichter zu verhandeln, denn meine Korrespondenzlast ist fürchterlich. Und lassen Sie ihn
nicht zu lange auf Nachricht zappeln!

Mit einem herzlichen Gruß
Ihr Dehmel.

Paul Zech an Richard Dehmel [94]

8. 4. 1913
Berlin-Wilmersdorf
Babelsbergerstr. 13

Lieber verehrter Herr Dehmel!

Verzeihen Sie bitte, daß ich Ihnen in der Angelegenheit Engelke nicht
schneller geantwortet hab. Ich mußte eine notwendige Reise unternehmen,
und dann kam noch allerlei Geschäftliches dazwischen, das mich nicht zur
Sache kommen ließ.

In der Tat, Engelke ist als ein starkes Talent zu begrüßen. Wir bringen schon im zweiten Heft unserer Zeitschrift drei Gedichte, und zwar: »Alles zu Allem«, »Alles in Dir« und »Der Mann spricht«. Ich werde in einer Randnote auf den Dichter hinweisen. Wir werden überhaupt versuchen, mit dem Dichter in dauerndem Konnex zu bleiben. Ich teilte es ihm mit. Daß uns aus den unintellektuellen Kreisen die stärksten Begabungen reifen, ist mir bekannt, ich habe während meiner mehrjährigen Tätigkeit als technischer Beamter in den Kohlengruben Westfalens eine unerhörte Summe dichterischer Kraft bei den Bergarbeitern kennengelernt. Leute, die sich in Nietzsche, Schopenhauer und Kant festgebohrt hatten und ganz erstaunliche Eigengedanken entwickelten.

Daß der Berliner Caféhaussumpf, der mir zum Halse herauswächst, für seine sterilen Äußerungen ganz andere und einträglichere Geschäfte macht, liegt eben in der trefflich organisierten Cliquenwirtschaft. Sie haben die weitreichendste Presse zur Verfügung und schlagen alles andere tot. Wie jetzt für den völlig unbegabten Blass Propaganda gemacht wird, das grenzt schon an Amerikanismus. Wir paar Leute, die dagegen ankämpfen, sind gegen den Ansturm zu schwach, zu wenig frech, zu wenig pöbelhaft. Man kann nur abwarten und langsam vorgehen.

Die Zeitschrift Quadriga erhielt ich Anfang voriger Woche. Es ist verblüffend, wie der Dichter der »Eisernen Sonette« fast dieselben Stoffe meistert, die ich auch im »Schwarzen Revier« (das Flugblatt, das ich Ihnen sandte, enthält nur ein Drittel dieser Gedichte) künstlerisch umrissen hab. Ich kann nun leider nicht ganz mit dem Dichter der »Eisernen Sonette« gehen. Seine Politik, die in den Versen immer wieder zum Durchbruch kommt, behagt mir nicht. Stellenweise bricht ein so gefährlicher Byzantinismus durch, daß man verzweifeln möchte. Aber immerhin, daß hier einmal gewagt wird, abseitige Erlebnisse zum Weltgeschehnis zu gestalten, verdient alle Anerkennung und Förderung. Überdies sind ja hier Verhaeren und letzten Endes Sie unser aller Wegweiser.

Ich las mit Herzklopfen Ihr Gedicht »Mont-Blanc« in der Neuen Rundschau.

Mit gleicher Post geht Ihnen die erste Nummer des »Neuen Pathos« zu. Ich hoffe, daß Sie uns auch in Zukunft gewogen bleiben, und wenn Sie uns gelegentlich wieder einen Beitrag senden würden, wäre das Maß übervoll.

Einstweilen bin ich mit verbindlichsten Grüßen

Ihr ergebener Paul Zech.

Reinhard Sorge

Reinhard Sorge an Richard Dehmel [95]

[Jena, 27. 7. 11.]

Hochverehrter,

vielleicht erinnern Sie sich auch meiner gar nicht mehr. Wie dem nun sei, ich habe einige Hoffnung, das Übersandte möchte nicht ganz ohne Interesse für Sie sein. — Die ewige Wiederkehr Nietzsches ist hier tragisches Motiv. Da las ich neulich Sätze in der Abhandlung Tragik und Drama, die mich bestimmten, die Dichtung Ihnen zu übersenden. Mag es anmaßend scheinen, den reifen und vielbeschäftigten Geist mit der Schöpfung des damals Achtzehnjährigen zu behelligen, wenn Sie diese Zeilen lesen, werden Sie verstehen, wie lockend es für mich sein mußte, sie dem Manne mitzuteilen, der unter unsere gesamte moderne Dramatik gleichsam das Todesurteil geschrieben.

In Aufrichtigkeit und Verehrung wie mit den besten Empfehlungen an Ihre Frau Gemahlin

Ihr sehr ergebener
Reinhard Sorge.

Richard Dehmel an Reinhard Sorge [96]

Blankenese, 29. 7. 11.

Sehr geehrter Herr!

Verzeihen Sie, daß ich Ihnen Ihre »dramatische Fantasie« zurückschicken muß, ohne sie gelesen zu haben. Diesmal nicht bloß aus Zeitmangel, sondern auch noch aus einer natürlichen Abneigung gegen die romantische Aufwärmung der Antike, wie sie jetzt Mode ist. Daß Sie in Ihr altgriechisches Szenarium hineinschreiben, es »handle sich hier in nichts um Griechentum«, erregt obendrein mein künstlerisches Mißtrauen. Wozu denn in aller Welt die Handlung der Odyssee nochmals auftischen, wenn es sich um nichts Griechisches handeln soll? Das ist ästhetische Maskerade, nicht dramatische Poesie. — Der Glaube des Künstlers an die lebendige Wahrheit seiner Vorstellungen ist doch wohl die erste notwendige Vorbedingung, um sie auch andern glaubhaft zu machen. Wer mir diesen Glauben von vornherein hintertreibt, der kann mich höchstens zu kritischer Lektüre reizen; und zu dieser Tätigkeit fehlt mir jede Lust.

Ihre Grüße bestens erwidernd
Dehmel.

Reinhard Sorge an Richard Dehmel [97]

Jena, d. 15. 11. 12.
Cospedaer Grund 34 A

Lieber Herr Dehmel!

Ich habe mit dem Brief gewartet, bis ich über dem unerwarteten, ungewöhnlichen Ereignis einigermaßen ruhig geworden war, aber auch bis zu Ihrem Geburtstag, denn so kann ich meine ergebenen und herzlichen Glückwünsche mit dem Dank vereinen. Nur von Frau Auerbach hörte ich im Frühjahr, daß Sie freundliche Worte über mein Stück gesprochen hätten, aber von so beglückender Teilnahme ahnte ich nichts. Doch denken Sie sich, daß ich, ohne irgendeine Verbindung durch ein Buch oder eine Person zu Ihnen zu haben, dennoch in den letzten Wochen an Sie erinnert wurde, wie durch ein freundliches Band an Sie gebunden, und daß ich, wirklich nicht aus Eitelkeit, sondern wie natürlich, mich mit Ihnen redend fand, und die Arbeit dieses Frühjahrs, die Vision über Zarathustra, war auch dabei. Ich war also wirklich glücklich, als ich, noch ehe ich von der Kleist-Stiftung erfuhr, durch Frau Auerbach vernahm, Sie hätten die Vision gelesen und nicht abgelehnt. Nun konnte ich ungehemmt freundschaftliche Gedanken zu Ihnen strömen lassen; dann kam der Preis und die Aufklärung, und viel Dank und Wunsch ging zu Ihnen. Und die Hoffnung, daß ich Sie in Hamburg besuchen dürfte, freilich erst nach Beendigung des Dramas, das mir jetzt zur Arbeit gegeben ist. Sie wird nicht viel vor Ende des Jahres fertig werden, aber Sie verstehen nun vielleicht, daß ich einen Besuch bei Ihnen in freien Monaten des nächsten Jahres als Freude und Erwartung in mir trage, und sind darüber nicht böse. Bitte, lassen Sie sich noch einmal meines Dankes versichern, meines Vertrauens, daß ich noch werde viel schaffen können hohen Sinnes, des Sinnes, den Sie wissen. Bitte, seien Sie so gut und empfehlen Sie mich Ihrer Frau Gemahlin aufs beste.

Mit herzlichem Gruß und Glückwunsch
Ihr ergebener Reinhard Sorge.

Flüelen (Schweiz) 17. 5. 14.
Halde

Hochgeehrter, lieber Herr Dehmel!

Schon lange freute ich mich darauf, Ihnen nach dem Bettler das erste Buch zu senden. Aber die Herausgabe verzögerte sich, weil ich mir erst einen neuen Verlag suchen mußte. Sie haben ja wohl schon von meiner sonderbaren Entwicklung gehört, wie ich vermuten darf. Hätte mir jemand, als ich nach dem Bettler ins Schweigen ging, gesagt, daß ich Christ werden würde, ich hätte ihn ausgelacht. Nein, noch mehr: ich hätte ihn verachtet. Und doch vergingen nicht drei Monate, und ich war Christ, apostolischer Christ ohne Vorbehalt. Und wiederum: nicht ein Jahr verging nach diesem Ereignis, und ich wurde katholischer Christ. Sie werden ja nun sagen: »Seien Sie, was Sie wollen, nur seien Sie Mann und Künstler!« Das ist wohl wahr; aber wenn Christus der Herr der Welten ist, wie wir behaupten, sollte Ihm nicht auch die Kunst zu Willen sein?

So nehmen Sie diese erste Frucht, möchten noch viele, immer reinere folgen!

Ihr dankbarer, sehr ergebener
Reinhard Johannes Sorge.

Fritz von Unruh

Fritz von Unruh an Richard Dehmel [99]

Berlin, den 27. Februar 1912

Mein teuerster, lieber Herr Dehmel!

Ihre guten Zeilen haben mich zu dem glücklichsten Menschen gemacht; aber wie beschämen Sie mich. Wie wohlwollend beurteilen Sie meine Arbeit. Daß Sie meinen »guten Willen« herausgelesen, das durchjubelt mich.

Nur aus Ihren Werken kannte ich Sie. Ich wußte, daß Sie ein echter, großer Mensch sein müßten, aber daß Sie mir, dem Unbekannten, dem Anfänger — solche Worte mitgeben auf den neuen Schaffensweg, das beweist mir, daß Sie ein warmes, mitfühlendes Herz haben. — Kein Wort ist tief genug, Ihnen auszudrücken, wie froh ich bin.

Verlassen Sie mich nicht. Ich trage ein Ideal in der Brust, zu hoch, als daß ich es je erreichen könnte. Ich: der ich dem König Jahre hindurch mit dem Degen gedient, habe nun harte Kämpfe mit der rohen Materie des *Wortes* zu bestehen. Sie, der Meister, werden Sie nicht ungeduldig, wenn mein Weg langsam vorwärts geht.

Mein heißes Herz treibt alle Gedanken. Mein Blut fließt schnell, vielleicht, daß ich die Hindernisse auch schnell überwinde.

Den Schöpfungsruf: »Es werde« trage auch ich als Kraftgefühl in mir. Aber das allein hilft nichts. In den Weg stellt sich mir noch so viel Schweres, so viele Intrigen nagen an meinem Aufkommen. Ihr Zuruf, teuerster liebster Herr Dehmel, soll mir Kraft geben, weiterzukämpfen; nicht zu ermüden.

Bitte, bitte sehen Sie es als keine Unbescheidenheit an, wenn ich *hinfort* meine Arbeiten an Sie sende. Finden Sie mein Schaffen bestehenswert, so will ich kein anderes Urteil mehr hören. Eine festliche Stimmung kommt jedesmal über mich, sooft ich Ihren wundervollen Brief in den Händen halte. Er wird mir Kraft geben im Leben — *überall*: denn er ist von dem Geist, der auf den Bergen wohnt, der in der vollen Freiheit atmet.

Der Himmel segne Ihre Werke weiter und schenke uns noch vieles Schöne von Ihnen.

In allergrößter Bewunderung und Hochschätzung

bleibe ich in steter Dankbarkeit

Ihr ganz ergebenster
Fritz Unruh.

Albert Köster

Leipzig-Gohlis, den 6. Dez. 12.

Sehr geehrter Herr Dehmel, es tat mir sehr leid, daß Ihr lieber Besuch gerade auf den bei mir so arg belasteten Dienstag mit all seinen Vorbereitungen: Proseminar, Kolleg, zwei Prüfungen und abendlichem Bibliophilen Vortrag fiel. Ich habe hinterdrein den Eindruck, als sei ich sehr zerstreut und confus gewesen. Jedenfalls hab ich versäumt, eine Frage und Bitte zu tun, die ich längst auf dem Herzen hatte und eigentlich an dem Tage äußern wollte. Sie haben mir früher einmal angedeutet, daß Sie genaue Kunde davon hätten, wie, wann und durch wen Briefe Friederike Brions und Briefe Goethes an Friederike vernichtet worden sind. Läßt sich das mit wenig Worten sagen, diktieren, aufschreiben? Dann möchte ich herzlich bitten, mir die Kunde nicht vorzuenthalten.

Inzwischen haben wir in Sachen bedrängter Schriftsteller allerlei Schritte getan, dabei aber über Dauthendey Auskünfte erhalten, die, wenn sie sich bestätigen, es unwahrscheinlich machen, daß die Weimarer ihm etwas bewilligen. Er soll am Mangel jeder ökonomischen Begabung leiden. Nun, an dem Übel krankt mancher. Aber im vorliegenden Fall ergibt sich die Folge, daß die kleinen Summen, die Weimar bewilligen kann und wird (sagen wir mal, wenn die Gebelaune sehr groß ist: 1000 M), für Dauthendey nichts bedeuten. Vier Quartale zu 250 M: die Schillerstiftung glaubt mit solcher Spende Wunder was getan zu haben; und einem Empfänger wie D. ist das weder eine Ehre noch eine Hilfe. Denn — nun kommt ein Zweites hinzu — er ist ganz andre Summen gewohnt, Summen, die auch die von uns beantragten Ehrenstipendien turmhoch übersteigen. Wie ich höre, steht er bei zwei Verlegern gewaltig im Vorschuß; ich soll die eine Summe nicht nennen, aber sie ist, wenn sie richtig ist, in der Tat ansehnlich und wohl durch die Spielereien keiner Kaiserin wieder abzudichten. Was raten Sie nun, nach Ihrer Kenntnis der Verhältnisse, zu tun? Sollen unsre Damen dennoch den Versuch machen? Oder muß der Fall D. als wirkungslos für beide Teile ausscheiden?

Vielleicht sind Sie so freundlich, bald zu antworten. Am 15. Dez. soll hier die entscheidende Besprechung stattfinden.

Mit besten Grüßen von Haus zu Haus
Ihr ergebener Albert Köster.

Blankenese, 8. 12. 12.

Sehr geehrter Herr Köster!

Es hat schon seine Richtigkeit mit Dauthendeys Mangel an Regeldetri, selbstverständlich unter Abzug des üblichen Multiplizierklatsches. Aber eben deshalb muß man ihm helfen, so viel oder wenig man grade kann. Solchen ewigen Kindern sind ja tausend Mark im Augenblick genausoviel wert, wie in andern Augenblicken zehn- oder hunderttausend; zufrieden sind sie natürlich nie, aber freuen tun sie sich immer wieder. Und nur in den Stunden der Freude sind sie fähig, auch andern Menschen Freude zu machen. Kommt hinzu, daß schon viel gewonnen wäre, wenn Dauthendey überhaupt mal erst auf der Liste der Stipendiaten stände; dann könnten wir später um so leichter ein größeres Jahresgehalt für ihn auswirken, sobald unsre Haupt- und Staats-Aktion zum guten Ende gelangen sollte. Auf jeden Fall ist er »würdiger« als die andern »Bedürftigen«, die Sie mir nannten; und unter uns Menschenkennern ist Bedürftigkeit doch ein sehr relativer Begriff. Als Dichter muß ich absolut sagen: von den sechs Kandidaten, die Ihre Frau Gemahlin vorschlagen will, würde ich Dauthendey und Else Lasker-Schüler unbedenklich am wärmsten empfehlen, trotzdem mir ihre Dichterei zuweilen über die Hutschnur geht. Was aber den Briefwechsel Goethes und Friederikens betrifft, da hätte ich Ihnen auch mündlich nichts weiter sagen können, als was ich Ihnen jetzt schreiben muß. Die Vernichtung ist Tatsache und fand auf Beschluß eines Familienrates Brionscher Nachkommen statt. Die Namen und näheren Umstände kenne ich zwar, halte mich jedoch nicht für berechtigt, sie der Historie zu überliefern, bevor ich von meiner Gewährsperson die Erlaubnis dazu eingeholt habe; denn es leben noch Mitglieder der Familie. Ich werde mich gleich erkundigen; und wenn die Antwort — wie ich hoffe — zustimmend ausfällt, dann erstatte ich Ihnen sofort Bericht. Inzwischen mit den besten Grüßen

Ihr ergebener
Dehmel.

Blankenese, 19. 10. 19.

Verehrter Herr Köster!

Guter Rat ist immer leichter als gute Tat; ich kann mir denken, daß Sie bei der Kleiststiftung auf dieselbe Schwerfälligkeit stoßen werden wie bei der Schillerstiftung. Am angelegentlichsten empfehle ich Ihnen Alfred Brust, einen jungen Dichter, den Sie wahrscheinlich noch nicht kennen. Bei

Kurt Wolff erscheint nächstens ein Drama von ihm. Ich weiß allerdings nicht, welches aus seinem Dutzend ungedruckter Manuskripte; entweder »Die Schlacht der Heilande« oder »Der ewige Mensch«, aber das wird Ihnen der Verlag ja ohne weiteres auf Anfrage sagen. Sein Menschentum hat nichts gemein mit dem borniertem Humanitätsfanatismus, der sonst in diesem Verlag die Rasselpauke schlägt; soweit Tendenz in seinen Seelenrettungskampfspielen steckt, geht sie darauf aus, eine Brücke zwischen Luther und Dostojewski zu schlagen. Er ist eine heroische Apostelnatur, stellt auch seine Lebensführung wirklich auf biblische Grundsätze; hat bis jetzt (ist etwa 30 Jahre alt) seine Familie mit seiner Hände Arbeit ernährt, kann das aber bei der Teurung kaum noch durchsetzen ohne geistigen Zusammenbruch. Unterstützung nimmt er trotzdem nicht an; die Stiftung müßte ihm also das Geld als reinen Ehrenpreis, als Belohnung seiner dichterischen Arbeiten darbieten.

Fast ebenso empfehlenswert ist Julius Maria Becker. Ein Drama von ihm (»Das letzte Gericht«) ist bei S. Fischer erschienen, zwei Gedichthefte bei Kurt Wolff. Bedürftig ist er auch zur Genüge; er bezieht zwar ein kleines Lehrergehalt, möchte sich aber freimachen, wozu er geistig berechtigt ist, und muß seinen blinden Vater noch miternähren.

Als dritten schlage ich Kurt Heynike vor, aus dessen religiösen Gedichtbänden (teils im Sturm-Verlag, teils bei S. Fischer und Kurt Wolff) Sie wohl einiges kennen werden. Er scheint zwar über seine gottselige Gefühlsschwelgerei nicht hinauszukommen, ist aber eine wahrhaft reine Seele, echt deutscher Wolkenkuckucksheimer, auch vaterlandstreu. Da er sich als Handlungsgehilfe durchs Leben schlägt, wird ihm ein Extrahonorar gewiß willkommen sein. Sollten mir künftig noch hoffnungs- und sorgenvolle Jünglinge in den Gesichtskreis kommen, werde ich sie Ihnen stets melden.

Mit allen guten Wünschen und schönsten Grüßen, auch von und zu Gattin,

Ihr Dehmel.

Arnold Schönberg

Arnold Schönberg an Richard Dehmel [103]

Berlin-Zehlendorf-Wannseebahn
Machnower Chaussee, Villa Lepeke 13. 12. 1912

Sehr verehrter Herr Dehmel, ich kann Ihnen nicht sagen, wie es mich freut, endlich zu Ihnen in persönliche Beziehung gekommen zu sein. Denn Ihre Gedichte haben auf meine musikalische Entwicklung entscheidenden Einfluß ausgeübt. Durch Sie war ich zum erstenmal genötigt, einen neuen Ton in der Lyrik zu suchen. Das heißt, ich fand ihn ungesucht, indem ich musikalisch widerspiegelte, was Ihre Verse in mir aufwühlten. Leute, die meine Musik kennen, werden Ihnen das bestätigen können, daß in meinen ersten Versuchen, Ihre Lieder zu komponieren, mehr von dem steckt, was sich in Zukunft bei mir entwickelt hat, als in manchen viel späteren Kompositionen. Und Sie begreifen, daß ich Ihnen dafür eine herzliche und vor allem eine *dankbare* Verehrung entgegenbringe. Und nun hatte ich die Freude, Sie in Hamburg zu sehen und durch Ihre große Freundlichkeit in einer fremden Stadt sofort mich in Wärme eingehüllt zu finden. Und jetzt Ihr so sehr freundlicher Brief, und das gibt mir endlich den Mut, eine Frage an Sie zu stellen, mit der ich mich schon lange trage. Nämlich: ich will seit langem ein Oratorium schreiben, das als Inhalt haben sollte: wie der Mensch von heute, der durch Materialismus, Sozialismus, Anarchie durchgegangen ist, der Atheist war, aber sich doch ein Restchen alten Glaubens bewahrt hat (in Form von Aberglauben), wie dieser moderne Mensch mit Gott streitet (siehe auch: »Jakob ringt« von Strindberg) und schließlich dazu gelangt, Gott zu finden und religiös zu werden. Beten zu lernen! Nicht eine Handlung, Schicksalsschläge oder gar eine Liebesgeschichte sollen diese Wandlung bewirken. Oder wenigstens sollten sie höchstens als Andeutungen, als Anstoß gebend im Hintergrund stehen. Und vor allem: die Sprachweise, die Denkweise, die Ausdrucksweise des Menschen von heute sollte es sein; die Probleme, die uns bedrängen, sollte es behandeln. Denn die in der Bibel mit Gott streiten, drücken sich auch als Menschen ihrer Zeit aus, sprechen von ihren Angelegenheiten, halten ihr soziales und geistiges Niveau ein. Deshalb sind sie künstlerisch stark, aber doch unkomponierbar für einen Musiker von heute, der seine Aufgabe fühlt. Erst hatte ich die Absicht, das selbst zu dichten. Jetzt traue ich mir's nicht

mehr zu. Dann dachte ich daran, mir Strindbergs »Jakob ringt« zu bearbeiten. Schließlich endete ich dabei, mit positiver Religiosität gleich zu beginnen und beabsichtigte von Balzacs »Séraphita« das Schlußkapitel »Die
Himmelfahrt« zu bearbeiten. Dabei aber ließ mich der Gedanke nicht los:
»Das Gebet des Menschen von heute«, und ich dachte mir oft: Wenn doch
Dehmel...! Gibt es eine Möglichkeit, daß Sie sich für etwas Derartiges interessieren könnten. Ich will gleich sagen: Wenn Sie es für möglich hielten,
es wäre nicht nur überflüssig, sondern sogar schädlich, wenn die Dichtung
irgendwelche Rücksicht auf eine spätere Komposition nähme. Sie müßte so
frei sein, als hätte nie die Möglichkeit einer Vertonung bestanden. Denn
ein Werk von Dehmel kann ich — da ich jedes Wort mitempfinden kann —
so herunterkomponieren, wie es steht. Nur eine Beschränkung wäre nötig:
ich glaube nicht, daß die Dichtung eines abendfüllenden Werkes, bei dem
Tempo, das meine Musik durchschnittlich hat, den Umfang von höchstens
50 bis 60 Druckseiten wesentlich überschreiten dürfte. Im Gegenteil, das
wäre fast zuviel. Das ist wohl eine große Schwierigkeit. Ist es aber eine
unüberwindliche?

Ich wäre Ihnen sehr dankbar, wenn Sie mir Ihre Meinung schreiben
wollten. Ich weiß wirklich nicht, ob man Ihnen mit einer derartigen Zumu-
tung kommen darf. Aber ich wüßte mich doch zu entschuldigen: ich muß
das komponieren! Denn ich habe das zu sagen.

Nun will ich Ihnen nochmals aufs allerherzlichste für Ihren so sehr
freundlichen Brief und vor allem für die wundervollen Verse, die Sie ihm
angefügt haben, danken. Darf ich noch eine Bitte hinzusetzen? Kann ich ein
Bild von Ihnen bekommen? Ihr Ihnen herzlichst und verehrungsvoll ergebener

Arnold Schönberg.

Darf ich Sie noch bitten, Ihrer Frau Gemahlin meine besten Empfehlungen auszurichten?

Arnold Schönberg an Richard Dehmel [104]

Berlin-Südende, 16. 11. 1913

Hochverehrter Meister,
seit Wochen plagt mich die Sorge, ich könnte Ihren 50. Geburtstag übersehen, und deshalb entschließe ich mich schon heute, Ihnen zu schreiben.
An einem solchen Tag sollte allerdings nicht alle Welt dem Dichter schreiben und ihn beglückwünschen, sondern alle Menschen sollten einander

schreiben und sollten sich beglückwünschen, daß sie die Ehre haben, eines solchen Menschen Geburtstag mitfeiern zu dürfen.

Ich aber habe besonderen Grund, mich an Sie direkt zu wenden, denn ich habe Ihnen direkten Dank zu sagen: Sie, weit mehr als ein musikalisches Vorbild, Sie waren es, der das Partei-Programm unserer musikalischen Versuche ausmachte. Von Ihnen lernten wir die Fähigkeit, in uns hinein zu hören und dennoch ein Mensch *unserer* Zeit zu sein. Oder vielmehr eben darum: weil die Zeit viel mehr innen, in uns war, als außen, in der Realität. Von Ihnen aber lernten wir auch das Gegenteil: wie man ein Mensch *aller* Zeiten sein kann, indem man einfach ein Mensch ist.

Ich bin Ihnen noch anderen Dank schuldig; aber ich glaube, das habe ich Ihnen schon gesagt: daß fast an jedem Wendepunkt meiner musikalischen Entwicklung ein Dehmelsches Gedicht steht. Daß ich fast immer zu Ihren Tönen erst den neuen Ton fand, der mein eigener sein sollte; den Ton, der vom Menschen das aussagt, was es noch *über* ihm gibt, den Ton, dessen sinnliches Diminuendo ein geistiges Crescendo ist; dessen Zartheit von der Kraft einer andern Welt, dessen Kraft von der Vergänglichkeit unserer hiesigen Daseinsgefühle redet. Diesen Ton lehrte uns der *Inhalt*, den wir damals nicht leicht begriffen, mehr aber noch der *Klang* Ihrer Verse, den wir voll in uns aufnahmen. Ich habe Sie immer mit dem Klang-Verstand aufgefaßt und bin dadurch vielleicht bald dazu gelangt, in den Sinnen-Sinn einzudringen.

Ich wollte Ihnen für Bestimmtes danken, deshalb mußte ich von einem Teil sprechen. Das Ganze zu sagen, geht nicht. Möge der Teil fürs Ganze sprechen — fürs Ganze meiner Verehrung, Dankbarkeit und Bewunderung.

Mit den innigsten Wünschen für
Ihr Wohlergehen bin ich Ihr
Ihnen ganz ergebener
Arnold Schönberg.

Josef Winckler

Josef Winckler an Richard Dehmel [105]

Quadriga   Jena, den 3. 12. 1912
Schriftleitung

Hochverehrter Herr Dehmel, nehmen Sie meinen tiefsten wärmsten
Dank entgegen für Ihre spontane, anerkennende, teilnehmende Karte, die
ich letzten Sonntag in Kassel auf der Versammlung der »Werkleute« erhielt — ich kam gerade erst von größerer Reise zurück. Sie kennen den Ju-
bel eines Dichterherzens — von Ihnen solch' ein Bravo! Dieser Zuruf ist wie
ein Losungswort über Millionen hinweg und klingt mir ins Ohr, wie dem
Chaos ein Schöpferwort mag in die brauende Sehnsucht gefahren sein —
und ich werde Ihr Wort einlösen, des soll schon die nächste Ausgabe der
Quadriga ein Zeugnis sein! Wenn viele sie erhalten, einige lesen und wenige erschöpfen, so haben Sie doch gewußt, worauf es dem Werdenden an-
kommt! Und wenn neben Ihrem eigenen Werk noch etwas geeignet ist, Ihrer Person eine tiefe Bedeutung zu geben, dann ist es das, was Sie an Liliencrons Nachlaß und was Sie nun an einem Unbekannten getan haben.
Ich konnte nicht anders, aber ich habe Ihre fanfarische Karte coram publico
geküßt wie einen Liebesbrief, der ich tausend Verse und Gedanken von Ihnen in der Brust trage. —

Als blutjunger Student gab ich mit zwei der anderen »Werkleute« ein
Gedichtbuch heraus, das sehr viel Erfolg hatte, unter anderem einen prächtigen Brief von Liliencron. Aber wir kehrten uns nach dieser Erprobung
ab und gingen an werktätige Berufsarbeit, denn wir wollten unsere tiefste
Lebensform, die Kunst, nicht auf ein Ungewisses setzen. Und nun darf ich
mit Stolz von mir wohl bekennen, daß ich eine sehr glänzende Lebenslage
mir erobert habe, die es mir gestattet, nach zehn Jährchen bereits unabhän-
gig zu sein. Allerdings in harter, unermüdlicher, knirschender Arbeit. Doch
von diesem Boden aus, Kraft saugend aus realster Lebenswirklichkeit, streben
wir sämtlich nun zur Erfüllung unserer Persönlichkeit aus taktischen Gründen. Als Männer des Alltags wählen wir Anonymität — aber ich wage
heute noch nicht zu entscheiden, ob ich jenes große Maß von Selbstzucht
und Selbstentäußerung mehr als Segen oder Fluch deuten soll! Der ich alles
eigener Kraft und natürlicher Entwicklung überlassen muß — jedenfalls
verzage ich heute weniger denn je.

Ich zittere vor Erregung, und mein Herz strömt Ihnen zu, wenn ich bedenke, was unter Umständen Ihr Angebot für mich hätte bedeuten können — wenn ich etwa unverstanden, selbstzerfressen auf der harten Kante der Not gesessen hätte. Was muß diese Gebemöglichkeit eines Dichtergemütes für eine Herzensherrlichkeit sein! Und so ehrenvoll und fördernd ein Geldpreis aus der Kleiststiftung für mich sein würde, so könnte doch pekuniäre Hilfe an sich mir weniger nützen als etwa eine bloße Anerkennung von Ihnen! Sie stehen auf der Zinne der Literatur, ich schlage mich noch in den Gassen, und ich wage Sie nicht zu bitten: Helfen Sie, daß wir nicht zu lange kämpfen müssen! Wir Söhne des Industrievolkes — mein Vater war Salinendirektor — fühlen eine doppelte Verantwortlichkeit, und wenn ich heute wirklich Ihre Hand ergreife, so seien Sie tiefst überzeugt, daß ich mich Ihrer Künstlerehre würdig erweisen werde. Aus Prinzip blieb ich Junggeselle, um von keinem Weibe mehr behindert zu sein — und doch war ich öffentlich verlobt mit der schönsten, wunderbarsten Dame des Niederrheins, der Tochter eines hiesigen Zechendirektors. Dies Geständnis wird Ihnen nicht naiv erscheinen, der Sie Worte ausgeglüht haben wie: Empor, Gehirn! Hinab, Herz! Auf! Hinab!

Als Sie unlängst im nahen Duisburg einen Dichterabend hielten, saß ich in der vordersten Reihe, und ich hätte Ihnen mit einer kleinen Bewegung die Hand reichen können. Und nun ermessen Sie meine Freude, daß Sie selber es sind, der die Hand mir so entgegenstreckt.

In Verehrung und Ergebenheit
Ihr

Mörs / Rheinland   Winckler.

Richard Dehmel an Josef Winckler [106]

Blankenese, 10. 12. 12.

Lieber und werter Herr Winckler!

Ihnen muß man ja ein doppeltes Bravo zurufen. Daß sich ein Mann von Ihrer Begabung zunächst einmal als tüchtiger Mitmensch erweisen wollte, bevor er der Menschheit als Dichter neue Wege wiese, und daß er es in der Tat durchgesetzt hat, das darf man wirklich als ein gutes Zeichen unsrer vielfach sehr übelgebärdigen Zeit begrüßen, nicht bloß Ihrer eigenen Kraft. Es erinnert an die herrlichste Zeit unsres Volkes, an das gotische Mittelalter, wo man vor allem erst ein Ritter sein mußte, um als Sänger für voll genommen zu werden. Die zehn Jahre, die Sie an wirtschaftliche Arbeit gewandt haben, die sind auch Ihrer Kunst zugute gekommen; ich weiß aus ähnlicher eigner Erfahrung, wie sich unter dem Druck des äußeren Lebens (solange er nicht unerträglich wird) die inneren Quellen sammeln und läutern, und es ist vielleicht der packendste Reiz Ihrer »Eisernen Sonette«, daß man hinter dem beinahe formsprengenden Stoffgerassel immerfort den sicher verkettenden Griff des völlig reifen Werkführers spürt. Auch daß Sie es über sich vermögen, als namenloser Mitarbeiter unter anderen »Werkleuten« dazustehen, läßt wieder auf ein Zeitalter hoffen, in dem die Dichtung Stimme der Volkskraft sein will, nicht bloß einzelner Illusionsathleten oder Phantasieakrobaten. Ich kann mir denken, daß Ihnen die Anonymität manchmal recht bitter schmecken wird, teils der lieben Eitelkeit wegen, noch mehr aber aus echtem Selbstgefühl, weil viele Kriechtiere im deutschen Tintensumpf bloß wieder einen neuen Trick sensationeller Konventikelpoeten hinter alldem wittern werden. Trotzdem rate ich Ihnen, so lange wie möglich die Maske vorm Gesicht zu behalten; man entgeht dadurch tausend persönlichen Anzapfungen, die nichts mit der Sache des Künstlers zu tun haben. Ich bedaure es jeden Tag, daß mein Name an der großen Glocke hängt; ich komme kaum noch zu mir selbst vor unvermeidlicher Korrespondenz. Deshalb ist es mir auch unmöglich, für jüngere Dichter öffentlich so ins Horn zu blasen, daß es wirklich weithin gehört wird; ich würde sonst bald stockheiser sein. Und, rein geistig genommen, ist es auch überflüssig; wer eine rechtschaffene Stimme hat, ruft schließlich ganz von selbst das Echo hervor. Grade Ihre Anonymität beweist das; man hört Ihren Hammerschlag doch sehr deutlich heraus unter den Versschmieden von »Haus Nyland«, den Meister zwischen Gesellen und Lehrlingen, und das werden diese wohl selbst anerkennen. Wenn man vom höchsten Gesichtspunkt aus an den »Eisernen Sonetten« Kritik üben wollte, könnte es einzig deswegen sein, weil es überhaupt noch Sonette sind. Eine so spezifisch moderne Stoffmasse in so archaische Form zu zwingen, ohne dem impulsiven Rhythmus durch das metrische Schema die Wucht zu nehmen, ist zwar ein meisterhaftes Kunststück; aber eigentlich kommt es mir so vor, als wollte man unsre Eisenbahnbrücken im Stil der gotischen Schwibbogen bauen. Sie haben freilich das Schema so souverän moduliert, wie es noch keiner der routinierten Sonettfabrikanten, die heute den modischen Ton angeben, auch nur annähernd gewagt hat; aber wozu diese Virtuosität, die Ihren poetischen Motiven den natürlichen Atemzug einschnürt! Ich meine nicht etwa, Sie sollten in »freien Rhythmen« dichten nach Art der psalmodischen Rhetoriker, die ihre Langatmigkeit nicht bändigen können; im Gegenteil, unsre industrielle Technik mit ihrer subtilen Zusammenkettung disparater Naturkräfte verlangt auch in der poetischen Abspiegelung von Grund aus die »gebundene Form«, aber eben Gebundenheit neuer Art. Ich wundre mich manchmal, daß unsre jüngeren Dichter meine mannigfachen Neuerungen in der strophischen Organisation nicht planmäßiger auszubauen versuchen; man hat mir allerlei einzelne Kunstgriffe abgelernt, aber grade für mein Wesentlichstes, die vielsagende Vereinfachung der Ausdrucksmittel durch die rhythmische Struktur, scheint man noch nicht gehörsreif genug. Nun, unsre Zeit ist entwicklungskräftig, und vielleicht beweist mir schon Ihr nächstes Heft, daß Sie über die klassizistische Pedanterie ebenso hinauswachsen werden wie über die romantische Libertinage. Grade diese natürliche Stilbildungskraft, die nichts mit Naturalismus zu tun hat, kann dem Künstler kein einzelner Kunstkenner öffentlich zu- oder absprechen; sie stellt sich immer erst allmählich heraus, als Quintessenz alles Für- und Wider-Geredes. Es hat daher gar keinen ideellen, sondern höchstens nur materiellen Wert, wenn ein älterer Dichter dem jüngeren Beifall spendet; die Zustimmung muß von dem *jungen* Geschlecht kommen, von dem noch jüngeren als dem des Dichters, sonst hat sie keine Zukunftstragweite. Wenn Sie sich aber irgendeinen Augenblicksnutzen für die Verbreitung der »Quadriga« davon versprechen, dann stelle ich Ihnen sehr gern frei, diesen Brief in der Zeitschrift abzudrucken.

Mit allen guten Wünschen
Ihr Dehmel.

Reinhard Goering

Reinhard Goering an Richard Dehmel [107]

München, 5. 3. 13., Destouchesstr. 1 [1]

Euer Hochwohlgeboren,

Ich glaube nicht anmaßend zu sein, wenn ich hoffe, durch einliegende Arbeiten Ihr Interesse, das mir das Wertvollste erscheint, was ich erstreben könnte, wirklich zu erregen.

Ich entbehre, in gänzlicher Verlassenheit lebend, sehr der Berührung und Förderung durch bedeutende Geister und denke mir, daß der Einfluß und das große Ansehen, das seltene Interesse, daß Sie der Dichtkunst entgegenbringen, leicht mich aus meiner unerträglichen Lage befreien könnte, wenn Sie mich einmal Ihres Beifalls wert befunden haben.

Schon Ihre bloße Kritik wird mir förderlich sein, ich werde jedes Wort davon beachten. Meine jetzige Lage macht mich jedem, der nicht verschmäht, mir ein paar Worte zu sagen, zum Schuldner, wieviel mehr Ihnen, dessen Urteil das maßgebendste heißen darf und dem unsere Dichtkunst es ewig Dank wissen wird, daß Sie die Jupitermiene und den Orakelton, wozu Ihre Größe Sie berechtigen, verschmäht und sich der Sache selbst als wirklicher und mächtiger Förderer angenommen haben, wie die jüngste Vergangenheit beweist.

Euer Hochwohlgeboren
ergebener
Reinhard Goering.

Richard Dehmel an Reinhard Goering [108]

Blankenese, 11. 3. 13.

Sehr geehrter Herr!

Sie überschätzen wie alle Anfänger die Wirksamkeit von Empfehlungen. Die einzige wirkliche Förderung junger Künstler besteht in Geld; da ich aber nicht wohlhabend bin, kann ich damit leider nicht aufwarten. Im vorigen Jahre konnte ich zufällig als Preisrichter der Kleiststiftung ein paar Dichtern ein bißchen helfen; jetzt kann ich das nicht mehr, da die Stiftung jedes Jahr einen neuen Preisrichter wählt. Empfehlungen andrer Art haben keinerlei Wert. Die bessern Verleger und Theaterdirektoren sind umsichtige Geschäftsleute, prüfen genau, was in ihr Geschäft paßt, haben eigens dazu angestellte Lektoren und Dramaturgen und lassen sich nicht dreinreden in ihren Kram. Und die sogenannte öffentliche Meinung gibt erst recht nichts auf Urteile von Dichtern über Dichter; die werden, wenn sie günstig sind, immer als Kameraderie aufgefaßt, haben gewöhnlich sogar zur Folge, daß sich die kritische Camorra direkt dagegen ins Zeug legt. Im öffentlichen Leben wird Eigenart, besonders aber künstlerische, unbarmherzig so lange befehdet, bis der liebe Nächste endlich merkt, daß sie nicht totzukriegen ist. Was übrigens seinen guten Grund hat; denn Kunst, die nur im Künstlerkreis Beifall findet, enthält eben keinen dauernden Wert fürs große allgemeine Leben.

Aber ganz abgesehen von dieser Sachlage, muß ich Ihnen einstweilen überhaupt widerraten, schon vor die Öffentlichkeit zu treten. Ihre Dichtungen sind noch nicht ausgereift; teils noch zu abhängig von fremden Mustern, teils noch zu ungeschickt in den sprachlichen Handwerksmitteln, teils noch zu dürftig in der künstlerischen Verkörperung der Ideen und zu zerfahren im Aufbau der Motive. Die rein lyrischen Stücke sind vielfach sogar unter dem Durchschnitt der feineren Dilettanten. Das einzige Opus, das mir allenfalls druckwert scheint, ist das Dramolett »Der Hungrige«; aber auch dieses würde jeder Kenner als dünnen Aufguß von Wedekinds »Büchse der Pandora« bemängeln. Ich sage Ihnen das so deutlich, weil ich Ihnen trotz allem Begabung zutraue, wenn auch noch nicht zu sehen ist, auf welchem Gebiet sie eigentlich liegt. Arbeiten Sie noch einige Jahre, dann werden Sie selbst Bescheid wissen über sich und keinen »maßgebenden« Rat mehr brauchen! Über die Einsamkeit kann Ihnen inzwischen nur Ihr eigener Mut weghelfen; die haben wir alle durchmachen müssen und stehn noch täglich im Kampf mit ihr. Hüten Sie sich vor der Weltschmerzelei, die aus der Kunst ein Privatpläsier für desperate Snobs machen möchte! Wer nicht glaubt, daß er der Welt oder Menschheit eine Gottesbotschaft zu bringen hat *und daß die Welt es wert ist, sie zu empfangen*, der ist kein Dichter von Gottes Gnaden.

Mit allen guten Wünschen
Ihr D.

München, Bismarckstr. 1, 27. 5. [1913]

Sehr geehrter Herr,

indem ich Ihnen durch den Verlag ein Exemplar des Jung Schuck zusenden lasse, wünsche ich zugleich mich für Ihr Interesse zu bedanken und Sie mit meinen Zielen ein wenig vertrauter zu machen.

Wir Neuen haben das Beschwerliche, daß wir uns erst einen Weg zur Freiheit bahnen müssen, daß wir erst Felder von Überlieferungsunkraut ausroden müssen, ehe wir unser Korn ungehemmt und ungeklemmt gedeihen lassen können. Es geht darüber viel Zeit und ein Glanz des Höheren verloren, und es könnte anders sein.

Von Ihrer Kritik habe ich guten Nutzen gezogen. Sehr getroffen hat mich Ihre abfällige Haltung zu meinen kleinen Gedichten, die mir so zugeflogen sind und die ich deshalb verzärtelte.

Indes habe ich mich inzwischen auch geändert.

Heute, wo die Seele jedes einzelnen so überladen ist, braucht es eines Menschen mit beschwingtem Geist und beschwingter Feder, eines solchen, der die Ganzheit unserer Seele zu erschüttern imstande ist, der den starken Wind wehen läßt, der den Rauch all der Einzelexplosionen vertreibt und der Zeit einmal etwas voratmet. Dieser möchte ich werden.

Ergebenst grüßend
Reinhard Goering.

Max Brod

Richard Dehmel an Max Brod [110]

Blankenese, 23. 4. 13.

Sehr geehrter Herr Brod!

Endlich komme ich dazu, Ihnen für Ihr kühnes Buch, dessen Titel mehr die »Höhe« als das »Gefühl« betont, zu danken. Über die eigentliche Bedeutung Ihres Dichtens brauche ich Ihnen zwar nichts zu sagen; Sie sind Ihres geistigen Wertes sicher. Aber vielleicht macht es Ihnen Freude, von mir eine Bestätigung Ihrer künstlerischen Darstellungskraft zu hören. Ich achte schon seit Jahren auf Ihre Entwicklung. Anfangs klang mir aus Ihrer Melodie meine eigne Tonart zu vernehmlich entgegen; jetzt hat Ihnen die Entdeckung neuer Stoffgebiete auch neue Formfülle eingebracht. Sie gehören zu den ganz wenigen jüngeren Dichtern, die das organische Prinzip meiner Kunst, nicht bloß technische Nuancen, begriffen und selbständig weitergebildet haben. Und da Sie überdies mit dem starken Willen zu vorbildlicher Lebensauffassung begabt sind, so darf ich wohl Ihnen wie mir selbst zu unsrer Wahlverwandtschaft gratulieren.

Mit schönsten Grüßen
Ihr Dehmel.

Max Brod an Richard Dehmel [111]

Prag, Postdirektion
2. 6. 1913

Verehrter Herr Dehmel,

Auf Ihren mir so werten Brief wollte ich nicht eher antworten, bis ich etwas Ihrer freundlichen Worte Würdiges beischließen könnte. Heute sende ich nun das Jahrbuch »Arkadia« an Sie ab, in dem ich einige weniger bekannte und einige ganz junge Dichter, die mir in dem Chaos der heranwachsenden Literatur durch Reinheit ihrer Werke ausgezeichnet schienen, als Einheit zeigen wollte. Allen ist wohl eine gewisse Sehnsucht nach der idyllisch-monumentalen Form eigen, und so soll mir »Arkadia« gegen die mit lasterhaftem Stolz betonte Zerrissenheit, Verzweiflung unserer Jugend Front machen, gegen eine gewisse öde Konvention des Radikalismus, der sich von Berliner Caféhäusern her breit macht. Das Maßvolle, Feste,

Nicht-Vordringliche, Nicht-Auffallende und im verborgenen Kern Ru-
hend-Kunstvoll-Selige sollte meiner Absicht nach im Jahrbuch »Arkadia«
versammelt werden. — Für den ersten Jahrgang habe ich, wie gesagt, nur
solche Dichter aufgefordert, deren Namen mit Unrecht noch nicht allgemein bekannt ist. Ich hoffe, daß man die Verbindung mit den großen Mei-
stern wie mit Ihnen und Gerhart Hauptmann durchfühlen wird. — Sollte
das Jahrbuch nur etwas Erfolg haben (was ich leider nach meinen Erfah-
rungen nicht voraussehe), so dürfen wir vielleicht hoffen, daß sich an den
nächsten Jahrgängen die verehrten Meister nicht nur als unsichtbare Schutz-
götter, sondern auch irdisch-mitwirkend unter uns in »Arkadia« einfinden.

Wollten Sie, verehrter Herr Dehmel, mir Ihre Meinung über Einzelnes
und Zusammenfassung des Jahrbuches mitteilen, sowie in Ihrem Kreise
oder gar öffentlich für das Verständnis unserer Bestrebungen eintreten, so
würden dadurch schon meine Hoffnungen in dieser Sache um ein Bedeu-
tendes gefestigt werden.

In Ihrem Briefe waren Sie auch so freundlich, auf meine persönlichen
Verhältnisse Bezug zu nehmen und meine Entwicklung als Dichter sehr
schön zu charakterisieren. — Dies gibt mir den Mut zu gestehn, daß ich mit
den äußeren Erfolgen meiner Arbeit leider unzufrieden sein muß. Es fehlt
weniger an Anerkennung als an Wirkung; und gerade die letztere ist mir
als ethisch gerichtetem Menschen das einzig Wesentliche. Es scheint mir oft,
als wären meine Bücher gerade zu den Menschen, für die ich geschrieben
habe, nicht gedrungen. Da mir die Wirkung ins Große ausbleibt, bin ich
leider auch gezwungen, meinen Lebensunterhalt in einem verhaßten Beruf,
einer kleinen Staatsanstellung, zu suchen. So habe ich oft das Gefühl, mich
in einem unfruchtbaren Kampf zu verzehren, und meine Hoffnung ist oft
auf Hilfe von oben gerichtet. Ich würde gern um die Kleist-Stiftung ein-
reichen. Obwohl mein erstes Buch vor sieben Jahren erschien, bin ich durchaus
in der Lage des Anfängers. Ich weiß nicht, ob Sie mir raten können, ein Ge-
such vorzulegen, und bin so kühn, Sie darum zu befragen. — In Verehrung

Max Brod.

Richard Dehmel an Max Brod [112]

Blankenese, 13. 10. 13.

Lieber Herr Brod!

Ihr Drama hat mich sehr ergriffen. Es enthält zwar an einigen wichtigen
Stellen, besonders gegen den Schluß hin, theatertechnische Ungeschicklich-
keiten, über die man unwillkürlich lächeln muß und die das p. p. Premiè-
ren-Publikum vielleicht sogar auslachen wird. Aber was tut das; *herzer-*

quicklich sind diese Blind-drauflos-Stolpereien in unsrer allzu umsichtigen Zeit, da sie verursacht sind durch die hinreißende Kraft gottanschauender Menschenliebe. »Ich hebe meine Augen auf zu den Bergen, von denen uns Hilfe kommt« — immerfort hörte ich den flügelrauschenden Ton dieses Bibelspruches, immer stärker, je unbekümmerter Sie Ihre Heldin, nicht rechts noch links mehr blickend, dem ewigen Quell aller Wirkungskraft zustürmen lassen. Ja: »werdet weich!« nicht wie Quark oder Butter, aber wie glühendes Eisen und stählendes Wasser! Mit dieser Sehnsucht wird sich jeder, der nicht bereits zur Maschine geworden ist in unsrer Ära der virtuosischen Technik, Ihrer gläubigen Dichtung hingeben. Alles darin lebt von Herzensgrund, schlicht und echt aus innerster Liebeslust, nicht von außen her zusammengelüstelt, und deshalb wird's auch zu Herzen gehen, trotz aller Verlebtheit und Künstlichkeit unsrer »tonangebenden Kreise«. Und nun brauche ich wohl kaum noch zu sagen, daß ich in der nächsten Sitzung der Kleiststiftung *so sehr ich kann* für Sie eintreten werde; es wird mir eine *Freude und Ehre* sein.

Ihr Dehmel.

Eben sagt mir meine Frau: »Es tut mir leid, wenn Du solchen Brief schreibst und nicht hinzufügst: meine Frau denkt wie ich.« Jetzt lachen wir beide.

Max Brod an Richard Dehmel [113]

Prag, Postdirektion
27. 10. 1913

Werter und verehrter Herr Dehmel!

Sie haben mir mit Ihren »gesammelten Werken« eine große wahrhafte Freude gemacht. Ich verfolge so gern die sinnvollen Umstellungen und Änderungen, die Sie vornehmen. Auch finde ich, daß in dieser neuen engen Zusammendrängung Ihr Werk die natürliche Gestalt für die Ewigkeit bekommen hat. Man wird nun noch zwingender als in der bandweisen Ausgabe auf Zusammenhänge gestoßen.

Zufällig sandte mir zugleich Dauthendey sein neues Buch »Gedankengut aus meinen Wanderjahren«, und ich stieß darin zu meiner Freude bald auf eine schöne Stelle, in der Ihr Zusammentreffen mit ihm in Berlin dargestellt ist. Es mag eine schöne Zeit gewesen sein, damals, ein großes Aufwachen. Zu Ihren »Erlösungen« bietet sich da ein schöner Prosa-Kommentar; zugleich auch wird mein langgehegter Wunsch, Ihre persönliche Bekanntschaft zu machen, sehr stark. — Am 16. November lese ich (aller Voraussicht nach) in Berlin. Da bin ich Ihnen freilich viel näher, und doch werde ich meinen lieben Bürochef mir bis nach Berlin hinüberwinken und mir die Weiterfahrt verbieten sehn. Denn mein Urlaub ist vorbei. (Wieso ich es täglich noch aushalte, diese Stellung, wird mir manchmal fieberhaft unklar). — Doch möglicherweise sind Sie zufällig gerade an diesem Tage in Berlin, und ich möchte diesem günstigen Zufalle nicht den Weg verstellen, indem ich Ihnen nichts von der geplanten Reise schreibe.

Mit viel Dank und schönen Grüßen, auch von meiner Frau und auch an Ihre gn. Frau Gemahlin:

Ihr ergebener
Brod.

NB. Nun hat Baron doch nachgegeben, und die Dehmel-Nummer der »Neuen Blätter« scheint wohl gesichert.

Alfred Brust

Alfred Brust an Richard Dehmel [114]

Heydekrug, Ostpr., den 22. 2. 1919

Verehrter Herr Dehmel,

verzeihen Sie, wenn ich Sie noch einmal mit einem kurzen Manuskript aufsuche. Vielleicht haben Sie noch eine Stunde für meine neue Arbeit Zeit. Es ist mein Drama in Christo »Der ewige Mensch«, das mit gleicher Post an Sie abgeht. Es soll meine vorletzte Arbeit sein, denn ihr dürfte nur noch ein *Lustspiel* folgen. Und damit will ich — es ist feste Absicht bei mir — nach fünfzehnjähriger »erfolgloser Arbeit« die Feder aus der Hand legen und nur noch ein *lebendigstes* Dichtwerk — mein Leben — schaffen. Ich stehe — siebenundzwanzig Jahre alt — vor der Höhe meiner Kraft. Aber ich kann in wenigen Zeilen gar nicht sagen, was mich bewegt. Ich weiß nur, daß das Maß Dichtkraft, das in einen Dichter gesenkt ist, sich äußern wird, mag er nun dies *mit* der Feder tun oder ohne Feder — allein durch das Leben. Ob ich die Kraft dazu haben werde, das kann ich nur *fühlen*. Nach allem, was ich bisher getan, glaube ich aber doch! Irren ist göttlich, aber ich irre nicht!

Eine Abschrift dieser Arbeit hat S. Fischer. Doch ich glaube nicht, daß er sie nehmen wird. Ich wollte Sie hiermit nur fragen, ob Professor Kippenberg sich für diese Art Dichtung interessieren würde. Ich kenne den ganzen »Rahmen« des Inselverlags zu wenig. Und eine aussichtslose Sache zu versuchen, ist mir zuwider. — — —

Der heilige Lebenswillen Ihrer Dichtungen bleibt immer über mir. Und er geht in meine Kinder ein, die nach dem Dehmelschen Rhythmus des Kindergartens hüpfen. Hoffentlich trägt die neue Zeit dazu bei, daß auch »Die Verwandlungen der Venus« ohne die nervenzerreißende Zensurlücke erscheinen können.

Ich bin sehr ergeben immer der Ihrige.
Brust.

Blankenese, 27. 2. 19.

Verehrter Herr Brust!

Diesmal muß ich Ihnen ein bißchen die Leviten lesen. Der Schluß des »Dramas in Christo« hat mich schlechterdings vor den Kopf gestoßen, oder richtiger gesagt: vors Herz. Dieser Abbruch der Innenhandlung ist doch bloß ein verblüffender Witz, wirkt bei dem sublimen Motiv der Dichtung nicht etwa sarkastisch, sondern frivol. Man (»d. h. ich« — schrieb mir einmal der alte Fontane) will gläubigen Herzens miterleben, wie der Heilige über den Tod triumphiert, auch wie seine Jünger und Jüngerinnen die Stunde der Anfechtung bestehen, und plötzlich wird einem ein kaltschnäuziger Kübel Seifenlauge über den Kopf gegossen. Diese Originalität ist zu wohlfeil; erinnert außerdem an Wedekind, bloß daß sie zu dessen Motiven besser paßt. Ich sende Ihnen das Manuskript zurück und bitte Sie von ganzem Gemüt, die Dichtung so zu Ende zu schreiben, wie es ihr (und auch Ihr) innerstes Wesen verlangt. Sie werden sie mir dann hoffentlich nochmals hersenden, und dann werde ich sie gern an Kippenberg weitersenden, mit meiner kräftigsten Empfehlung. Denn daß Sie nichts mehr schreiben wollen, das begreife ich zwar aus eigner Erfahrung; aber aus derselben Erfahrung weiß ich auch, daß die Dichter es doch nicht lassen können. Für Ihre Mußestunden schicke ich Ihnen die neue Ausgabe »Schöne wilde Welt«, mit den litauischen Liedern darin. Auch lege ich ein Blatt mit dem unverstümmelten Text der Venus Consolatrix bei; in der nächsten Auflage des Buches will mein Verleger nun endlich den Abdruck der verbotenen Verse wagen. Die heutige Jugend wird kaum noch begreifen, wieso dies Gedicht einmal unter der Anklage der Unzucht und Gotteslästerung stand, nebst manchen andern, die der Gerichtshof nur ihrer »Unverständlichkeit« wegen begnadigte. Seien Sie froh, Sie gottvoller Jüngling, daß Sie die Zeit noch vor sich haben, wo »man« Sie zu verstehen meint! —

Grüßiglichst
Ihr Dehmel.

Alfred Brust an Richard Dehmel [116]

Heydekrug, Ostpr., den 4. 3. 1919

Verehrter Herr Dehmel,

in Deutschland brennt's an allen Ecken und Enden und Mitten, und man kann gar nicht wissen (es ist mir immer geheimnisvoll gewesen), wie so ein mutiges Briefzettelchen sich durch das freundfeindliche Durcheinander hindurchschlagen wird.

Ich will Ihnen kurz aber herzlich für Ihre freundlichen Sendungen danken. »Schöne wilde Welt« ist ja ein ganz neues Buch geworden. Die Änderung des »Dramas in Christo« ist nicht ganz leicht zu bewerkstelligen. Ich kann nur noch einen Akt hinzufügen, und dies ist anfangs auch beabsichtigt gewesen, doch infolge meiner Neudeutung der Christus-Lehre unterblieb dies. Diese »Neudeutung« ist nämlich außerordentlich seltsam; sie hat mich im höchsten Grade beunruhigt, da sie mich vor eine unerhört große Aufgabe stellt, die ich vielleicht nicht einmal lösen kann. Dieser Satz: »Die ich nicht einmal lösen kann«, ist vollendeter Größenwahn, denn besagte Aufgabe ist tatsächlich so groß. Darüber viel später einmal. Aber ich werde mir mein Drama noch einmal von allen Ecken besehn und dann versuchen, das Richtige zu treffen.

Ich höre eben, daß die Werke des großen Dichters Mombert an den Insel-Verlag übergegangen sind. Das ist sehr bedeutungsvoll für die Gegenwart. Auch darüber später ...

Immer getreu und Ihnen sehr ergeben
Ihr Korybant.

Alfred Brust an Richard Dehmel [117]

Heydekrug, Ostpr., den 10. 3. 1919

Sehr verehrter Herr Dehmel,
ich sende heute das »Drama in Christo« wieder an Sie ab. Diesmal vollendet, soweit man überhaupt dieses Wort in Anwendung bringen kann, sind doch selbst die Gleichnisse Christi Fragmente. Mit diesem letzten Akt löst sich das Drama als solches fast auf und wird schon mehr Evangelium. Ich habe jetzt auch keine Lust mehr dazu, mich zu wiederholen. Nur in einer Arbeit möchte ich diesen letzten Akt mit seinen Neudeutungen vertiefen. Vielleicht in einem Altarspiel »Die Schlacht der Heilande«. Dann aber wird es sich als notwendig erweisen, vollkommen Cordatus zu werden — nicht der Cordatus des vorliegenden Dramas, sondern der verschollene Cordatus, der sein Dichtwerk lebt und »in sich gegen alle Dinge keinen Widerstand mehr ausspürt«.

Nach Leipzig ist der Verkehr vorläufig gesperrt. Die Leute erproben dort, wer nun eigentlich der Stärkere im süßen Nichtstun ist. Eine Ortschaft krieget mit der anderen. Es ist traurig-heiter. Denn die Menschen kennen noch nicht den Unterschied zwischen Armut und Nicht-reich-Sein.

Wedekind kenne ich übrigens nicht. Ich kenne eigentlich überhaupt nichts von Sophokles bis Hasenclever. Ausgenommen den herrlichen Strindberg und den Giftmischer Ibsen.

Vom Rottluff wird bald im Verlag von Kurt Wolff eine Mappe Holz-schnitte erscheinen (Christus-Zyklus). Diese Maler werden wenigstens be-zahlt für ihre Bilder und plastischen Tage. Ich habe bei fünfzehnjähriger Arbeit auch schon dreißig Mark Honorar bekommen. Nun werde ich auch noch »Mißbrauch der Gliedmaßen« treiben müssen, obschon ich fühle, daß ich dazu nicht mehr fähig bin.

Trotzdem: morgen ist ein neuer Tag!

Sehr ergeben
Ihr Brust.

Nach Richard Dehmels Tod

Wilhelm Schäfer an Ida Dehmel [118]

Baden (Schweiz), Hotel Ochsen
19. 2. 20.

Liebe Frau Isi,

nun ist es geschehen: ich sitze in Baden, mein Bein zu heilen, ich sehe an den Waldbergen in den blaßblauen Winterhimmel hinauf, ich höre die Wasser der Limmat rauschen, alles ist wie immer, auch in der flüchtigsten Minute vom gleichmäßigen unabänderlichen Gang des Lebens erfüllt — und Richard Dehmel ist nicht mehr da. Er hat, die hageren Hände auf seinem kalten Leibe, in den weißen Leintüchern dagelegen und ist von den ewig gleichen schwarzen Männern hinausgetragen worden aus seinem Haus, darin er sein fröhlich forschendes Wesen hatte, darin er die kühn gezogenen Schriftzüge auf weißes Papier schrieb, darin er lachte und sann, darin er zu Tisch saß und Wein trank, darin er so lange auf seiner Bettstatt daliegen mußte, bis ihn der Tod, den grauen Krieger von gestern, gleich meiner Tochter, der feinen Kindjungfrau, sanft in den Arm nahm.

Ja, liebe Frau Isi, ich kann wohl ihn, aber seinen Tod nicht denken, ohne daß mir die eigene bittere Erinnerung den Hals zuschnüren will. Es war ja derselbe Verlauf, in der Dauer der Krankheit und ihrer Folge, in der Operation und der gehofften Besserung, bis der grausame Schnitt kam. Ich habe es geahnt, fast gewußt, als Ihr Brief kam, als ich seine zerknitterten Schriftzüge mit seinem letzten Gruß las. Darum konnte ich nichts schreiben als Worte, weil mir die Furcht dazwischenkam.

Daß es keinen Trost gibt für Sie, weiß ich. Der Schmerz um einen Toten ist alle Liebe, die wir ihm schuldig blieben. Wieviel das ist, kann kein anderer ermessen. Alles, was ich sagen kann, ist nur Mitleid, mit leiden.

Tausend Bilder unserer einmal so nahen und dann bis auf flüchtige Tage und Stunden entfernten Freundschaft sind in den vergangenen Tagen durch mich gezogen. Nicht eines, daraus nicht irgendwie die Liebe mich ansah mit seinem stählernen Auge. Einmal werde ich den Glanz davon eingießen müssen in Worte, heute und noch lange nicht wird es sein. Ich habe es schon gefühlt, als ich in meinem »Lebensabriß« die paar Striche machte und erschrak, weil ich da schon aus der Vergangenheit sprach.

Ich konnte nicht reisen, als Ihr Telegramm kam, wie ich es auch heute kaum könnte — das Stück hierhin hat mich genug gekostet — ich konnte nur dasitzen, wie einer in der Schlacht selber verwundet dasitzen mag, wenn ihm der Freund fällt. So war ich verbittert und hadernd, weil doch die Zeit gereicht hätte, meine Tränen an seinen Sarg zu bringen. Trotzdem danke ich Ihnen tief aus der Seele, daß ich die Nachricht durch keinen Fremden, oder gar durch die Zeitung erhielt. Von allen Freunden meines Lebens war er mir der naheste, so konnten meine Gedanken doch noch an seinem Sarg sein.

Über seinen Tod hadere ich nicht; ich habe erkannt, daß die Natur alles nach ihrer Notwendigkeit macht, und beuge mich in Demut allem, was kommt. Seitdem ich aus meiner Morphium-Vergessenheit wieder erwacht bin, hat alles für mich ein neues Gesicht bekommen, fremder und näher zugleich, mein eigenes ist auch darunter, und alles, was ich seitdem treibe, füllt mich mit Staunen. Nicht einmal, daß ich noch etwas fertig machen müßte, kann mich berühren, wie es früher war: ich mache, was mir zugebilligt wird, zu machen. Nur, daß ich es recht mache, das ist mein Teil. Wie mir darin Richard Dehmel ein Vorbild war, das habe ich manchmal gesagt und werde es noch manchmal sagen.

Von Herzen
Ihr Wilhelm Schäfer.

Josef Winckler an Ida Dehmel [119]

Mörs, 10 Tage nach dem Tode Merlins 1920

O liebe Frau Isi!

Kneip kam zu mir. Wir hielten uns weinend umschlungen. Ich konnte mich unmöglich auf die Bahn setzen: »Jacob — wir bleiben hier. Wir wollen nicht unter die Offiziellen und tun wie die andern. Uns war er mehr. Wenn ich Vater Merlin zu Grabe tragen soll — so muß ich ihn auch wirklich tragen — auf den Schultern von uns Nyländern müßte er schweben. Aber wo sind unsere Getreuen? Gefallen und verschollen. Lesen wir Dehmel.«

Frühmorgens wußte ich's: Merlin ist nicht tot. Nie vorher erlebte ich den sieghaften Genius über Körperlichkeit und Schicksal wie an diesem Abend. Und — darf ich seiner Frau dies schreiben? — fast wie eine grimme Heiterkeit erfüllte es schon mein Innerstes: Nur der Gemeine erntet Trauer, Verzweiflung! Der Göttliche aber — nein, Merlin ist nicht tot! nicht in üblicher Gemeinplatzphrase — vor seiner zeugenden Geistwirkung stumpft der ordinäre Leibestod ab. Und doch, wer von allen Dichtern darf wie ich sagen: ich habe einen Vater verloren? Vater Merlin? Wer darf verwaist sein wie ich? Quälend und schwer schlug ich durch eignes Dickicht mich abseits ... währenddessen ist Merlin still dahingegangen, unbemerkt, der ich so und so oft auf dem Sprung stand, mit meiner jungen Frau ihn zu überraschen.

Wer mir gesagt hätte einst: »Dehmel stirbt bald —«, der hätte vor Schreck mich wohl betäubt, das war ja unmöglich. Lag jenseits aller Vorstellungen und war nirgends einbeschlossen. Nun aber, da es doch geschehn, und ich mich schwer über sein Werk hinsetze: »Da steht es, wie ein Felsen, abgeschlossen — plötzlich in ganz neuem Licht, Geisterlicht!« — Da ist wirklich das Wunder geschehn: daß nur Verklärung bleibt — Hauch des Ewigen — Überwindung, ewige Heimat, Hiersein, Unsterblichkeit.

Frau Isi, ich kann und kann nicht zu Ihnen schreiben, wie's üblich ist, zu einer Witwe zu reden. Sie wissen, wer ich bin. Ich darf ganz wahrhaftig sein. Ich könnte die Fäuste mit Gelächter schütteln: »Merlin! Merlin! Merlin!« O Armseligkeit deines Hinscheidens! Ich will nicht weinen um dich, will deines Schaffens würdig sein und fortwirken, wie du's befiehlst mit Vaterblick! Wer hat dir zärtlichere Briefe geschrieben wie ich? Wer hat vor dir sich strömender aufgetan wie ich? Nun dürfte ich dich beweinen? Verbiete es, verbitte es dir, unwürdig deiner, Gotteslästerung deiner schöpferischen Erhabenheit. Deine ewige Seele kümmern keine Jahre. Wir sehn den Kelch des Abschieds aufgepflanzt; du trinkst — ich trinke — ohne Träne.

Frau Isi, Niobe Isi, von alttestamentarischer Tragik umwittert — Ihren Sohn dürfen Sie beweinen, Merlin dürfen Sie nicht betrauern. Es ist eine schier dämonische Forderung und doch, sobald der physische Schmerz ausgetobt, schauen Sie wie ich nur ein Heldenantlitz — das schläft nur — der Tod reichte sein Gewand ihm dar — wie leicht es war — du »goldener Tod«. Der, den du gefällt, nannte dich einen goldenen. Du bist schön geworden von seinem Bruderkuß. Der gewaltige Zauberer hat dich zum Gott erhoben.

Frau Isi, wenn Sie zerschmettert trauern um Merlin, sündigen Sie wider ihn. Wer hat seine Epoche beschlossen wie er? Schreit, ihr Klagedrommeten, um die Leiche des Königs! — um den Sarg des Dichters singen alle Musen. Und gerade Dehmel hat die letzten schweren ernsten Probleme mit solch furchtloser Ehrlichkeit durchgerungen, daß Sie seinen Heimgang nicht besser ehren können als in seinem Geiste.

Nekrologe fliegen mir auf den Tisch. Ich mag dies Literatureitelkeitsgeschwätz nicht unter die Nase nehmen. Ich komme nach einiger Zeit still für einen Abend zu Ihnen. Wo ich irgendwie mich nützlich zeigen kann, steh ich ganz ein, liebe Frau Isi. Ich weiß in der Tat nur *einen* Trost, und das ist die Forderung der reinen Menschengröße Dehmels, die es verbietet, ihn mit gemeiner Trauer zu behängen. Beweinen wir lieber uns selber, daß wir so gering in der Gotteskindschaft sind vor ihm. Sein guter Geist schwebe auch fürder über uns.

In alter Treue
stets
Laurin Winckler.

Hans Carossa an Ida Dehmel [120]

München, 5. April 1920

Liebe gnädige Frau!

In der Nacht vom Karsamstag auf Ostersonntag träumte mir, ich traf Sie und Dehmel in einer Dorfschenke und setzte mich an Ihren Tisch. Dehmel sah verstaubt und abgehetzt aus und war sehr schweigsam. Er sagte, er komme weither, seine Füße seien wund, doch müsse er noch bis Hamburg gehen. Ich fragte, wie weit das wäre. Er: Sieben Stunden. Da gehe ich mit, sagte ich. Sie selber sprachen gar nicht, Sie waren ein wenig traurig und, wie es oft im Traum ist, etwas schattenhaft. Wir tranken aus und gingen zu dritt über eine Heide. Während wir aber so dahinwanderten, merkte ich auf einmal, daß ich weit von Ihnen entfernt war; mir wurde unheimlich zu Mut, ich gab mir die größte Mühe, dicht bei Ihnen zu bleiben, rief und winkte. Es war umsonst: wie von einer Strömung wurde ich immer weiter fortgerissen. Plötzlich blieb Dehmel stehen, er war sehr ernst und bleich, doch hob er winkend die Hand. Das erfüllte mich mit tiefstem Trost, und ich erwachte ganz heiter und frei.

Die Nachricht von Dehmels Tod habe ich bisher eigentlich erst mit dem Verstand aufgefaßt; das Gemüt weigert sich noch immer, das Ereignis in seiner ganzen Bedeutung anzunehmen. Ja, wenn ich heut in wichtiger Angelegenheit an ihn schriebe, ich wäre, glaub ich, enttäuscht, wenn in acht bis vierzehn Tagen noch immer keine Antwort da wäre. Wie hat der Tod über einen Geist wie den seinen doch gar keine Gewalt! Das Licht kann zu Zeiten verstellt werden, mancher wird glauben, seiner nicht zu bedürfen, aber es ist immer da, und irgendwann lodert es wieder als führender Stern.

Ich habe selten an Dehmel geschrieben (weshalb auch die Zahl der Briefe, die ich von ihm besitze, klein ist), schon weil ich seine tägliche Zeit heilig hielt, — zu wissen, daß er lebt, daß ich im Fall einer Krise zu ihm kommen dürfte, war mir genug. Wo lebt *jetzt* noch ein Mensch mit dieser Güte, dieser Wahrhaftigkeit, Treue und männlichen Zuverlässigkeit, ohne die doch zuletzt alle Genialität etwas Halbes bleibt?

Und alle Wunder
Geschehn an Ufern.
Wir drängen alle
Zum freien Strand.

Wir sind beladen
Mit Stoff der Sonne.
Wir müssen schwinden,
So stark sind wir.

Es gibt kein Ende,
Nur glühendes Dienen.
Zerfallend senden
Wir Strahlen aus.

In innigem Gedenken
Ihr Hans Carossa.

Dokumente

Else Lasker-Schüler

RICHARD DEHMEL

Ich schrieb über ihn in meinem Essaybuch Gesichte:

Aderlaß und Transfusion zugleich;
Blutgabe deinem Herzen geschenkt.

Ein finsterer Pflanzer er,
Dunkel fällt sein Korn und brüllt auf.

Immer Zickzack durch sein Gesicht,
Schwarzer Blitz.

Über ihm steht der Mond doppelt vergrößert.

Ich will noch mehr über Richard Dehmel sagen: Aus ihm kann man
einen Urwald formen und aus einem Urwald, Himmel, Blitz und Donner
einen Richard Dehmel haun. Er ist kieferngrün, er hat Augen, unergründ-
liche Waldbäche. Forst tritt in den Raum, und wir verirren uns zwischen
den wurzelverschlungenen Pfaden seiner Dichtungen. Manchmal schreit ein
Hirsch auf; buntes Licht leuchtet dort aus seinem Vaterhaus, das der Sturm
umbraust:

LIED AN MEINEN SOHN

Der Sturm behorcht mein Vaterhaus,
mein Herz klopft in die Nacht hinaus,
laut; so erwacht ich vom Gebraus
des Forstes schon als Kind.
Mein junger Sohn, hör zu, hör zu:
in deine ferne Wiegenruh
stöhnt meine Worte dir im Traum der Wind.

Einst hab ich auch im Schlaf gelacht,
mein Sohn, und bin nicht aufgewacht
vom Sturm; bis eine graue Nacht
wie heute kam.

Dumpf brandet heut im Forst der Föhn,
wie damals, als ich sein Getön
vor Furcht wie meines Vaters Wort vernahm.

Horch, wie der knospige Wipfelsaum
sich sträubt, sich beugt, von Baum zu Baum;
mein Sohn, in deinen Wiegentraum
zornlacht der Sturm — hör zu, hör zu!
Er hat sich nie vor Furcht gebeugt!
horch, wie er durch die Kronen keucht:
sei *Du!* sei *Du!* —

Und wenn dir einst von Sohnespflicht,
mein Sohn, dein alter Vater spricht,
gehorch ihm nicht, gehorch ihm nicht:
horch, wie der Föhn im Forst den Frühling braut!
Horch, er bestürmt mein Vaterhaus,
mein Herz tönt in die Nacht hinaus,
laut — —

Dieses sich losbäumende Gedicht! Ein Edelbüffel er, der es herausbrüllt durch die Spalten der Stämme in die Welt. — Ich zeichnete ihn, wie ich ihn in der Erinnerung mit mir nach Hause nahm, vor einigen Jahren aus seinem Vortrag: »Dichtender Waldmensch, unbändiger Forstfürst!« Vorsintflutliche Verstiere sind seine Gedichte aus Harz und Mark und Rinde.

[*Neue Blätter 1913,* Der dritten Folge fünftes Heft.]

Wilhelm Schäfer

... Weder mit dem einen [Gerhart Hauptmann] noch dem andern [Stefan George] hatte der Gedichtband »Erlösungen« zu tun, der 1891 im Verlag Göschen erschien und Richard Dehmel als seinen Verfasser nannte. Wenn man ihm einen Paten geben wollte, so war es nun doch Friedrich Nietzsche. Nicht die soziale Frage, wie bei Gerhart Hauptmann, gab die Leidenschaft her für diese zum Teil überraschend wohlgeformten Gedichte, sondern das Mannestum ihres Dichters; und andererseits sonderte ihn kein Ästhetentum von der Wirklichkeit ab, wie Stefan George, sondern er stand als Kämpfer mitten in ihren Bedrängnissen.

Von dem Verfasser erfuhr man, daß er als Sohn eines Försters am 18. November 1863 in Wendisch-Hermsdorf geboren war und als Sekretär des Verbandes deutscher Privat-Feuerversicherungsgesellschaften in Berlin lebte. Fachleute rühmten seine Schriften über Versicherungswesen. Von dieser Fachmannschaft war freilich in seinen Gedichten wenig zu spüren; mehr als andere stellten sie die Ungesichertheit der menschlichen Existenz vor den Elementen dar. Denn diesmal war es kein Jüngling wie Goethe, der das Glück seiner großen Liebe hinaussang, sondern ein in allen Kämpfen des Lebens gerüttelter Mann.

Es ging dem ersten Buch Dehmels, wie es ersten Büchern zu gehen pflegt: sie werden von denen, die Ohren haben zu hören, mit Achtung aufgenommen und bleiben im Umkreis dieser Achtung. Erst sein zweites Buch »Aber die Liebe« (1893) machte ihn bekannter und den Namen des nunmehr Dreißigjährigen zu einem Kampfruf der modernen Dichtung. Denn jetzt war der Ton nicht mehr zu überhören, den ein ungestümes Temperament zu seiner Offenbarung gefunden hatte. Die Beherrschung der Form war geblieben, aber nun drängte die Natur zu einer Befreiung der Sprache von überkommenen Wendungen, durch welche Richard Dehmel zum stärksten Lyriker der deutschen Sprache in seiner Epoche wurde, trotz Liliencron und Stefan George.

Bei dem von Dehmel geliebten Liliencron war es die burschikose Frische, das unbekümmerte Sängertum, das — wenn es sich im Augenblick machte — auch den Bänkelgesang nicht vermied, bei George die Würde des priesterlich bemessenen Versschritts, worin sie gegen Dehmel begabter schienen. Bei ihm war alles schwer errungen und trotzig ans Licht gebracht, nicht hingeflossen wie bei Liliencron, nicht psalmodiert wie bei George, dafür aber war seine Sprache vulkanisch durchglüht, wie Lava geflossen und erstarrt.

So ist er mehr als einer von den beiden zum Erneuerer der deutschen lyrischen Sprache geworden; im fröhlichen Sang Liliencrons wie in der kühlen Formung Stefan Georges blieb ihre Substanz unverändert, es war nur ein ungewöhnlicher Gebrauch, den sie davon machten: der Hamburger durch sein unbekümmertes Naturell, der Rheinländer durch sein artistisches Gewissen.

Beide konnten natürlich des Lesers versicherter sein als Richard Dehmel, dem es auf die Erneuerung der lyrischen Sprache ankam und der deshalb vor Schärfen des Ausdrucks nicht zurückwich, wenn sie seinem Gefühl entsprachen. Er fand damit nicht nur Widerstand, sondern auch Spott; über sein Trinklied mußte selbst ein so weitherziger Kritiker wie Fontane den Kopf schütteln.

Das und der Inhalt seiner »Verwandlungen der Venus« hinderten Dehmel durchaus, in die gute Stube des Bürgers zu kommen; es hinderte aber auch die zeitgenössische Kritik, den Dichter so ernst zu nehmen, wie es seiner Bedeutung entsprochen hätte.

Auch seine nächsten Bücher »Lebensblätter« (1895) und »Weib und Welt« (1896) änderten daran nichts mehr, als daß der Kreis derer, die sich von seiner eigenwilligen Kunst angezogen fühlten, sich mit jedem Jahr vergrößerte. Erst seine »Zwei Menschen« (1903), ein »Roman in Romanzen«, wie der Untertitel lautete, ließen zum wenigsten die Spötter schweigen; der Widerstand, den der nunmehr Vierzigjährige immer noch fand, war achtungsvoll geworden. Der Name Richard Dehmel hatte einen Klang gewonnen, der sich nicht mehr überhören ließ...

[Aus einem unveröffentlichten Vorwort zu Gedichten Dehmels (1942)]

Ida Dehmel

Ich fand eine Kunst, die sich der übrigen Welt noch nicht erschlossen hatte. Ich traf den Menschen und Künstler, der meinem Wesen die entscheidende Formung gab: *Stefan George.*

Wenn ich die Gelegenheit, einem großen Kreis von Menschen über meine Erinnerungen zu sprechen, mit besonderer Genugtuung ergreife, so geschieht das vor allem, um mich selbst einmal über diese tief einschneidende Jugendfreundschaft zu äußern. Es verlangt mich danach, das völlig verzeichnete Bild auszulöschen, das Julius Bab, der im übrigen so kluge, wissende und verehrungsbereite Schriftsteller, in seiner großangelegten Dehmelbiographie von dieser Gemeinsamkeit gegeben hat, und die längst ins Reich der Dichtung erhobene Verbindung darzustellen.

Ich hatte George als Kind gesehen, hatte ihn dann aus den Augen verloren und sah ihn später seltene Male wieder, ich selbst damals im Stadium des spottenden Backfischs, er sehr still, sehr blaß, im Gehrock des Konfirmanden mit seiner Schwester am Rheinufer spazieren gehend. Dann entschwand er mir wieder für mehrere Jahre, und nun, 1890, bat mich sein jüngerer Bruder, ich möchte ein Bändchen Gedichte Stefans, soeben gedruckt, von ihm annehmen; er selbst und seine Familie vermöchten nicht, sich ein Urteil darüber zu bilden. Ich las die »Hymnen«, und diese für andere noch nicht enträtselbare Sprache erschloß sich mir vom ersten Augenblick an.

Ein dunkler Trieb sagte mir, daß es hier nicht darauf ankomme, Sinn zu finden, Lehre aus Gedichten zu ziehen — ich ließ mich von diesem Melodienstrom tragen, hinreißen, so wie ich mich von den Gesängen der katholischen Prozession in die Knie hatte zwingen lassen, so wesensfremd und unerklärlich mir, der Jüdin, die Seele dieser Religion war. Die schweren brokatnen im Luftzug sich wiegenden Fahnen, die hohen brennenden Wachskerzen, die Weihrauchschwaden, die der Maria geweihten kleinen blondlockigen Mädchen, Lilienstengel in den Händen, die Knaben mit dem Kreuzstab, Abbilder der Pilgrime zum gelobten Land — genau so wirkten die Gedichte Georges auf mich. Glocken schwangen durch die Verse, und alles schien zu verkünden: Das Allerheiligste ist nahe.

Wenige Wochen später erschien Stefan George bei mir. — Es gibt Menschen, die im Werk und Wesen Georges etwas Gewolltes zu erkennen glauben; die behaupten, daß seine ungewohnte Abgeschlossenheit ein bewußtes Mittel darbiete, geschaffen, auf die ewig Neugierigen einen unfehlbaren Reiz auszuüben. Vielleicht kann niemand so sehr das Unsinnige solcher Auffassung aus der Welt schaffen wie ich, die ich Stefan George seit seiner Knabenzeit beobachtet habe und seit dem Erscheinen seiner ersten Gedichte kenne. Er ist ganz unbedingt geworden, was er und wie er werden mußte; sein Wesen war ihm von der Natur vorgeschrieben, niemals gab es eine Wendung, niemals eine Umkehr. Hager, pergamentfarben, mit tief in den Kopf zurückgesunkenen Augen und weit vorspringendem danteskem Kinn, so saß er mir gegenüber, der Zweiundzwanzigjährige der Zwanzigjährigen. Und ob wir gleich in dieser ersten Stunde zu Freunden wurden, so blieb doch zwischen uns eine niemals sich schließende Kluft, denn es lag um ihn der Hauch einer kalten Leblosigkeit, die von einem jungen, blühenden Weib fast abstoßend empfunden werden mußte. Doch schuf vielleicht gerade diese trennende Schranke die Atmosphäre, die wir füreinander brauchten. George fand in mir einen der ersten Menschen, dem seine Dichtung eine Welt bedeutete; ich erfuhr durch ihn zum ersten Mal das mir bis heute größte Wunder des menschlichen Vermögens: die Erhebung des Vergänglichen in die unvergängliche Form des Kunstgebildes.

Die ersten Gedichte, die ich von ihm empfing, trugen die Widmung: »Zum Gedächtnis an einige Abende innerer Geselligkeit«. In dem ersten dieser Gedichte erklingt ein neuer Ton; eine Hinneigung dem Lebendigen zu:

> Zieh mit mir geliebtes Kind
> in die Wälder frommer Kunde
> und behalt als Angebind'
> nur mein Lied in deinem Munde.

Dieser neugewonnene Klang durchzieht die zwei nächsten Bände des Dichters, die »Bücher der Hirten und Preisgedichte« und »Das Jahr der Seele«, diese leuchtenden Gesänge, in denen der Dichter dem irdischen Dasein so nahe gerückt ist wie nie vorher und nachher. Wenn ich den Ringen folgen will, die mein Lebensbaum in jenen Jahren angesetzt hat, so nehme ich diese Bände zur Hand. Ich finde darin die Wege, die wir zusammen gingen, nicht dem Strom der Vielen folgend am Rhein entlang, sondern die unendlich lieblichen einsamen Wege des Nahetals, »wo wir (gewiß!) Bruder und Schwester waren, erwachsen in derselben Landschaft und eng verbunden ...«, wie mir George später einmal schrieb. Ich finde mein Vaterhaus:

> Den Raum mit sammetblumigen Tapeten,
> so waren sie zur Zeit der Ahnin Mode.

Ich finde meine eigenen Erlebnisse, die den Weg durch die Seele eines Dichters genommen haben. »Das Jahr der Seele« sollte meinen Namen tragen.

Aus dem an mich gerichteten Widmungsgedicht, das ihm voranstehen sollte, möchte ich Ihnen zwei Verse vorlesen:

> Und heut geschieht es nur aus einem Grunde
> wenn ich zum Sang das lange Schweigen breche,
> daß wir uns freuen auf die Zwielichtstunde
> und meine düstre Schwester also spreche:

> Soll ich noch leben, darf ich nicht vermissen
> den Trank aus deinen klingenden Pokalen
> und Führer sind in meinen Finsternissen
> die Lichter, die aus deinen Wunden strahlen.

Diese Widmung *sollte* mir gehören — sie ward mir nicht vor der Welt geschenkt. Eine der merkwürdigsten Schicksalsverknüpfungen hatte es gefügt, daß ich um Georges willen den Weg zu Dehmel fand.

Zu Weihnachten 1892 hatte mir ein Jugendgefährte Richard Dehmels soeben erschienene »Erlösungen« geschickt; ihre brausende Gewalt hatte mich hingerissen. Wenn mir George das Jenseitige des Lebens gab, die Erhabenheit, aber auch die Kühle einer priesterlichen Weltabgewandtheit, so fand ich nun in Dehmel alles, was mich selbst durchströmte: das himmelstürmende Verlangen nach einer Erfüllung über den Alltag hinaus, die prometheische Sehnsucht nach der Beglückung der ganzen Welt. Für mich, die ich nicht geboren war, selbst zu schaffen, gab es wohl keinen höheren Beruf, als der Kunst der Großen meiner Zeit ganz erschlossen zu sein. Je bereiter ich zur Aufnahme war, um so mehr diente ich der Aufgabe, die meine Bestimmung wurde.

Als ich zum ersten Mal vor George den Namen Dehmel aussprach, da zogen sich seine Mundwinkel in tiefer Verachtung herab. Dies war es, was den ersten Riß in unsere Verbundenheit brachte: er mußte seinem ganzen Wesen nach einseitig sein; für mich war die Freudigkeit, aller neu quellenden Kunst offenzustehen, oberstes Gesetz.

1895, nun in Berlin wohnend, fand ich in der Zeitschrift PAN einen Aufsatz von Dehmel über die besten Bücher des Jahres. Mein Gerechtigkeitsgefühl empörte sich dagegen, daß Georges Name nicht genannt war; ich schrieb dem mir persönlich unbekannten Dichter.

Den Band George, den ich Dehmel geschickt hatte, brachte er mir kurz darauf zurück. So lernten wir uns kennen. [Folgendes ist im Manuskript gestrichen: Er erklärte sich bereit, in einem der nächsten PAN-Hefte nicht nur eine Auslese George'scher Gedichte zu bringen, sondern auch die Verse derer aus dem George-Kreis: Hofmannsthal, Wolfskehl, Paul Gérardy, denn dieses war Georges Bedingung gewesen: der PAN durfte ihn nur nachdrucken, wenn zugleich mit ihm die Dichtungen seiner Jünger gebracht wurden. Dehmel schied bald darauf aus der Leitung des PAN aus, so wurde sein ehrliches Bestreben, George gerecht zu werden, vereitelt.]

Bald darauf traf ich George wieder in der alten Heimat; wir gingen die gewohnten Wege, alles schien unverändert, aber es schien nur so. Denn immer wieder, ob ich es gleich selbst nicht wollte, sprang mir der Name Dehmel über die Lippen, und jedesmal antwortete dieser Anrufung ein eisiges Schweigen. So wurden wir uns fremd. So war es nur eine letzte reinliche Konsequenz, daß mir George nach einiger Zeit in aller Form schriftlich die Freundschaft kündigte. So wäre jene Widmung nicht ein Zuruf an das Lebendige, sondern ein Nachruf auf Erloschenes geworden, und es war zu begreifen, daß George das Gedicht mitten zwischen die andern schob und das Buch seiner Schwester widmete.

Um Ordnung in die Fülle der Gesichte zu bringen, will ich chronologisch vorgehen, und so setze ich an den Anfang August Strindberg. Strindberg ist der einzige von all denen, die ich heute abend nennen werde, den ich persönlich nicht gekannt habe, aber als mein Leben mit dem Dehmels verflochten wurde, stand Dehmel noch so stark unter dem Eindruck von Strindbergs Persönlichkeit, daß er mir fast greifbar nahe gerückt wurde. Strindberg hat in das nüchterne Berlin den Rhythmus seines wildbewegten Lebens getragen. Die bisherigen Zusammenkünfte der damaligen Dehmelfreunde Holz, Schlaf, die Brüder Hart, Bruno Wille und Bölsche hatten sich in den kleinbürgerlichen Räumen der diversen neugebackenen Ehepaare dieses Kreises abgespielt. Nun kam Strindberg, etablierte sich in der Weinstube zum Schwarzen Ferkel, und dort, losgelöst von Berufsqualen und den Sorgen des häuslichen Herdes, tobte sich die große Schar der jungen Künstler aus. Dehmel war immer stolz darauf, daß diese Zusammenkünfte, so alkoholdurchtränkt sie auch waren, niemals im Gemeinen endeten. Es waren Orgien der Kunst, Übersteigerungen der schöpfenden Phantasie. Die Frauen dieses Kreises waren gleichberechtigt durch Schönheit, durch ihr Verständnis für die Zukunftsträume dieser Männer; die Liebeskämpfe um sie wuchsen sich manchmal zu Tragödien aus, niemals endeten sie in Frivolitäten. Als Strindberg Berlin verlassen hatte, kamen als Ersatz seine Briefe in einem phantastisch gebrochenen Deutsch, die alles eher schienen, als von einem Dichter geschrieben. Sie berichteten ausschließlich von chemischen Experimenten ...

Der Gegenspieler Strindbergs in jener Zeit war der Pole Stanislaw Przybyszewski. In die Tafelrunde um Strindberg brachte Przybyszewski Rausch und dämonischen Überschwang. Stacho, wie er allgemein genannt wurde, war verheiratet mit einer wunderschönen Dänin, Ducha genannt, und diese beiden führten als Rattenfänger von Hameln ständig eine Schar junger Künstler mit sich. Es klingelte gegen Abend an der Haustür, und es erschienen Stacho und Ducha, hinter ihnen ein junger Maler, ein Bildhauer, ein

Kunstgelehrter, der früh verstorbene Schriftsteller Arthur Möller van den Bruck mit seiner Frau Hedda, jetzt seit langem die Lebensgefährtin Herbert Eulenbergs, es folgten noch ein paar junge Frauen, manchmal begleitete Fidus den Zug und der Dichter Franz Evers. Es wurde ein Abendessen improvisiert, die Künstler trugen Tisch und Teppich aus dem Speisesaal, und der Tanz begann. Nie habe ich einen weicheren verführerischeren Walzer gehört, als Przybyszewski ihn dem Flügel entlockte, nie habe ich eine Tänzerin gesehen, die sich in so vollkommener Hingegebenheit an den Rhythmus fast in eine Wolke auflöste. Ducha war das Urbild jener schlanken überzarten Frauengestalten des Fin de siècle, die Schlangenlinien des später so üblen Jugendstils scheinen nach ihr gebildet, die hauchzarten Gläser, die zu jener Zeit auftauchten, sind Ausdrucksformen ihres Wesens...

Ich habe mir damals manchmal die Freude gemacht, dieses Tohuwabohu von Menschen auf einen ganzen Sonntag zu mir einzuladen. Der Kreis war viel größer, als ich ihn bisher geschildert habe. Es kam dazu der Phantast Paul Scheerbart, obgleich gewiß noch nüchtern, schon berauscht in Erwartung der geistigen und leiblichen Genüsse. Zuweilen kam auch Peter Hille, der große Träumer, der nicht säte und nicht erntete. Unser himmlischer Vater ernährte ihn auf folgende Art und Weise: Er hatte ungefähr dreißig Bekannte, die besuchte er der Reihe nach und ließ sich von jedem eine Mark schenken. Das konnte jeder geben, und für Hille reichte es.

Zum engsten Kreis gehörte noch Hedwig Lachmann, die spätere Gattin Gustav Landauers, eine der edelsten Frauen, die ich kennenlernen durfte. Dehmel hat ihr einige seiner blutendsten Gedichte gewidmet. Ihre eigenen Gedichte, nach ihrem Tode von Landauer veröffentlicht, sind wunderbar geschliffene Edelsteine der deutschen Sprache.

Es versteht sich von selbst, daß diese aufs höchste gesteigerte künstlerische Gemeinschaft auch Schaffende anderer Kunstgebiete heranzog. Aufs innigste ihr verbunden war Conrad Ansorge, vor dessen Chopin-Spiel Przybyszewski auf den Knien lag. Kein zweiter hat, das war Dehmels unumstößliche Überzeugung, den lyrischen Klängen jener Tage so die Musik gefunden wie Ansorge. Dehmel hatte eine glühende aber unglückliche Liebe zur Musik, denn er konnte keinen Takt richtig singen, aber wenn er glücklich war, wurde er hingerissen von der Natur, dann stürmte er durch die Heide und sang Ansorge-Lieder. Ganz aufgelöst in Begeisterung sang er, ohne zu ahnen, daß kein Ton richtig war.

In diese Zeit äußerster künstlerischer Produktivität fiel die Gründung der Zeitschrift PAN. Diese Publikation sollte sorgsamst ausgewählte Sachen bester moderner Kunst in solchem Rahmen bieten, daß auch die Kunstfreunde, die sich bisher all diesem Neuen noch verschlossen hatten, dafür gewonnen würden. Meier-Graefe, der in der Kunst das Gras wachsen hörte, war der Anreger; ein paar junge Aristokraten von erlesener Bildung, Eberhard Freiherr von Bodenhausen und Harry Graf Keßler, wurden dafür gewonnen, auch Dehmel trat in die Leitung ein. Eine längere Anwesenheit Böcklins in Berlin, der dort die Behörden für die Erfindung seines Flugzeugs interessieren wollte, gab den Anlaß zu einem Gründungsdiner größten Stils. Böcklin, von der Gleichgültigkeit derer, die er für seine Flugzeugtechnik interessieren wollte, enttäuscht, tat kaum den Mund auf, sein Trinkspruch, von dem man sich die größte Anziehungskraft auf die unentbehrlichen Förderer des PAN-Unternehmens versprochen hatte, bestand nur in den grimmig hervorgestoßenen Worten: »Es lebe PAN!« Da erschien, um Stunden verspätet, Max Klinger im Saal. Plötzlich wurde Böcklin lebendig, er ergriff einen Kellner an den Frackschößen und, indem er auf Klinger deutete, befahl er: »Bringen Sie dem Mann zu essen und zu trinken.«

Für den Künstler, der mit unendlich sensibler Seele auf jeden Einfluß reagiert, ist der Umgang mit Menschen oft auch für die Form der von ihm geschaffenen Kunstwerke entscheidend. Ich habe oft die Empfindung gehabt, als hätte Dehmel, seit er bewußter Künstler war, mit traumwandlerischer Sicherheit die Menschen an sich gezogen, die ihm im Augenblick Bereicherung seines Lebens bedeuteten. So ist seine Verbundenheit mit dem Grafen Keßler, dessen selbstverständliche Beherrschung großer Lebens- und Wissensgebiete Dehmel besonders anerkannte, sicher von starkem Einfluß auf ihn gewesen. Durch Keßler lernte Dehmel auch den Schöpfer neuer Bauformen kennen, Henri van de Velde, und bald danach Peter Behrens, der zu einem seiner nächsten Freunde wurde.

Inzwischen hatte Dehmel seine Berliner Häuslichkeit aufgegeben, und nach langem Reisen durch Italien und Griechenland, England, Schottland und Holland, hatten wir uns in Heidelberg niedergelassen. Zu jener Zeit, in der der Großherzog von Hessen seine Darmstädter Künstler-Kolonie gründete. Das gab nun eine Fülle von Anregungen, wir waren fast jede Woche in Darmstadt, um das Wachsen der Häuser zu beobachten. In Peter Behrens' Haus sind viele Ideen Dehmels mithineingebaut, wie auf das Werk Dehmels die strengen Stilprinzipien von Behrens manchen Einfluß gehabt haben. In Dehmel selbst steckte ein Architekt, wie schon sein Entwurf für einen Bühnenbau in seinem frühen Drama »Der Mitmensch« verrät. Vielleicht ist durch Peter Behrens die Neigung zu strengem Aufbau in Dehmel zu sehr betont worden. Ihren stärksten Ausdruck hat sie in dem Drama »Menschenfreunde« gefunden, in dem sich mit äußerster Symmetrie der Szenenaufbau durch drei Akte gleichmäßig wiederholt.

[Dem Manuskript von zwei Vorträgen entnommen, die Ida Dehmel Anfang 1930 gehalten hat. Das Manuskript liegt im Dehmelhaus.]

Stanislaw Przybyszewski

RICHARD DEHMEL

Ein Lebensblatt

Wenn ich auf den Lebensweg, den ich durchmessen, zurückschaue, verweile ich immer mit tiefster Andacht — das dürfte wohl der treffendste Ausdruck sein — bei einem Erlebnis: meiner Bekanntschaft mit *Richard Dehmel*.

Ich verdanke sie nicht etwa einem Zufall, es gibt keine Zufälle, wenn man nur tiefer in die Wirrnisse des Lebens hineinblickt: eine unzerreißbare Kette von Lebensumständen hat sie herbeigeführt.

Es war am Abend eines heißen, schwülen Julitages, als ich, schüchtern und befangen wie immer bei der Möglichkeit eines Zusammentreffens mit neuen Menschen, in den Salon Dr. Schleichs eingetreten war.

Unmittelbar nach meinem Eintritt kam mir ein junger Mann entgegen, der vom ersten Augenblick auf mich einen starken Eindruck gemacht hatte.

Deutlich sehe ich die schlanke Gestalt vor mir mit dem üppigen schwarzen Haarwuchs, dem blassen, von vernarbten Mensurschnitten zerfurchten Gesicht, umrahmt vom schwarzen kurzgeschnittenen Bart und mit tiefen, gütigen strahlenden Augen. Diese Augen waren von eigentümlichem Zauber: offen, klar, anheimelnd, und von jenem berückenden Glanz, der auch nicht das geringste Gefühl von Fremdsein entstehen läßt — als hätten diese Augen seit der frühesten Zeit einem in die Seele hineingeleuchtet.

Und so war ich durchaus nicht verwundert, als ich sofort mit »Du« angeredet wurde.

»Heute wirst Du nur für mich spielen« — hörte ich seine liebevolle »Bruder«-Stimme — als solche habe ich sie gleich empfunden — dieses »Du« fand ich seltsam und zugleich als etwas ganz Selbstverständliches.

Ich wurde an einen prachtvollen Bechstein-Flügel gedrängt — ich war sehr befangen und verschüchtert — wie immer, wenn ich mich »öffentlich« verausgaben sollte —, aber die Anrede Dehmels, ich solle nur für ihn spielen, wirkte wie ein hypnotischer Befehl.

Es waren mehrere Personen in dem Salon, aber ich empfand nur die Anwesenheit Dehmels.

Ich spielte die fis-Moll-Polonaise und das h-Moll-Scherzo Chopins.

Mein Spiel, das jeden Virtuosen, ja selbst den durchschnittlichen Konzertbesucher in die hellste Wut und Empörung versetzen muß, löste in Dehmel erschütternde Begeisterung aus.

Ich habe oft darüber nachgedacht, was in meinem durchaus dilettantischen Spiel die Menschen so mitreißen, ja sie sogar ganz aus dem Gleichgewicht bringen konnte. Es war wohl die überaus gesteigerte Stimmung, in die ich selbst beim Spielen geriet und die Arno Holz Dehmel gegenüber zu dem Warnungsruf veranlaßt hatte: »Wenn der Kerl sich so weiter verausgaben wird, dann krepiert er in einem Jahr!«

Chopin — in meiner Auffassung — war der Vermittler zwischen Dehmel und mir, er hat — mir wenigstens — die weihevolle Stunde geschenkt, in der ich mir sagen konnte: Endlich habe ich einen Freund gefunden!

»Komm!« Dehmels Hand faßte mich an der Schulter. Ich folgte willig.

Wir waren beide gleich ergriffen. In mir zitterte noch die starke, nicht ganz ausgelöste Spannung nach. Dehmel nahm den Hut ab und wischte sich den Schweiß von der Stirn.

Wir schwiegen lange.

»Du darfst nicht den Menschen in dieser Weise die Nerven aus dem Leibe reißen«, sagte er auf einmal.

»Deine werden standhalten, und für die anderen müßte ich die gröbsten Schmiedezangen anwenden.«

Wir lachten herzlich auf, und das hat uns erlöst.

Um in ein ordentliches Restaurant einzutreten, dazu reichte unser Geld nicht aus — ich schlug ihm vor, mich in meinen Stadtteil zu begleiten — in den äußersten Norden, weit hinter Wedding, wo ich ihm eine gefährliche Verbrecherspelunke vorschlug, in der er — der verächtliche Hasser aller »Ordentlichen« — die beste Gesellschaft finden würde.

Er blinzelte listig mit den Augen.

»Ich finde, daß wir viele Berührungspunkte haben — mir ist es sehr recht.«

Unterwegs erzählte ich ihm, wie ich Eingang hierher, in eine der verrufensten »Kaschemmen« Berlins, bekommen hatte.

Ich hatte mir nämlich ein kleines Stübchen ganz im Norden gemietet — fünf Mark Monatsmiete — die Not wurde zur Tugend: Ich wollte damals die Verbrecherwelt studieren — den »criminel-né« und den »uomo scelerato« — und den bleichen Verbrecher aus eigener Anschauung kennenlernen. Ich war vom Glück begünstigt. Mein Nachbar war ein wüster Steinträger. Die verfallene, wüste Mietskaserne, die ich damals bewohnte, war sicherlich kein Haus, hinter dessen Fenstern, nach dem Ausspruch Dehmels, »die Ordentlichen« schlafen. Zum Überfluß habe ich dort die Qualen der Schlaflosigkeit wegen »gestörter Nachtruhe« kennengelernt. Die Polizei wagte sich damals nicht gern in dies verruchte Viertel hinein, und so kam es häufig vor, daß sie erst ein paar Stunden nach »vollbrachter Tat« an dem Tatort erschien. In dieser Atmosphäre begann eine der schönsten und tiefsten Beziehungen, die mich je mit einem Mann verbunden hat.

Auf Dehmel schien die Spelunke, in die ich ihn führte, großen Eindruck gemacht zu haben — Erinnerungen an diese Kaschemme findet man in den »Verwandlungen der Venus«, besonders in »Venus vulgivaga« —, der »blassen Harfnerin« haben wir dort zugehört und die riesigen Kauwerkzeuge angestaunt, mit denen ein Zuhälter in Begleitung eines viehischen Weibes — »von Rasse«, wie Dehmel bemerkte — ein riesiges Stück Fleisch zermalmte.

Dann vergaßen wir ab und zu, daß sich noch jemand außer uns in der Kaschemme befunden hatte, und dann erzählte er mir von seinem Studentenleben und den epileptischen Anfällen, an denen er bis in sein zwanzigstes Jahr hinein gelitten hatte. Und in stolzen Worten pries er die Macht seines Willens: Als er einmal wieder einen Anfall herannahen fühlte, versammelte er alle seine Willenskräfte zur verzweifelten Abwehr. Von dem Sieg seines Willens hatte er diesmal sein ganzes Leben abhängig gemacht. Wäre dieser letzte Versuch mißlungen, er hätte seinem Leben ein Ende gemacht — er konnte nicht länger in der entsetzlichen Furcht vor den immer wieder zurückkehrenden Anfällen leben, die gräßliche Angst, die er kurz vor einem solchen Anfalle durchlebte, brachte ihn dem Irrsinn nahe: diesmal sollte sich alles entscheiden.

Nie werde ich seine Schilderung des furchtbaren Kampfes vergessen, den er in dieser nahenden Todesstunde mit dem tückischen »Giftgott« durchgefochten hatte — er beschrieb die einzelnen Phasen dieses unheimlichen Ringens mit einer visionären Wucht, daß mich fortwährend kalte Schauer überliefen. Es galt nur, das Bewußtsein nicht zu verlieren. Hätte er nur auf eine Sekunde die Zügel sich aus der Hand reißen lassen, dann wäre er verloren gewesen. Seine Augen weiteten sich gespenstisch, als er in der Erinnerung diesen letzten entscheidenden Moment durchlebte, wie er die schleichende Lähmung in seinen Gliedern empfand und deutlich fühlte, daß der Geifer aus seinem Munde trat, wie sich aus seiner Kehle ein schmerzhaftes Röcheln keuchend herausarbeitete — im letzten Augenblick, als er die Konvulsionen nahen fühlte, die ihn auf den Boden werfen sollten, schnellte er mit furchtbarer letzter Willensanstrengung auf, begann zu laufen, stürzte nieder, riß sich wieder empor, schrie fortwährend in sich hinein: Ich will nicht! Ich will nicht!, rang in unmenschlicher Kraft, das schwindende Bewußtsein festzuhalten, und dann plötzlich: ein überaus schmerzhafter Ruck durch den ganzen Körper, ein Zerren und Reißen an allen Gliedern, daß er vor Schmerz am lichten Tage die Sterne am Himmel glänzen sah — ich erinnere mich Wort für Wort an seine Erzählung, als hätte ich sie soeben gehört — und dann auf einmal: die große, sonnenbeglückte Erlösung. Seit dieser Stunde war er für alle Zeit von epileptischen Anfällen befreit.

Doch ist er von den Auswirkungen dieser tückischen Krankheit, wie es scheint, nicht verschont geblieben. Bei schweren psychischen Erschütterungen verfiel er in einen entsetzlichen Weinkrampf, von dem er sich nur schwer erholte.

Ich war einmal Zeuge eines solchen Anfalls. An einem Abend war ich bei ihm länger als sonst geblieben und rüstete mich zur Heimkehr. Dehmel wohnte damals in Pankow bei Berlin. Ich war schon zur Tür hinaus, als mich plötzlich Dehmel zurückrief: »Bleib heute nacht bei mir, ich habe ein langes Manuskript von Schlaf bekommen. Ich konnte nur einen Blick hineintun, aber es scheint etwas ganz Großes zu sein − jedenfalls etwas, das Schlaf noch nicht geschrieben hat.« Schlaf war damals wegen einer schweren nervösen Erkrankung in einem Sanatorium untergebracht. Ich blieb, Dehmel hatte seine Frau Paula hereingerufen − nebenbei gesagt, einer der schönsten und wertvollsten Menschen, die ich je kennengelernt habe − und Dehmel begann zu lesen.

Es war Schlafs Dichtung »Der Frühling«, die bald darauf im Bierbaumschen Musenalmanach erschienen ist.

Dehmel las mit immer tieferer, immer heftigerer Ergriffenheit. Und während Dehmel las, vergaß ich, daß er eine fremde Dichtung vortrug; er schien es auch vergessen zu haben, er hatte sie sich zu eigen gemacht, durchlebte sie als sein eigenes blutendes, schmerzverzerrtes Erlebnis − plötzlich entglitt Dehmels Händen das Manuskript − er warf sich auf das Sofa und wand sich in schmerzhaftem Weinkrampf.

Ein tiefer Schrecken hatte sich meiner bemächtigt, aber Frau Paula wußte, womit sie ihn beruhigen konnte. Sie war eine ausgezeichnete Pianistin, und ihr Spiel war für ein Weib merkwürdig individuell. In den Dämmerstunden hat sie Dehmel Beethovens Sonaten vorgespielt − in diesen Stunden arbeitete Dehmels schöpferische Kraft am intensivsten − und mit ihrer Musik besänftigte sie in Dehmels Seele die schwersten Stürme.

Auch diesmal verfehlte die Macht der »Appassionata« ihre Wirkung nicht. Ich hatte Angst, daß diese Sonate ihn noch mehr erregen könnte, aber Frau Paula beruhigte mich: »Im Gegenteil«, sagte sie, »sie bringt ihn mit der Ewigkeit in Berührung.«

Unvergeßlich wird mir diese Nacht bleiben, auch wenn ich ein paar Jahrhunderte leben sollte.

In dieser Nacht habe ich das gewaltige Pathos der Seele eines großen Künstlers kennengelernt, jenes Pathos, das so gewaltig in Schumanns »Aufschwung« emporlodert − ich habe nie einen Virtuosen gekannt, der diesen »Aufschwung« zu spielen vermochte, ebensowenig wie die von Nietzsche so heiß verehrte »Barcarole« Chopins − in dieser Nacht habe ich verstanden, warum Dehmel sein erstes Werk »Die Erlösungen« – »der Seele Paulas« widmete. Ich glaube, Goethe hat ihn später irregeleitet, denn seltsamerweise hat dieser übermächtig empfindende Mensch sich sein ferneres Leben bemüht, die maßlose Wucht seiner Empfindungskraft, wie sie sich in der *ersten* Fassung der »Verwandlungen der Venus« noch schrankenlos äußert, immer mehr einzudämmen, um sich schließlich durch didaktische philosophische Reflexionen zu lähmen. Wie nah er aber damals dem Goethe-Enthusiasten stand, sollte ich bald erfahren.

Es war der heißeste Sommer, den ich je erlebt habe. Über Berlin brütete eine kranke Sonne so entsetzliche Glut aus, daß am Tage Menschen auf der Straße tot umfielen und die Nächte zur schlaflosen Qual wurden.

In Hamburg raste mit entsetzlicher Wut die Cholera, und ganz Berlin zitterte vor Angst, daß diese Seuche in den nächsten Stunden auch hier ausbrechen werde. Man weigerte sich ja bereits, in sinnloser Angst vor der Ansteckung, die postalischen Sendungen aus Hamburg anzunehmen.

Ich war damals Student der Medizin und rüstete mich auf den Aufruf des medizinischen Dekanats hin zu einer Reise nach Hamburg als Hilfskraft in einem Spital. An einem dieser Abende, an denen die Straßen Feuer zu japsen schienen, erhielt ich von Dehmel eine Rohrpostkarte: »Komm bestimmt heute abend. Wirst es nicht bedauern. Liliencron ist da.«

Die Weißglut des fiebernden dunstigen Abends, die die Hirnmasse in schweres Blei zu wandeln schien, hat mich nicht gehindert, den langen Weg bis zur Dehmelschen Wohnung in der übrigens sehr berüchtigten Lothringer Straße schweißtriefend zurückzulegen.

Bei Dehmel habe ich wirklich Liliencron getroffen, außer ihm nur Scheerbart und Henri d'Albert, der damals als der einzige, aber höchst rührige und liebevolle Vermittler zwischen der deutschen und französischen Literatenwelt galt.

Liliencron machte den Eindruck des vollendetsten Gentleman, weit über das Maß jener preußischen Junker, die ab und zu in das Lager der deutschen Künstlerbohème einen Abstecher zu machen geruhten, eines Gentleman, der in das Zimmer des Künstlers nicht den spezifischen »Stallgeruch« brachte, obwohl er doch in den strengsten Junkertraditionen erzogen war.

Dehmel hatte ein paar Flaschen Wein kommen lassen – das Gespräch wurde allgemein und belebte sich immer mehr –, nun kamen wir auf die Literatur zu sprechen. Dehmel suchte aus der Schublade seines Schreibtisches ein Manuskript heraus: Es war Liliencrons »Aldebaran«.

Und jetzt ohne alle Übertreibung:

Nie vorher und nie später habe ich einen Menschen deklamieren gehört wie Richard Dehmel. Eigentlich ist das Wort »Deklamation« anrüchig und banal. Dehmel »deklamierte« nicht, er erlebte, was er vortrug, mit einer unglaublichen Fähigkeit, dem Erlebnis die sprachliche Gestaltung anzupassen. Jedes vorgetragene Wort gewann bei seinem Vortrag ein eigenes intensives Leben, leuchtete in unvergleichlichem Glanz, lachte, winselte, weinte, warf den majestätischen Purpurmantel um sich oder wickelte sich in das Linnen der Armensünderleiche, raste im Triumphgeschrei oder erstarb im keuchenden Blutsturz. Nie bin ich einem Künstler begegnet, der das Wort mit einer solchen souveränen Gewalt beherrschte.

Dann las er eine eigene erstaunliche Übersetzung — nein! Es war keine Übersetzung, eher eine herrliche Paraphrase des Eingangsgebetes in Verlaines »La sagesse« an Gott. Ich habe damals zum erstenmal Verlaine kennengelernt, und ich kann nicht sagen, wie mächtig ich von ihm erschüttert wurde — und noch weit mächtiger Dehmel selbst. Als er die Schlußworte gelesen hatte: »O, arme Seele, so ist es recht« (O, pauvre âme — c'est cela...«) brach er in ein schweres, krampfhaftes Schluchzen aus.

Er wurde so von dem Weinkrampf geschüttelt, daß er zu Boden fiel, aber plötzlich riß er sich wieder auf. Es dauerte längere Zeit, bis wir wieder in die rechte Trinkerstimmung gerieten.

Es trat eine Entspannung ein, aber wie gewöhnlich nach solchen aufrüttelnden Vorfällen eine, die neue, gefährliche Spannungsmomente in sich enthält. Und plötzlich war es gekommen. Scheerbart war bereits schwer angetrunken — er, mit seinem ewig leeren Magen brauchte nicht viel zu trinken, um in einen schweren Rausch zu verfallen — und begann über Verlaine — oder vielmehr über soeben gehörte Dichtungen von Verlaine — ziemlich schnoddrige Witze zu reißen. Vergebens suchte der vornehme und feinfühlige Liliencron, der Dehmel genau zu kennen schien, das Gespräch abzulenken: Scheerbart wurde immer ausfallender. Da sprang plötzlich Dehmel auf — er hatte ganz irrsinnige Augen — warf Scheerbart zu Boden und begann ihn zu würgen. Es bedurfte schon der großen physischen Kraft Liliencrons, um die beiden auseinanderzureißen.

Diese Wutanfälle bei Dehmel waren sehr selten — auch diese schienen Auswirkungen seiner früheren Krankheit zu sein —, aber wenn sie vorkamen, konnten sie von unberechenbaren Folgen werden, weil Dehmel, ohne betrunken zu sein, das Bewußtsein zu verlieren schien und völlig unzurechnungsfähig handelte. In seinem schlechten und unzuverlässigen Buch über Strindberg schildert Adolf Paul eine Szene im »Schwarzen Ferkel« in einer Silvesternacht, in der Dehmel den mit Flaschen und Gläsern vollbesetzten Tisch demolierte und auch die Schankeinrichtung stark beschädigte. Paul war bei dem Vorfall nicht zugegen — er kannte ihn vom Hörensagen —, ich war aber von Anfang bis zu Ende Zeuge einer äußerst peinlichen Szene, in der sich der offenbar kranke Dehmel austobte. Seit Wochen schon nagte und fraß an ihm das Gefühl, das ihn übrigens häufig befiel, daß er nicht imstande sei, je wieder etwas zu schaffen. Als er abends zu mir kam und mich mit in das »Schwarze Ferkel« — Strindbergs Stammkneipe — eingeladen hatte, war er sehr niedergedrückt, versuchte sich jedoch aufzuraffen, und schließlich schien er, als wir in dem »Ferkel« angekommen waren, die schlechte Stimmung niedergekämpft zu haben. Wir haben dort Strindberg in Begleitung zweier japanischer Offiziere vom deutschen Generalstab angetroffen und einen mir unbekannten Schweden. Dehmel wurde sehr aufgeräumt, deklamierte das herrliche Trinklied von Li-Tai-Pe, unterhielt sich längere Zeit auf das liebenswürdigste mit Strindberg, sprach viel mit mir, aber als es 12 Uhr schlug und der bekannte Silvesterradau, dieser rohe, barbarische Berliner Radau, zu toben begann, stürzte er hinaus, kam aber nach einer Viertelstunde wieder zurück mit völlig zerfetztem Hut und zerrissenen Kleidern. Sein Aussehen war derart furchterregend, daß die beiden japanischen Offiziere sich grinsend verzogen und Strindberg sich hinter den Ladentisch verkroch — Strindberg war kein Held, er drückte und verbarg sich immer, wenn etwas Unangenehmes im Anzuge war.

Und als Dehmel dies bemerkt hatte, begann er mit wüstem Hohngelächter zu rasen und zu toben — im Nu hatte er alles auf dem Tisch mit dem Stock aus Rosenholz, den ihm kurz vorher ein Verehrer aus Palästina gebracht hatte, kurz und klein geschlagen.

An sich wäre der Vorfall nicht erwähnenswert — aber für den tiefer Schauenden war er ein wegweisender Schatten: wenn man ihm nachging, gelangte man an die Quelle seines Wesens. Ja, es ging durch das Dehmelsche Leben und seine Dichtung ein klaffender Riß, den er zeitlebens in härtesten Kämpfen zu überbrücken suchte, er pendelte immer zwischen den äußersten Gegensätzen, zwischen höchster Lebensbejahung und dem tiefsten Pessimismus, den er aber nicht aufkommen ließ.

Ein strenger Richter, der an sich selbst die höchsten Anforderungen stellte und der Kunst die äußersten Grenzen vorzeichnete, war er bis zur krankhaften Idiosynkrasie angeekelt von jedem Gemeinplatz, jeder Äußerung der Sentimentalität oder eines unehrlichen Pathos; jede Art Phrase war ihm im höchsten Grade zuwider, und wo er selbst bei seinem geliebten Liliencron auf tote Stellen traf — »lyrische Dummheiten« und »Lückenbüßer« hat er sie genannt, obwohl sie auch bei den Besten anzutreffen sind —, konnte er in Wut geraten, und wenn er Hauptmanns gereimte Prosa in der »Versunkenen Glocke« las, kam er ganz aus der Fassung.

Und dabei war er von äußerster, überaus keuscher — das wird wohl die richtigste Bezeichnung sein —, einer schamhaft keuschen Bescheidenheit. Für sich selbst forderte er die höchste Kritik heraus, horchte geduldig und gespannt auf jeden Einwurf.

Seine Aufopferung für seine Freunde kannte keine Grenzen. Unter uns allen war er der einzige, der über einige »flüssige« Mittel verfügte — kraft einer mörderischen, harten Arbeit, die ihn zur äußersten Verzweiflung brachte und die er als juristischer Berater einer Versicherungsgesellschaft jahrelang verrichtete – und es gibt kaum einen unter uns allen, die damals seinen Kreis bildeten, der nicht seine Zuflucht in äußerster Not bei ihm gesucht hätte – man brauchte bei ihm seine Bitte nicht erst vorzutragen; mit äußerster Feinfühligkeit kam er ihr zuvor und half und gab. Ich könnte bei Dehmel eine endlose Reihe von Beispielen seiner Güte, seiner Aufopferungsfreude anführen.

Und dieser große Geber, schwer in Anspruch genommen von der harten Arbeitsmühe des Tages, verwandte die Nächte dazu, Manuskripte zu lesen, sie in langen Briefen zu beurteilen – ja sogar, sie umzuarbeiten.

Mein »Buch des Lebens« ist sehr umfangreich – wie tief muß das Ereignis »Dehmel« auf mich eingewirkt haben, daß ich ihm ein so ausführliches Blatt widmen mußte...

[Aus: *Neue Freie Presse*. Wien, Sonntag, den 29. 9. und 3. 10. 1926.]

Richard Dehmel

Ansprache beim Vortragsabend in der »Münchener Dramatischen
Gesellschaft« am 23. November 1906

Werte Anwesende!

Als ich vor etwa sieben Jahren zum ersten Mal die Ehre hatte, in München öffentlich Verse vorzutragen, war es mir leider nicht möglich, mein Programm bis zu Ende zu deklamieren, weil ein Teil meiner damaligen äußerst verehrlichen Zuhörer — vielleicht ist ein Teil dieses Teils auch heute zugegen — sich das außerordentliche Vergnügen machte, mich etwas gar zu laut auszulachen. Oder eigentlich nicht mich — das hätte ich vielleicht mit Humor ertragen — sondern einen von mir deklamierten und innerst wertgeschätzten Dichter, den freilich damals erst wenige kannten: Alfred Mombert. Inzwischen werden die meisten der Lacher wohl zu der Erkenntnis gekommen sein, daß es passendere Gelegenheiten gibt, ihre Karnevalslaune an den Mann zu bringen; aber ich fühle mich deshalb *doch* zu einer öffentlichen Genugtuung verpflichtet. Nicht etwa jenen vergnügten Seelen gegenüber; die werden mir für den spaßhaften Abend ja wahrscheinlich noch heute dankbar sein. Wohl aber bin ich dem genannten *Dichter* eine Genugtuung dafür schuldig, daß mein Vortrag ihn dem Gelächter preisgab. Dem Kunstsinn der Münchener glaube ich zutrauen zu dürfen, daß sich mancher von meinen damaligen Zuhörern seitdem ein etwas *ernsteres* Urteil über den Wert dieses Dichters gebildet hat; Ihrem Gerechtigkeitssinn aber traue ich zu, daß mir von meinen *jetzigen* Zuhörern *jeder einzige* zustimmen wird, wenn ich heute jene Übeltat nach Kräften wiedergutmachen möchte. Ich glaube deshalb unsern Abend nicht besser und schöner eröffnen zu können, als indem ich meinem eignen Programm ein Gedicht von Mombert voranstelle, gewissermaßen als Motto. Es ist ein Gedicht aus der menschlichen Tiefe jener ewig weiblichen Sehnsucht heraus, von der sich bekanntlich auch Goethe inspirieren ließ, zugleich aber von der göttlichen Höhe einer männlichen Erfüllung herab, wie sie sonst wohl nur in den geistlichen Liedern der alten Inder zu finden ist. Es lautet:

> Urashima, du Schöner,
> Urashima, du Ferner...
> (*»Blüte des Chaos«*, Seite 115/16.)

Plädoyer für »Die Verwandlungen der Venus« (Schlußwort)
am 30. August 1897

Hoher Gerichtshof, es fällt mir schwer, etwas zu meiner Verteidigung zu sagen. Ehrlicher Weise kann ich eigentlich nur meiner Empörung Ausdruck geben, daß ich überhaupt genötigt bin, mich hier zu verantworten. In dieser Dichtung wird um das Höchste gerungen, worum die Menschheit seit Urzeiten gerungen hat: um die Herrschaft des Geistes über die Triebe. Und ich glaube sagen zu dürfen, daß hier sieghaft gerungen wird. Es ist freilich nicht der Sieg, den der christliche Geist des Mittelalters errang oder der heidnische Geist der Antike; es ist der Sieg einer neuen Humanität. Meine Zeit kann mich dafür verurteilen, die Zukunft wird mich freisprechen. Ich weiß, meine Herren Richter, daß Sie den Geist der Zeit zu vertreten haben; aber in diesem Geist lebt schon der Geist der Zukunft. In weiten Kreisen unseres Volkes wird immer deutlicher erkannt, daß jene alten Ideale einer innersten Erneuerung bedürfen, und alle Erneuerung ist Umwandlung. Ich glaube, keiner von meinen Anklägern, wenn er die ganzen »Verwandlungen der Venus«, wie ich sie Ihnen hier vortragen durfte, mit ganzem Geist und ganzem Gemüt begriffen hätte, keiner von ihnen würde seine Anklage aufrecht erhalten. Und auf alle Fälle habe ich das Vertrauen, daß ein Kollegium von Männern, denen die geistigste aller Wissenschaften die Urteilskraft geschärft hat, gerechter über diese Dichtung denken wird als ein Häuflein von ängstlichen Idealisten, die gewiß mit der besten Absicht, aber ebenso gewiß mit schlechter Einsicht, für veraltete Vorurteile streiten, über die ein nicht minder idealistischer, aber klarerer Geist lächeln darf. Hoher Gerichtshof, ich bitte nicht; ich hoffe, ich vertraue darauf, daß diese Dichtung freigesprochen wird.

WARNRUF

Eine Kundgebung deutscher Dichter

Der Waffenstillstand geht bald zu Ende; die Friedensvorberatung ist schon im Gange, über den Kopf des deutschen Michels hinweg, der von nun endlich sich erfüllender Weltverbrüderung träumt. Unsere Revolutionspolitiker streiten sich um ein bißchen Augenblicksmacht, wie blind und taub gegen die Todesgefahr, mit der die ausländische Beutegier nicht bloß unsere Freiheit bedroht, sondern ebenso die ihrer eigenen Volksmassen und daher der ganzen Menschheit. Die Welt des sozialen Geistes geht unter, wenn der Triumph der fremden Plutokratie uns zur Verelendung verdammt; der geplante Völkerbund wird zur Räuber-Innung, der Friedenskongreß zum Sklavenmarkt.

In dieser schicksalsschweren Stunde, die vielen Edelsten aller Völker vor Trauer und Scham den Mund verschließt, dürfen wir deutschen Dichter nicht schweigen. Aufblickend zu dem Stern der Verheißung, der Deutschlands dunkelstes Weihnachtsfest mit heiligem Hoffnungsschimmer beglänzt, erheben wir feierlichen Einspruch gegen die Vergewaltigung, die der Völkerhaß unserem Vaterland antun will. Was unsere jetzt gestürzten Gewalthaber am menschlichen Geist gesündigt haben, wenn auch unter dem Zwang der feindlichen Einkreisung, das Gottesurteil des Krieges hat es enthüllt, und unser Volk ist bereit, es zu sühnen. Nicht aber ist unser Volk dazu da, eine Züchtigung zu erdulden, die unmenschlicher ist als seine Schuld und nur der Rachsucht, Machtsucht und Habsucht fremder Gewalthaber Vorschub leistet.

Ein Frevel ist es, daß das demokratische Frankreich, die Waffenstillstandsbedingungen mißachtend, den deutschen Bezirken Elsaß-Lothringens schon jetzt die fremde Amtssprache aufpreßt, dasselbe Frankreich, das jahrzehntelang den deutschen Sprachzwang in den welschen Bezirken als brutalen Imperialismus brandmarkte. Eine Schandtat ist es, wenn Italiener, Slowaken, Tschechen und Polen sich wie die Schakale unter dem Schutz des britischen Löwen auf Grenzgebiete stürzen dürfen, die jahrhundertelang als Bollwerke der deutschen Kultur in Ansehen standen. Ein Verbrechen ist es, wenn sich England an unseren Kolonien bereichert.

Wir nehmen keinen Landstrich als deutsch in Anspruch, auf dem überwiegend fremdes Volk wohnt; wir ehren das Selbstbestimmungsrecht auch des kleinsten Nachbarvolkes, das eigene Sprache und Gesittung hat. Aber Straßburg ist eine deutsche Stadt! Danzig und Breslau sind deutsche Städte! Das Rheinland ist deutsch, Tirol ist deutsch! Es gibt Deutsch-Böhmen, Deutsch-Kärnten, Deutsch-Krain! Und auf die wilden Länder und Völker, deren Kultivierung Deutschland angebahnt hat, behält es so lange rechtmäßigen Anspruch, bis der gesamte Kolonialbesitz sämtlicher Kulturnationen in die gemeinschaftliche Verwaltung des Völkerbundes übergeht.

Das alles ist so selbstverständlich, daß kein anständiger Mensch es anzweifeln kann. Wir rufen laut in die Welt: Seid anständige Menschen! Tretet ein für das einfachste Menschenrecht, für das Heiligtum der Blutsverwandtschaft! Wir rufen es nicht bloß unseren Volksstämmen zu, nicht bloß den Alemannen im Elsaß, den Schwaben in Mähren, den Friesen in Schleswig; wir sind die Stimme des deutschen Gewissens, die alle Völker anhören müssen vor dem ewigen Gerichtshof der Menschheit. Keine Untat bleibt ungesühnt; sie rächt sich noch an den Kindeskindern. Seht, ihr Völker, wie Deutschland jetzt leidet, weil es sich eine kurze Zeit von dem Größenwahn der Machtsüchtigen verblenden und betrügen ließ! Ladet nicht dasselbe Unheil auf euch, indem ihr die gerechte Genugtuung durch maßlose Gewinnsucht entweiht!

Wir läuten die göttlichste Friedensglocke, die über dem menschlichen Kampfgewühl schwebt. Wir bieten jeden gemarterten Kriegsmann in jedem Land der Erde auf, jeden verkrüppelten Soldaten, alle Seelen der Hingeschlachteten: Läutet mit! Warnt eure Völker vor dem Fluch, der auf den Raubtiergelüsten lastet! Keines großen Volkes Gewissen läßt sich auf die Dauer erwürgen! Der Grimm der Mißhandelten wächst unvertilgbar! Laßt keinen Frieden über uns kommen, der die Saat neuer Rachekriege im Schoß trägt!

Julius Maria Becker, Emanuel v. Bodman, Waldemar Bonsels, Karl Bröger, Hermann Burte, Hans Carossa, Richard Dehmel, Paul Ernst, Herbert Eulenberg, Cäsar Flaischlen, Kurt Heynicke, Arno Holz, Bernd Isemann, Norbert Jacques, Hanns Johst, Jacob Kneip, Heinrich Lersch, Emil Ludwig, Thomas Mann, Alfred Mombert, Alfons Paquet, Richard v. Schaukal, Werner Schendell, Johannes Schlaf, Hermann Stehr, Will Vesper, Jakob Wassermann, Wilhelm Weigand, Josef Winckler.

[Aus: *Neue Hamburger Zeitung*, am 23. Dezember 1918. Dieser Aufruf wurde von Richard Dehmel verfaßt. Er verschickte ihn an etwa sechzig Dichter, nur die Hälfte unterschrieb. Etwa fünfzig Zeitungen erhielten ihn zum Abdruck – ungefähr dreißig Zeitungen veröffentlichten ihn kurz vor Weihnachten 1918.]

Anhang

Nachwort

I

Richard Dehmel ist vielen bedeutsam geworden. Zeugnis davon geben Zeitgenossen in ihren Lebenserinnerungen und in ihren Briefen an ihn. Es sind Bekundungen, die überraschen; scheint Dehmel doch das Schicksal manchen Wegbereiters zu teilen, der in stolzem Selbstgefühl an die Unvergänglichkeit seines Werkes glaubte und von Freunden und Kritikern als Herold einer neuen Zeit angesehen wurde; allzubald jedoch wurde er vergessen oder nicht mehr beachtet, denn das Geschaffene übte keine lebendige Wirkung mehr aus. Wohl hat die Zeit die Impulse aufgenommen, die von Richard Dehmel ausgingen, aber man hat heute den Eindruck, es sei kaum mehr auf die Nachwelt überkommen als das Wissen um diese Impulse. Und doch waren es seine Gedichte, die viele seiner Zeitgenossen den Weg zu dem Menschen und Dichter Richard Dehmel finden ließen. Er wurde um Urteil und Rat gebeten. Der Dichter der »Zeitseele« wurde zum literarischen Gewissen seiner Zeit. Seine Wirkungsgeschichte ist ein noch wenig erforschter Abschnitt der deutschen Literaturgeschichte.

In Anlehnung an Beinamen für bedeutende Menschen früherer Zeiten wurde Richard Dehmel von Zeitgenossen »Corrector Germaniae« und »Magus aus Norden« genannt. Dies mag zunächst prätentiös erscheinen; wer jedoch in das Werk Dehmels eindringt und der Wirkungsgeschichte seiner Verse nachspürt, erkennt, daß diese Beinamen ihm zu Recht verliehen wurden. Er wollte Einfluß ausüben, wollte durch seine Dichtung Zeit und Menschen wandeln. Nach seiner Ansicht sind dem Dichter »im Wort — noch aus der Zeit der Propheten her — Machtmittel über die Kunst hinaus« verliehen, er kann »Gesetzgeber« sein, — auch heute noch. 1919 setzte er seinem Kriegstagebuch einen Spruch aus der Offenbarung Johannis voran: »Schreibe, was du gesehen hast, und was da ist, und was geschehen soll darnach.« Hier klingt noch einmal auf, was Dehmel für den Ausgangspunkt und das Ziel einer jeden dichterischen Arbeit hielt; denn was wäre menschliches Schaffen, wenn es nicht auf Entwicklung, auf »geistiges Wachstum« abzielte? Dieses Wollen macht manches verständlich, was oft in Dehmels Dichtung zunächst befremdet, vor allem in seinen Gedichten, in denen er erotische Probleme künstlerisch zu entwirren versuchte. Er möchte den Menschen begreiflich machen, »daß selbst den unheiligsten Sinnlichkeiten der künstlerisch betrachteten Menschheit ein heiliger Schöpfergeist innewohnt, der sich um jeden Preis, sogar um den der Verirrung, über die Tierheit hinausringen will«.

Dämonen der Tiefe — dunkel, triebhaft, erdgebunden, glutvoll, zerstörerisch — und Geister der Höhe — rein, licht, über dem Leben schwebend, alles Menschenwerk umfassend und ins Ewige weisend —, sie wirkten in ihm und formten den Menschen und Dichter Richard Dehmel, der von sich selbst sagte, er habe sich mit allen Gewalten »zwischen Tier und Gott herumgeschlagen«. Aber hat er auch den Ausgleich in sich selbst gefunden, den Weg »von dumpfer Sucht zu lichter Glut«? Eines seiner letzten Worte war: »Ich bin von Hause aus gar kein besonders guter Mensch gewesen, aber ich habe *gut werden wollen.*«

Um dieses Ziel hat Dehmel sein ganzes Leben gerungen mit einer Inbrunst, die nach einem Wort Gerhart Hauptmanns »der Inbrunst christlicher Heiliger nicht unähnlich war«. Er fühlte sich selbst als ein Doppelwesen aus »Wildheit und Zucht, Unbändigkeit und Selbstbeherrschung, Freiheitslust und Ordnungsliebe, Leidenschaft und Vernünftigkeit«. Sein Ringen um den Ausgleich dieser Gegensätze, seine dichterischen Ziele und sein Mitmenschentum wirkten auf die Zeitgenossen so, wie Moritz Heimann in seinem Nachruf in der »Neuen Rundschau« schrieb: »Nicht *der* Mensch, nicht *ein* Mensch — sondern nur *Mensch* — das, wozu wir Mensch sagen, das war Dehmel.«

2

Als Sohn eines Försters wurde Richard Dehmel am 18. November 1863 in Wendisch-Hermsdorf in der Mark geboren; in einem Forsthaus nahe der Stadt Kremmen ist er aufgewachsen. Die Mutter seines Vaters brachte dem Fünfjährigen Schreiben und Lesen bei, und durch sie wurden ihm die Worte der Bibel zum frühen Bildungserlebnis. Ostern 1873 wurde er Schüler des Sophien-Gymnasiums in Berlin. Als Tertianer besang Richard Dehmel die Insel Rügen in Stabreimen und schrieb für sein Puppentheater Schauertragödien nach dem Muster des »Freischütz«. Aus dem Kiefern- und Eichenforst seines Vaters zwischen die Mauern der Großstadt Berlin verbannt, gab es für den Knaben nichts Köstlicheres, als während der Ferien »im Walde dem Gesang der Vögel zu lauschen oder die Käfer und Ameisen bei ihrer Arbeit im Grase zu verfolgen«. Aber es war kein träumendes Im-Moose-Liegen: er suchte und untersuchte, sammelte Pflanzen für sein Herbarium und füllte die Käfer- und Schmetterlingssammlung, die sein Vater in der Jugend angelegt hatte, mit neuen und seltenen Exemplaren. Dieses Verhältnis zur Natur brachte ihn zur Lektüre von Cuviers Werken über Zoologie und vergleichende Anatomie und zu Goethes naturwissenschaftlichen Schriften. In Berlin wurde er Vorsitzender eines naturwissenschaftlichen Vereins der Schüler. Sie alle glaubten an die ihnen verbotenen Lehren Darwins. Darüber kam es zu einer Auseinandersetzung Dehmels mit seinem Direktor und zum Verweis von der Schule. Er ging nach Danzig und bestand nach einem halben Jahr, im September 1882, am Städtischen Gymnasium das Abiturientenexamen.

Über dies alles berichtet Dehmel in seiner »Vita«, die er vor dem Abitur schreiben mußte, und sagt, er beherrsche die lateinische und griechische Sprache so, daß er Vergil und Cicero, Plato und Homer ohne Schwierigkeiten im Original lesen könne, und die deutsche Literatur sei ihm vom Mittelalter bis zu den modernen Übergangsepochen vertraut. Er studierte Philosophie und Naturwissenschaft, redigierte zwischendurch, um Geld zu verdienen, eine Provinzial- und eine Jagdzeitung und promovierte im April 1887 an der Universität Leipzig über Versicherungswesen.

Die ersten wirklichen Gedichte, die aus der Begegnung des zweiundzwanzigjährigen Dehmel mit Paula Oppenheimer entstanden, schrieb er unter dem Einfluß klassischer Lektüre; nur ein Teil davon ist in seinem Erstlingsbuch »Erlösungen«, das er mit siebenundzwanzig Jahren herausgab, erhalten geblieben. 1889 heiratete Dehmel Paula Oppenheimer. Sie besaß eine starke dichterische Begabung und war, als Tochter eines Berliner Rabbiners, von Jugend auf mit dem Besten der modernen Kultur in Berührung gekommen. Ihre neu geschaffene Häuslichkeit wurde auf Jahre hinaus ein wirkliches Heim für Künstler und Dichter. Über die Feste bei Dehmels und den Kreis, der dort zusammentraf — es waren manchmal bis zu fünfzig Personen —, berichtet Heinrich Hart: »Durch die Symposien, die wir bei Dehmels feierten, wehte in der Tat etwas von jenem Geiste, der einst in Attika und in Florenz lebendig war ... In diesem Kreise regten sich zuerst, oder doch wenigstens am stärksten und nachhaltigsten, jene Stimmungen, welche über die Epoche des Naturalismus, Pessimismus und Sozialismus hinausstrebten ... Man träumte von einer neuen Renaissance, einem neuen sinnen- und kunstfreudigen Heidentum. Die Worte Lebensfreude, Ausleben, Sinnlichkeit, Freiheit gewannen neuen Inhalt. Die Werte, die Nietzsche geahnt, wollten sich in Leben und Tat umsetzen. Ein neues Weltempfinden, heller, sonniger, weitherziger als das alte, eine neue Weltanschauung war im Keimen.«

Nachdem die ersten Gedichte von Richard Dehmel erschienen waren, in deren Gehalt und Klang ein Dichter als Mensch seiner Zeit der Zeitseele Ausdruck gab, wurde er sehr schnell zu einer führenden Persönlichkeit im literarischen Leben der neuen Weltstadt Berlin.

In diesen Jahren arbeitete Dehmel oft mehr als zehn Stunden täglich als Sekretär beim Zentralverband Deutscher Privater Feuerversicherungen

wie ein »Karrengaul« und fühlte sich von dieser »inhaltlosen Beschäftigung geknebelt«. »Es ist mir wie den Singvögeln ergangen, die meist erst
im Käfig ihre volle Stimme entwickeln«, sagt Dehmel in Erinnerung an
seinen siebeneinhalbjährigen Bürodienst; zeitweilig war er zwischen zwei
und drei Uhr morgens aufgestanden, um mehr Zeit für die dichterische
Arbeit zu gewinnen. Eines Tages jedoch konnte Dehmel den inneren Kampf
zwischen Broterwerb und dichterischem Beruf nicht länger ertragen. Am
12. November 1893 schreibt er an Hans Thoma: »In einem Anfall schwerer Nervosität, von dem ich mich erst jetzt zu erholen beginne, schmiß ich
den ganzen Kram an die Wand und lief eines Abends auf und davon,
fuhr nach Hamburg zu meinem Freunde Liliencron.«

Zum ersten Mal nach sieben Jahren wurde Dehmel nun ein Urlaub gewährt, und er fuhr am 17. November über die Schweiz nach Italien. Wegen
einer schweren Erkrankung Frau Paulas wurde er aber Mitte Dezember vor-
zeitig nach Berlin zurückgerufen und arbeitete noch ein volles Jahr in seinem Beruf. Erst ab Januar 1895 lebte er als freier Schriftsteller.

Dieser Berufskrise folgte im Herbst 1895 eine andere, vielleicht auch
schwerere, die sich über Jahre hinziehen sollte. In einem Aufsatz im zweiten Heft des PAN hatte Dehmel die bedeutendsten Leistungen in der damaligen Kunst aufgeführt, ohne Stefan George und seinen Kreis zu erwähnen. Frau Ida Auerbach, die Jugendfreundin Stefan Georges, schickte
daraufhin im August 1895 den letzten Jahrgang der »Blätter für die
Kunst« an Dehmel und fragte ihn: »Wieso ignorieren auch Sie, der Sie
doch rückhaltlos alles Gute, das Sie fanden, nennen, warum ignorieren
auch Sie diese ganze Gruppe junger Künstler, die sich in den ›Blättern
für die Kunst‹ um ihr Haupt, Herrn Stefan George, gesammelt hat? Ich
kann das nicht fassen.«

Wenige Tage später besuchte Richard Dehmel Frau Ida Auerbach, um
mit ihr über George zu sprechen. Aus diesem rein literarischen Anlaß entstand eine Liebe, die beiden jahrelange Kämpfe brachte. Frau Isi lebte an
der Seite eines ungeliebten Mannes, Richard Dehmel an der Seite Frau Paulas, die er tief verehrte, aber aufgehört hatte zu lieben. Nun hatten sich
zwei ebenbürtige Partner gefunden, aus deren gegenseitigem Nehmen und
Geben das »Wir Welt« der Dichtung Dehmels entstand. Ganz wird sich
die Größe dieser Liebe erst erkennen lassen, wenn der bisher unveröffentlichte Briefwechsel zwischen beiden in seiner Geschlossenheit vorliegt.
Dehmel selbst hat in seinem Brief vom 20. Juni 1904 an Frau Isi die Veröffentlichung gewünscht: »O Meine, was war das für eine schwere Zeit!
Wie sind wir manchmal noch umeinander und um unser Eigenstes herum-
gegangen! Und wie steht doch schon alles drin, was wir uns jetzt mit seliger Gewißheit sagen; nur daß wir's jetzt nicht mehr zu sagen *brauchen*.
Oder doch? Man kann wohl nie genug von Liebe sagen. Wenn wir mal

ganz alt geworden sind, wollen wir's auch den Menschen sagen; also nicht erst nach unserm Tode. Es braucht kaum etwas weggelassen oder gar vertuscht zu werden; und dann wollen wir's verbrennen.« Durch testamentarische Verfügung hat Dehmel die Erhaltung des Briefwechsels gesichert.

Frau Paula »erlöste« Dehmel und brachte ihn zur »Klarheit«. Frau Isi schenkte ihm »Verklärung«. Aber es sollten noch Jahre vergehen, bis beide füreinander frei waren. Schöpferisch gehören diese Jahre zu den fruchtbarsten in Dehmels Leben. Es entstehen die Gedichte in »Weib und Welt« und die wesentlichsten Teile der »Zwei Menschen«, die er aber erst nach siebenjähriger Arbeit im Herbst 1902 vollenden sollte, nachdem er bereits mit Frau Isi verheiratet war und sich in Blankenese bei Hamburg niedergelassen hatte.

In den folgenden Jahren rückte Dehmel immer mehr in den Mittelpunkt des literarischen Lebens. Neben der völligen Umarbeitung der bisherigen Gedichtbände für die Gesamtausgabe, die von 1905 bis 1909 bei S. Fischer erschien, und der Herausgabe der Briefe Liliencrons nach dessen Tod brachten ihm diese Jahre vor allem die immer schwerer werdende Bürde der Brieflast. Kaum einer, der sich ratsuchend an Dehmel wandte, ist ohne Antwort geblieben. Dehmel ging in seinen Antworten, wenn es sich um eine literarische Arbeit handelte, bis ins technische Detail, er untersuchte, begründete, richtete, belehrte. Wenn auch jeder Brief an den *einen* Empfänger gerichtet ist, so ist er doch für *viele* geschrieben. Jeden ihm wichtigen Brief hat er seit 1900 kopiert und auch nach dessen Absendung daran verbessernd gearbeitet. Er brachte es nicht fertig, Briefe unbeantwortet zu lassen, so sehr ihm dadurch auch die Arbeitszeit für sein dichterisches Werk beschnitten wurde. Aus dem Gefühl der »Mitmenschlichkeit« mußte er so handeln, er, »der es nie verlernt hat, sich als Schuldner der Welt zu fühlen, mit dem Bewußtsein der Verpflichtung gegen die Menschen, die sich zu ihm gezogen fühlten.«

>»Wir alle leben von geborgtem Licht
>und müssen diese Schuld zurückerstatten.«

Noch ein Sturm sollte Dehmels Leben erschüttern: der erste Weltkrieg. Mag Dehmels Freiwilligenmeldung von dem damals herrschenden Patriotismus mitbestimmt worden sein, wie er auch in seinen Kriegsgedichten zum Ausdruck kommt, entscheidend war für ihn das Gefühl der Mitverantwortlichkeit an dem Schicksal des Volkes, das gerade von den »geistigen Führern« die Tat erwartete. »Den längst erwarteten Menschheitskrach, den jede der kriegführenden Nationen den Gegnern ins Gewissen zu schieben suchte, wer hatte ihn denn in Wahrheit verschuldet? Doch wohl die Leithämmel der verbiesterten Völker, alle Wortführer ohne Ausnahme, grade auch wir ›geistigen Pioniere‹ mit unsrer seelischen Wühlarbeit, die zwar manche neuen Fundamente gemeinsamen Weltgefühls gelegt, aber leider auch alte unterminiert hat.« Und weiter lesen wir in dem Kriegstagebuch »Zwischen Volk und Menschheit«: »Ich wollte durch eine symbolische Handlung zeigen, daß auch der geistige Arbeiter die verdammte Pflicht und Schuldigkeit hat, an dem Völkerkampf um die bessere Zukunft als leibhaftiger Mitmensch teilzunehmen und die Sünden der Vergangenheit mitzubüßen.« Aus diesem Gefühl mußte er auch nach dem Zusammenbruch 1918 noch versuchen, die geistigen Kräfte zu sammeln, um das Chaos abzuwenden. Seiner menschlichen und künstlerischen Grundhaltung gemäß mußte er an der Gegenwart mitschaffen, mußte er sich dem Gesetz des geschichtlichen Geschehens unterwerfen und konnte sich der zwangsläufigen politischen Entwicklung nicht entziehen.

Das letzte große literarische Ereignis in Dehmels Leben war die Uraufführung seines Dramas »Die Menschenfreunde«. Es wurde in Berlin, Dresden und Mannheim gleichzeitig am 10. November 1917 uraufgeführt. Überall war es ein großer Erfolg, besonders in Berlin, wo Albert Bassermann die Hauptrolle, den Christian Wach, spielte. Dadurch wurde endlich Dehmels dramatischem Ehrgeiz Genüge getan.

Wohl beschäftigte sich Dehmel in seiner letzten Lebenszeit noch mit dramatischen Plänen, vor allem mit einem Drama »Drei Helden« (Saul, David, Jonathan), einem Stoff, der ihn seit fünfundzwanzig Jahren bewegte; seine Hauptsorge aber galt dem Schicksal Deutschlands. In seinen Briefen kommt dies zum Ausdruck, vor allem aber in seinen Aufrufen und in seiner Rede »Vom Geist der Empörung«, die er anläßlich der Revolutionsfeier der Berliner Freien Volksbühne am 5. Januar 1919 hielt: »Denn nicht daß es drunter und drüber geht, ist das Wesen und der Sinn der Empörung, sondern daß es *empor* gehen soll.«

Es war Dehmels letztes öffentliches Auftreten. Im November 1919 erkrankte er wieder an einer Venenentzündung, wie schon zweimal während des Krieges. An seinem sechsundfünfzigsten Geburtstag, den er nicht im Bett feiern wollte, stand er noch einmal auf. Anfang Dezember führte die Venenentzündung zur Thrombose und damit zur ständigen Gefahr einer Embolie. Am 8. Februar 1920 starb Richard Dehmel.

3

Vorbild, Anreger und Erwecker war er für eine ganze Generation junger Menschen und Dichter. Es ist heute kaum noch zu ermessen, welche Impulse von ihm ausgingen, in dessen Dichtung die volle Sinnenfreude des Diesseits sich verband »mit einer Ewigkeitshoffnung, ja einer Ewigkeitsgewißheit«. Für viele Dichter, deren Name Klang und Bedeutung gewonnen hat, war Dehmel der »Meister«, an dessen Urteil alles lag. Nur skizzenhaft kann hier angedeutet werden — die in diesem Band veröffentlichten Briefe und Dokumente beweisen es —, welche Wirkung Richard Dehmel als Mensch und Dichter Jahrzehnte hindurch ausgeübt hat.

Im Frühjahr 1897 traf Max Dauthendey in Berlin mit Dehmel zusammen. Dehmel las ihm »stark ergriffen und hingerissen, wie es seine Eigenart« war, sein Gedicht »Jesus der Künstler« vor; dadurch wurde Dauthendey von einem »dichtungsungläubigen in einen dichtungsgläubigen Menschen« verwandelt. Wenige Tage nach diesem Zusammentreffen schreibt er an Dehmel: »Gedanken schlagen Wurzeln und treiben Keime und eine Schaffenslust! Diese Freundschaft ist wie Frühling in mein Blut gedrungen.« — Alfred Mombert schreibt am 15. Oktober 1894 an Dehmel: »Ja, ich kenne in meinem kleinen Kreise viele, denen *Sie* erst die wunderbare Schönheit der Welt eröffnet haben, viele, die ohne Sie dahingekrochen wären als arme Zugtiere durch den grauen Alltag.« — Der junge Hermann Hesse bekennt im Januar 1897, daß ihm, dem »freilich kleineren Poeten«, Dehmels lebendige Dichtungen manchmal »die scheuen Flügel« gelöst haben. — Für Hans Carossa geht von der Dichtung Dehmels eine »befreiende Kraft« aus. »Noch nie war ein Dichter so stark und klar das Gewissen seiner Zeit«, schreibt er in einem Brief an Dehmel, »und ich kann mir nicht vorstellen, daß ein junger Künstler, der von Epoche zu Epoche sein Streben und Tun an dem Ihrigen prüft, jemals bedenklich in die Irre geraten wird. Dies wird freilich auch so bleiben, wenn Sie Ihre Augen bereits seit Jahrhunderten geschlossen haben!«

Aber nicht nur Dichter und Schriftsteller, auch Maler und Musiker verdanken der Dichtung Dehmels entscheidende Anregungen. So erklärt Arnold Schönberg am 13. Dezember 1912 in einem Brief: »Denn Ihre Gedichte haben auf meine musikalische Entwicklung entscheidenden Einfluß ausgeübt.« Und er wiederholt in seinem Brief vom 16. November 1913: »Daß ich fast immer zu Ihren Tönen erst den neuen Ton fand, der mein eigener sein sollte.«

Diese wenigen hier ausgewählten Zeugnisse bekunden die starke Wirkung der Dehmelschen Dichtung. Für das bürgerliche Lebensgefühl waren es Erdstöße einer vulkanisch aufgebrochenen Natur. Die Worte und Rhythmen seiner Gedichte »bewegten das Blut«, machten »lebendiger und freier«. Elementare Triebkräfte entfalteten sich darin zu einem rauschhaft gesteigerten Lebensgefühl, das sich nicht auf die vitalistische Daseinsbejahung einer Proteusnatur und eines von allen Bindungen gelösten Individualismus beschränkte, sondern gerade die Bindung mit der Außenwelt, »mit Zeit und Ewigkeit« zu erreichen strebte.

Aus solchen Bekenntnissen zu Dehmel entstanden oft langdauernde

Freundschaften, oft blieb es bei kurzen Begegnungen. Wenn sich ihm jedoch kein fester Kreis anschloß und sich auch kein Abhängigkeitsverhältnis ergab wie zwischen Stefan George und seinen Jüngern, dann lag es an der Art, wie Dehmel den Jüngeren und Ratsuchenden entgegentrat. Dehmel kam es darauf an, die Eigenart eines jeden zur Entfaltung zu bringen, denn die farbige Mannigfaltigkeit von Leben und Welt braucht viele eigenartige Künstler, um zum Sinnbild erhoben zu werden. »Wir sind alle nur Fußtapfen auf Gottes Weg, und einer ergänzt des andern Spur. Wir möchten hinüber, einer zum andern, und dann stehn wir starr vor Unvermögen«, schreibt er an Dauthendey. Darum ist auch in seinen Urteilen über Manuskripte und Bücher immer wieder die Mahnung zu lesen: »Es findet sich zu wenig von Ihrer eigenen Art darin!« Aus dieser Einstellung, die den anderen in seinen eigenen künstlerischen Bestrebungen gelten läßt, schreibt er auch an Hofmannsthal, daß er George nicht als Rivalen empfinde und niemals danach gestrebt habe, einen Kreis um sich zu bilden: »Eher ist es mein Bestreben, wenn sich ein Kreis um mich bilden will, ihn immer möglichst bald loszuwerden.« Von Nietzsche hatte Dehmel die Forderung übernommen: »Folge mir *nicht* nach, geh deinen eigenen Weg«, die er denen entgegenhielt, die sich an ihn binden wollten.

In Anlehnung an Nietzsche wurde Dehmel zum bahnbrechenden Verkünder des »neuen Weltempfindens«, von dem Julius Hart sagte, es sei »heller, sonniger, weitherziger«. Das Hochgefühl eines wiedergeborenen Sinnes für das Leben — wobei Leben Freude und Leid enthält, denn »Leben heißt lachen mit blutenden Wunden« — wird von Dehmel in einer kraftvollen, dithyrambischen Sprache ausgedrückt, so daß manche Zeitgenossen in Dehmel den poetischen Illustrator der Lehren Nietzsches sahen.

Nietzsche hat für Dehmels Dichtungen den Boden bereitet, anders läßt sich ihre durchgreifende Wirkung auf seine Zeitgenossen kaum erklären. In der Lebenszerrissenheit, in dem erschütterten Daseinsgefühl jener Zeit, die »von Prosa, Naturwissenschaft und Nüchternheit« erfüllt war, inmitten einer »befriedeten, selbstherrlichen Epoche«, ging von Dehmels Dichtung eine tief beunruhigende und befreiende Wirkung aus. Viele Zeitgenossen sahen in ihr »die Aufbegehrung der Zeit selber, dreimal gebranntes Getränk statt des Zuckerwassers der ›Butzenscheibenlyrik‹, vulkanisch aufgebrochene Natur in Bürgergärten«.

Das damalige Zeitgefühl trug ein Janusgesicht. »Wir haben gleichsam keine Wurzeln im Leben und streichen, hellsichtige und doch tagblinde Schatten, zwischen den Kindern des Lebens umher«, klagte der junge Hofmannsthal über das Lebensgefühl einer Generation, die sich kraftlos herbstlicher Schwermut hingab. Fast zur gleichen Zeit ging Nietzsches »Zarathustra« in der jungen Generation von Hand zu Hand und weckte eine starke Lebensbejahung, und Dehmel dichtete:

»O ja: die Erde ist voll Grauen.
Doch — voll von Sonnen steht die Welt!«

Die Polarität des Lebens, die Schopenhauer sagen ließ, daß »alles Leben
Leiden ist«, wurde von Dehmel angenommen, führte aber nicht zu Resi-
gnation, Pessimismus und apokalyptischer Klage, wodurch er sich deutlich
von dem Lebensgefühl der Jahrhundertwende unterscheidet. Aus dem
Brunnen des Leides »fließt die lautre Seligkeit«. »Inbrünstig« — es gibt
kein anderes Wort, mit dem das Pathos in Dehmels Dichtung und Lebens-
haltung besser charakterisiert werden könnte — sagt er »Ja« zum Leben
in seiner Gesamtheit. »Sie sagen, Sie verstehen das Leben nicht mehr«,
schreibt Dehmel 1917 einem verzweifelten Menschen, »hat denn irgend
jemand es schon verstanden? Es ist nicht dazu da, verstanden zu werden;
es will geliebt sein mit ganzer Seele.«

Durch diese Liebe zum Leben und das Ethos seines Weltbildes, das sich
daraus ergab, mußte auch Dehmel in Gegensatz zur herrschenden Moral
geraten. Jahrhunderte hindurch war der Geist verherrlicht und der Leib
mit dem Fluch der Sünde belegt worden. »Alle die Kräfte und Triebe, ver-
möge deren es Leben und Wachstum gibt«, schreibt Nietzsche, »sind mit
dem *Banne* der *Moral* belegt: Moral als Instinkt der Verneinung des Lebens. Man muß die Moral vernichten, um das Leben zu befreien.« Bei Dehmel ist die Zeitmoral bereits vernichtet, wenn er »treuwillig die Treue«
bricht, weil es »das Leben, das Leben gewollt«. Wohin hat die alte
»scheinheilige Moral« nach Dehmels Ansicht denn geführt? Sie hat »dem
Menschen die natürliche Lust an seinen Trieben, seine sinnliche Einfalt,
verboten und verbogen«.

Das Wesen der Liebe besteht nach Karl Jaspers darin, daß die irdische
Sphäre mit ihrer engen Bindung an die geschlechtliche Begegnung zwischen
Mann und Frau, wodurch die »Verleiblichung der Liebe in der Welt« voll-
zogen wird, innig verflochten ist mit der geistigen, die dem göttlichen Ur-
sprung und Ziel zustrebt, wo sich der Sinn der Liebe erst nach der Trieb-
erfüllung, losgelöst von ihr und sie überwindend, auf höherer Daseins-
stufe offenbart. Das Primat gehörte zu verschiedenen Zeiten bald der einen, bald der anderen Liebesweise; dann wieder wurde die Einheit von
sinnlicher und seelischer Liebe begehrt wie in Schlegels »Lucinde«, wo in
der Wollust liebender Umarmung »das heiligste Wunder der Natur« erlebt wird. Und für Ortega y Gasset scheint in der »Verschmelzung des
Leibes mit der Seele die Aufgabe unseres Zeitalters« zu liegen.

Um diese Verschmelzungen des Leibes mit der Seele, um den Ausgleich
zwischen Trieb und Geist rang Dehmel in seinem Werk; glaubte er doch,
dort, wo bisher alles »Verstellung und Verdrängung« war, das natürliche
»seligste Recht« der Kreatur wiederherstellen zu müssen und zu können.

Das Sinnenglück sollte der Erlösung »von des Leibes Schranken« dienen, sollte zu einer Erhöhung der menschlichen Existenz führen — es ist also nicht Selbstzweck.

Dehmels Leidenschaften und seine Erlösungen, sein persönliches Erleben, die Liebe in allen Formen, sein Widerstreit mich sich selbst und der Welt sind ein immer wiederkehrendes Thema in seiner Dichtung. Sie ist subjektiv, enthüllt sein Eigenstes und Intimstes, jede Gefühlsnuance seiner geheimsten Seelenregungen und Seelenkämpfe bis zur Grenze der Schamlosigkeit. Und in dieser Kunst des Alles-zu-Ende-Sagens liegt seine Größe, seine Grenze und seine zeitgeschichtliche Bedeutung.

Von seinen Gedichten, die oft nur »Vorspiel« zu ihm selber sind, sagt er: »Ich lebe sie.« Dies gilt für seine Liebesgedichte, aber auch für seine Naturlyrik. Als Dehmel von der Königshütte bei Elberfeld auf die Stadt im Tale hinuntersah, entstand »Die stille Stadt«. Während ein Sturm um das väterliche Forsthaus brauste, schrieb er das »Lied an meinen Sohn«, und die Naturlyrik in den Romanzen am Ende des zweiten Umkreises in »Zwei Menschen« haben Dehmels Meererlebnis auf der Insel Sylt zum Hintergrund. Die reinsten Gedichte gelingen diesem subjektiven Dichter in der Zwiesprache mit der Natur, mit dem All, wenn ein einfaches Gefühl des oft so Zeitgebundenen zeitlosen Ausdruck erhält. Von Dehmels »Erntelied«, in dem die Mühlen am Himmelsrand hinter den goldenen Garbenfeldern zum Symbol der Revolution werden, sagt Wilhelm Schäfer, daß es unsterblich sei. Die liedhaften Verse des Gedichtes »Manche Nacht«, die »in fast goethischer Diktion« geschrieben sind, gehören zum Unvergänglichen der deutschen Lyrik.

Wenn Dehmel in die Probleme der Zeit verstrickt ist, tritt er oft mit einer bardenhaften Wortgebärde als prophetischer Verkünder der neuen Lebensanschauung auf. Der reine Genuß seiner Dichtung wird dadurch gestört, daß er vielfach seine Gedichte noch nicht völlig von sich losgelöst hat, daß noch zu viel persönliche Schlacken daraus hervorsehen, daß sich das dargestellte Erleben, der Vorgang noch nicht zu typischer Bedeutung aufschwingt. Dies gilt besonders für das Epos »Zwei Menschen«, in dem Dehmel »in tausend Variationen ein ganzes Menschenschicksal oder Seelenleben im Einklang mit der Außenwelt, mit Zeit und Ewigkeit vorzuführen« beabsichtigte. Das Vergängliche des persönlichen Erlebens sollte zum Gleichnis des Ewigen werden.

Dehmels Dichtung und die oft apotheotische Verehrung, die junge Dichter und Zeitgenossen ihm entgegenbrachten, läßt sich vielfach nur aus der zeitgeschichtlichen und literarischen Situation um die Jahrhundertwende erklären. Der Briefwechsel Richard Dehmels mit seinen Zeitgenossen stellt ein einzigartiges Dokument dar für jene Zeit, in der die verschiedensten literarischen Strömungen zu finden sind. Bei Dehmel treffen diese Strömungen zusammen, und die Linien überschneiden sich. Ein Niederschlag davon ist auch in seinem Werk zu erkennen. Für uns erhebt sich die Frage, worin wir das Bedeutende und das Bleibende in Dehmels Lebenswerk zu suchen haben: in dem, was er als Dichter geschaffen hat, oder in dem, was er seinen Zeitgenossen als Mensch bedeutete und wie er sie zu ihrem Eigensten erweckte.

Möchte die vorliegende Auswahl zur Untersuchung und Beantwortung dieser Frage anregen. Es scheint an der Zeit zu sein, das bisherige Dehmelbild zu überprüfen.

Paul Johannes Schindler

Zum Text der Ausgabe

Diese Ausgabe soll einen Teil des Werkes von Richard Dehmel wieder zugänglich machen. Leider mußten in dem hier begrenzten Rahmen das Epos »Zwei Menschen«, die Gedichte in »Schöne wilde Welt«, das Kriegstagebuch »Zwischen Volk und Menschheit« und andere Werke unberücksichtigt bleiben.

Durch die Briefe und Dokumente soll gezeigt werden, wie Dehmel in seiner Zeit gewirkt hat. Auch hier konnte aus dem umfangreichen Briefmaterial nur eine kleine Auswahl getroffen werden. Der Herausgeber hofft, bald eine umfassende Ausgabe des Briefwechsels Richard Dehmels mit seinen Zeitgenossen vorlegen zu können.

Der Gedichtauswahl, dem Drama »Die Menschenfreunde« und den »Betrachtungen« ist der Text der dreibändigen Ausgabe letzter Hand bei S. Fischer, Berlin 1913, zugrunde gelegt; einige Gedichte, die darin nicht enthalten sind, wurden der zehnbändigen Ausgabe bei S. Fischer, Berlin 1906–09, entnommen. Der »Offene Brief«, die »Offenherzige Erklärung« und die »Rundfrage: Über Frankreich« sind aus dem Band »Bekenntnisse« bei S. Fischer, Berlin 1926. Aus literarhistorischen Gründen wurden die seinerzeit umstrittenen Gedichte »Jesus bettelt« und »Venus Consolatrix« mit aufgenommen.

Die Verse von Stefan George auf Seite 264 ff. wurden nach dem Manuskript von Ida Dehmel zitiert. Dehmels Eigenheiten in Schreibweise und Zeichensetzung wurden bei der Auswahl aus seinem Werk beibehalten, nur die veraltete Orthographie wurde den heutigen Regeln angepaßt.

Die Briefauswahl folgt zum Teil den unveröffentlichten Originalen im Dehmel-Archiv der Staats- und Universitäts-Bibliothek Hamburg, zum Teil dem Text bereits vorliegender Briefausgaben. In »Quellenverzeichnis und Anmerkungen« sind die Fundstellen nachgewiesen. Die Schreibweise der Briefe wurde der heutigen Rechtschreibung angeglichen; offensichtliche Schreibversehen wurden ohne besondere Kennzeichnung berichtigt.

Verlag und Herausgeber danken für die Erlaubnis, Briefe und Dokumente in diese Auswahl aufzunehmen, Frau Vera Tügel-Dehmel, allen Rechtsinhabern und Rechtsnachfolgern und besonders auch der Staats- und Universitäts-Bibliothek Hamburg.

Herrn Prof. Dr. Adolf Beck (Hamburg) dankt der Herausgeber herzlich für die Förderung während der Studien im Dehmel-Archiv und Herrn Dr. Paul Raabe (Marbach) für Rat und Hinweise zu dieser Ausgabe.

Quellennachweis und Anmerkungen
zu den Briefen

Die Zahl verweist auf die Nummer des Briefes in dieser Ausgabe. Alle Briefe aus dem Dehmel-Archiv sind bisher unveröffentlicht. Die übrigen sind nach den Erstdrucken in den unten angeführten Briefausgaben wiedergegeben. Die Abkürzungen für die Quellen der Briefe bedeuten:

D. A.: Dehmel-Archiv der Staats- und Universitäts-Bibliothek Hamburg.

D. Br.: Richard Dehmel, Ausgewählte Briefe, Bd. 1—2. Berlin: S. Fischer 1923.

M. D.: Max Dauthendey, Ein Herz im Lärm der Welt. München: Albert Langen — Georg Müller 1933.

G. E.: Gerrit Engelke, Gesamtwerk. München: Paul List Verlag 1960.

H. v. H.: Hugo v. Hofmannsthal, Briefe 1900—1909. Wien: Bermann-Fischer Verlag 1937.

A. H.: Arno Holz, Briefe. Eine Auswahl. München: R. Piper & Co 1956.

D. v. L.: Detlev von Liliencron, Ausgewählte Briefe. Herausgegeben von Richard Dehmel, Bd. 1—2. Berlin: Schuster & Loeffler 1910.

T. M.: Thomas Mann, Briefe 1881—1936. Frankfurt a. M.: S. Fischer 1961.

A. M.: Alfred Mombert, Briefe an Richard Dehmel und Ida Dehmel. Ausgewählt und eingeleitet von Prof. Dr. Hans Wolffheim. Mainz: Verl. d. Akad. d. Wiss. u. Lit. 1956. In Kommission bei Franz Steiner Verlag GmbH, Wiesbaden.

R. M. R.: Rainer Maria Rilke, Briefe aus den Jahren 1892 bis 1904. Leipzig: Insel-Verlag 1939.

A. S.: Arnold Schönberg, Ausgewählte Briefe. Mainz: B. Schott's Söhne 1958.

S. A.: Schäfer-Archiv der Landes- und Stadt-Bibliothek Düsseldorf.

1. *D. Br. Nr. 8. Paula Oppenheimer:* Sie wurde 1889 D.'s erste Frau. Aus der Ehe gingen drei Kinder hervor: Vera, geb. am 22. 10. 1890, Peter Heinz, geb. am 15. 11. 1891 und Liselotte, geb. am 5. 10. 1897. Paulas Vater war Rabbiner der Reformgemeinde in Berlin. Mit Paulas Bruder Franz, dem späteren Nationalökonomen, war Dehmel seit seinen ersten Studientagen eng befreundet.

2. *D. A.: D 228. Deinen Polen:* Stanislaw Przybyszewski (1868—1927). — *in dem Werkchen:* »Die Totenmesse«. Vgl. auch S. 269 ff.

3. *D. Br. Nr. 73. auf einer Wanderfahrt:* Schon am 12. 11. 93 nennt D. diese Absicht in einem Brief an Hans Thoma »kindische Fluchtpläne« und fährt fort: «Inzwischen aber bekamen meine Brotgeber ein Einsehen, haben mir einen beliebigen Urlaub bewilligt (seit sieben Jahren den ersten), dazu ein

angemessenes Reisestipendium, um nach Italien fahren zu können.« — *Carl Schleich:* der Arzt Carl Ludwig Schleich (1859—1922), seit der Studienzeit mit D. befreundet. — *B.:* Dr. Bueck, der Präsident vom »Zentralverband Deutscher Privater Feuerversicherungen«.

4. *D. A.: D 237. Hedwigs Aufsatz:* Hedwig Lachmann (1868—1918). Über ihre Beziehung zu Dehmel s. Julius Bab, Richard Dehmel. Leipzig 1926, S. 102 ff.

5. *D. A.: D 238.*

6. *D. Br. Nr. 37.*

7. *D. v. L. Br. I, 276 f. Rudolf Mosse:* Berliner Zeitungsverleger.

8. *D. v. L. Br. I, 282.*

9. *D. v. L. Br. II, 20. Papeterie:* Packung Briefpapier.

10. *D. v. L. Br. II, 24.*

11. *D. Br. Nr. 243. zu meiner Freundin:* Frau Ida Auerbach. S. Anm. zu Br. Nr. 49.

12. *D. v. L. Br. II, 142.*

13. *D. v. L. Br. II, 190. keine Prosa schreiben darf:* Vgl. Vertrag bei Brief Nr. 7.

14. *D. Br. Nr. 312. Greif zu:* Liliencron lehnte trotzdem ab. Er reiste aber von Dezember 1901 bis April 1902 mit einem »Bunten Brettl« durch Deutschland.

15. *A. H. Nr. 35. Schmidt:* Der Maler Hugo Ernst Schmidt.

16. *D. Br. Nr. 53. schicke Aufsatz mit:* Die modene naturalistische Tragödie.

17. *D. B. Nr. 145. Tiergartendame:* Frau Ida Auerbach.

18. *D. Br. Nr. 60. Ihre Zeichnung:* Ein Seepferdchen, einem Drachen ähnlich, sperrt den Rachen weit auf; darin sitzt ein Engelsknabe und spielt auf einer Flöte. Thoma gibt D. die Erlaubnis, diese Zeichnung für das Titelblatt zu verwenden.

19. *D. A.: T 10.*

20. *D. A.: H 525.*

21. *D. A.: D 2418. ein Manuskript:* Die Gottesnacht. Erlebnis in Träumen. — *Keßler:* Harry Graf Keßler (1868—1937), Schriftsteller, Diplomat, Vorstandsmitglied der Zeitschrift PAN.

22. *H. v. H. 305. »Morgen«:* Zeitschrift, an der Hofmannsthal mitarbeite, erschienen in 2 Bdn. 1907—1908. S. auch Brief Nr. 24.

23. *D. Br. Nr. 510.*

24. *H. v. H. 306. Keßler:* S. Anm. zu 21. — *»Verwandlungen der Venus«:* R. Dehmel, Ges. Werke 1906—09 Bd. 4. Der alte Zyklus in »Aber die Liebe« ist völlig umgestaltet, die Anzahl der Gedichte fast verdoppelt. — *Fitzebutze-Drama:* Fitzebutze ursprünglich nur phantastische Kindergedichte, jetzt ein pantomimisches Traumspiel in fünf Aufzügen.

25. *A. M. Nr. 1. »Willen, der da schafft«:* Ges. W. 1913, S. 12: »Nicht zum Guten, nicht vom Bösen / wollen wir die Welt erlösen, / nur zum Willen, der da schafft; / Dichterkraft ist Gotteskraft.«

26. *D. Br. Nr. 114. Ihr Buch:* Tag und Nacht. Momberts erster Gedichtband, Heidelberg 1894.

27. *A. M. Nr. 3. »Lasciate ...«:* Dante, »Göttliche Komödie«, Inferno, 3. Gesang,

Zeile 9. — »Wie er immerfort«: Bei Dehmel, Ges. Werke 1906—09, Bd. 7, S. 135 lautet die Anspielung im Zusammenhang: »Ach, ich danke Dir, Detlev, alte Märchenseele Du: es waren seltene, einzige Stunden. Wie er immerfort ›entzückt‹ war, über jeden jungen ›teutschen Dichter‹, jedes kleinste Talent, der noble gütige Cavalier; und über sich selber, der Ehrliche. Und sein herrlicher Haß auf alle Mattherzigkeit und alle Eunuchenmoral und Protzigkeit.« — »Und da steht . . .«: s. Gedicht »Mein Wald«.

28. *A. M. Nr. 30. Dichter, Denker, Deuter:* Dehmel hatte das Gedicht »Die Vollendung. Ethische Cantate« in »Erlösungen« (1898) gewidmet »Dem Dichter, Denker, Deuter Alfred Mombert«. — *Zettelepeuche:* Mombert nannte Frau Ida Dehmel so. S. hierzu die ausführliche Anm. von Hans Wolffheim in: Briefe an Richard Dehmel und Ida Dehmel. Mainz 1956. — *Conrad Ansorge:* Pianist und Komponist (1862—1930). Hat viele Gedichte D.'s vertont. Von D. am meisten geschätzt. Vgl. St. Przybyszewski: Conrad Ansorges Liederdichtungen. In: PAN, Jg. 3. H. 1, 1897, S. 54—56.

29. *D. Br. Nr. 205. Grünjungenstücklein:* R. Strauß hat 1897/98 in opus 37 u. 39 einige Gedichte Dehmels vertont; vermutlich ist »Mein Auge« op. 37 Nr. 4 gemeint, das von D. in die Ges. Werke nicht aufgenommen wurde. — *das Gedicht:* »Mein Wald« s. S. 46. — *Seite 311:* »Ideale Landschaft«, Ges. Werke 1913. Bd. 2, S. 43; hier nicht aufgenommen.

30. *A. M. Nr. 58. Neu-Bau Deines Werkes:* Gemeint »Die Verwandlungen der Venus«. Vgl. Anm. zu 24. — *Broschüre von Furcht:* Walther Furcht, »Richard Dehmel. Seine kulturelle Bedeutung, sein Verhältnis zu Goethe, Lenau und zur Moderne«. Minden 1899. Über »Venus Consolatrix« S. 30 ff. — *Dehmel-Fußnote:* In Ges. Werke 1906—09, Bd. 4, S. 124 wurden zweiundzwanzig Zeilen ausgelassen, die aber in Ges. Werke, 3 Bde. 1913 aufgenommen sind. Innerhalb der durch Striche gekennzeichneten Auslassung ist zu lesen: »Der Mittelsatz dieser Phantasie, der die sagenhaften Tugenden der Magdalenischen und der Nazarenischen Maria in dem hier dargestellen weiblichen Wesen vereinigt zeigt, ist durch Urteil des Berliner Landgerichtes vom 30. August 1897 für unsittlich erklärt worden und darf daher öffentlich nicht mitgeteilt werden.« Vgl. S. 60 u. S. 278.

31. *A. M. Nr. 66. von den Schlachtfeldern geholt:* Liliencron war Ende Juni 1909 mit Frau und Kindern nach Frankreich gereist, um ihnen rund um Metz die Orte zu zeigen, wo er 1870 gekämpft hatte. Er kehrte mit einer Erkältung heim, eine Lungenentzündung folgte, an der er am 22. 7. 1909 starb.

32. *D. Br. Nr. 560. dem Z:* Frau Isi. Vgl. Anm. zu 28.

33. *A. M. Nr. 67. was Du Ihm:* Liliencron.

34. *D. Br. Nr. 913. Festbesuch schuldig:* Mombert kam nicht zu Frau Isis fünfzigstem Geburtstag, sondern erst Ende Januar und blieb bis zum 5. Februar. — *A-riel:* Mit A kürzte Mombert den ihm von Dehmel gegebenen Freundschaftsnamen ab.

35. *D. Br. Nr. 118. »Gesellschaft«:* Die Zeitschrift »Die Gesellschaft« wurde 1885 von Michael Georg Conrad (1846—1927) gegründet; ein wichtiges Organ in den neunziger Jahren.

36. *T. M. 5. Musenalmanach:* »Moderner Musenalmanach«, hrsg. von Otto Julius Bierbaum. Hier der 2. Jg., München 1894, in dem Gedichte Dehmels und neben S. 273 sein Bild veröffentlicht wurden.

37. *T. M. 6.* Antwort D.'s unbekannt.

38. *T. M. 30. liebenswürdigen Unternehmen:* »Der Buntscheck«. Ein Sammelbuch herzhafter Kunst für Ohr und Auge deutscher Kinder. Köln: Schaffstein 1904. D. lud zeitgenössische Schriftsteller zur Mitarbeit ein.

39. *D. Br. 768. über den Krieg:* »Gedanken im Kriege«. In: »Die Neue Rundschau«, Nov. 1914.

40. *D. Br. Nr. 880.* Der Brief von Thomas Mann vom 18. 12. 1918, D. A.: M 40, auf den sich D.'s Antwort bezieht, konnte hier noch nicht veröffentlicht werden. — *Warnruf:* vgl. S. 278. — *Mahle, Mühle, mahle:* Der Refrain in D.'s »Erntelied«, das einen revolutionär-aufrührerischen Rhythmus hat.

41. *D. A.: S 18. Gustav Kneist:* Jugendfreund Schäfers, Lehrer in Gerresheim.

42. *D. Br. Nr. 144. »Mannsleut'n«:* »Mannsleut«. Westerwälder Bauerngeschichten von W. Schäfer-Dittmar. Elberfeld 1895.

43. *S. A.: ohne Sign.*

44. *D. A.: S 165.* »Wegkreuzung«: Nicht veröffentlicht. Wohl vernichtet. — *Flaischlen:* Cäsar Flaischlen (1864—1920) war damals Herausgeber des PAN.

45. *S. A.: ohne Sign.*

46. *D. A.: S 255. »Menschenfreund«:* »Die Menschenfreunde«. Drama in drei Akten. Wurde im Berliner Lessingtheater mit Albert Bassermann und Curt Götz, gleichzeitig auch in Mannheim und Dresden am 10. 11. 1917 uraufgeführt. In der Frankfurter Zeitung vom 14. 11. 1917 besprochen. — *»Lebensabriß«:* München 1918. Schäfer bekundet darin, was Dehmel ihm und seiner Generation bedeutet hat als Befreier der deutschen Dichtersprache von Verweichlichung und Verbürgerung. — *Siegesnachricht:* Der große Uraufführungserfolg der »Menschenfreunde«.

47. *S. A.: ohne Sign. bei Röttger:* »Wilhelm Schäfer zu seinem fünfzigsten Geburtstag«. Herausgegeben von Karl Röttger, München 1918. Darin D.'s Gedicht »Dem Dichter des Pestalozzi«. — *»Lebenstag«:* »Lebenstag eines Menschenfreundes«. Roman von Wilhelm Schäfer. München 1915. (Ein Pestalozzi-Roman.)

48. *S. A.: ohne Sign. Dank von Herzen:* D. dankt für das, was Schäfer in seinem »Lebensabriß« über ihn geschrieben hat.

49. *D. A.: ohne Sign.* Ida Auerbach, geb. Coblenz, wurde am 22. 10. 1901 D.'s zweite Frau. — *Ihres Artikels:* Vgl. D.'s Berliner Bericht im PAN, Jg. 1 (1895/96) H. 2, S. 110—117. Vgl. zu Ida Dehmel — Stefan George: Robert Boehringer, »Mein Bild von Stefan George«. München 1951, S. 62 ff. S. auch hier S. 263 ff. — *»Blätter für die Kunst«:* Von Stefan George begründet, erschienen 1892 bis 1919.

50. *D. Br. Nr. 142.*

51. *D. A.: ohne Sign. Frau Förster-Nietzsches Buch:* »Das Leben Friedrich Nietzsches«, 3 Bde. (1895—1904) von Elisabeth Förster-Nietzsche (1846—1935). Hier ist der soeben erschienene erste Band gemeint.

52. *D. A.: ohne Sign. Georges Antwort:* Vgl. hierzu Brief Nr. 53.

53. *D. A.: ohne Sign.*
54. *D. Br. Nr. 146. einige Wechsel:* In dem Brief Liliencrons an D. vom 3. 9. 95. heißt es: ». . . ich warte noch bis morgen, Mittwoch. Kommt ›es‹ dann nicht, so bleiben mir nur zwei Dinge übrig: Der Revolverschuß o d e r eine äußerst mich demütigende Tour bei meinen Gläubigern, die ich dann noch wieder auf vier Wochen vertrösten muß.«
55. *D. A.: ohne Sign. mehrere Tausend Mark:* Vgl. Brief Nr. 7 (Vertrag) und Nr. 56.
56. *D. Br. Nr. 147. 4000 Mk.-Geschichte:* Es handelt sich um den Berliner Zeitungsverleger Rudolf Mosse, wie in Brief Nr. 7 und Nr. 55.
57. *D. A.: ohne Sign. Ihren Freund:* Liliencron. — *Aldebaran:* Das Gedicht »Auf dem Aldebaran«, das Dehmel Frau Isi bei seinem zweiten Besuch vorgelesen hatte. In: Liliencron, Ges. Werke Bd. 2. Berlin 1923, S. 374—378.
58. *D. Br. Nr. 148.*
59. *D. Br. Nr. 151.*
60. *M. D. 133. Dein Buch:* Dehmels Tragikomödie in fünf Akten »Der Mitmensch«. — *Uddgren:* schwedischer Schriftsteller, mit Dauthendey befreundet.
61. *M. D. 174. Schillerstiftung:* Vgl. Brief Nr. 100 und Nr. 101.
62. *D. Br. Nr. 727. Deinem neuen Buch:* »Gedankengut aus meinen Wanderjahren«, 2 Bde. München 1913. Darin bekennt Dauthendey, was die Begegnung mit Dehmel für sein Schaffen bedeutet hat. Er begriff: ». . . daß der Glaube an die Dichtung Dichtung schaffen kann und Dichter gebären kann, auch wenn das Zeitalter von Prosa, Naturwissenschaft und Nüchternheit strotzt! . . . Und diese Weihe und diesen Glauben, den ich von dieser Stunde an wieder für Lied und Gedicht über mich kommen ließ, der ist nie wieder von mir gewichen und steigerte sich von Jahr zu Jahr, sich in Kraft umsetzend.« (In der Ausgabe von 1941 S. 155 f.)
63. *R. M. R. Nr. 13. Vortrag zugunsten Liliencrons:* Rilke hielt ihn am 13. Januar 1897 in Prag und las auch Gedichte von Liliencron.
64. *D. A.: Unveröffentlichte Abschrift ohne Sign.*
65. *D. A.: R 250. dieses Buch:* Vermutlich: »Am Leben hin«. Novellen und Skizzen von R. M. Rilke (1898).
66. *R. M. R. Nr. 27.*
67. *R. M. R. Nr. 28. einen Vortrag:* Nach der Anmerkung zu R. M. R. Nr. 28 befindet sich das Manuskript des Vortrages im Rilke-Archiv (Ms 282).
68. *D. A.: R 254. etwas gegeben hätte:* D. hatte Rilke bereits am 27. 11. 01 gebeten, ihm einen Beitrag für den »Buntscheck« (vgl. Anm. zu Br. 38) zu schicken. — *Karl Ernst Knodt:* Er hatte der Anthologie als Motto vorangestellt das Rilke-Wort: »In der Seele des Menschen wohnt eine Sehnsucht, die rascher als er selbst einem größeren Dasein zueilt.« In der 2. Auflage, Stuttgart 1912, sind sieben Gedichte von Rilke enthalten.
69. *D. Br. Nr. 261.*
70. *D. A.: L 163.* Die Veröffentlichung der Lasker-Schüler-Dokumente erfolgt mit Zustimmung des Nachlaßverwalters Manfred Sturmann (Jerusalem). — *Mein Buch:* »Styx«. Gedichte. Berlin 1902. — *Plebejerzigeuner verheiratet:* Nicht ermittelt, was hier gemeint ist. Sie hatte 1894 den Arzt Dr. Berthold

Lasker geheiratet, von dem sie sich nach einigen Jahren trennte. Mehrere Jahre war sie mit dem Dichter Peter Hille befreundet, der 1904 starb. In zweiter Ehe war sie mit Herwarth Walden von 1901 bis 1911 verheiratet.

71. *D. A.: L. 173. Sein Liszt:* Klingers Marmorbüste von Franz Liszt im Gewandhaus Leipzig.

72. *D. A.: L 156.* Brief ohne Datum. Vermutlich aus dem Jahr 1907, als ihr Buch »Die Nächte Tino von Bagdads« erschien. — *Frau Engelein:* Paula Dehmel, die von ihr auch Angeline und Engeline genannt wurde.

73. *D. Br. Nr. 470. Dein Jugendwerk:* »Die Juden von Zirndorf« (1897). Hauptgestalt Agathon Geyer.

74. *D. A.: W 55.* »*Renate Fuchs*«: »Die Geschichte der jungen Renate Fuchs«. In: »Die Neue Rundschau« Jg. 11 (1900).

75. *D. Br. 617.* »*Erwin Reiner*«: »Die Masken Erwin Reiners« (1910).

76. *D. A.: W 63.*

77. *D. Br. Nr. 618.*

78. *D. A.: C 157. dieser Gedichte:* Beigefügt waren acht Gedichte. — *nach München fahren:* Vgl. hierzu Carossa, Ges. Werke, Bd. 1. Wiesbaden 1949. S. 626.

79. *D. Br. Nr. 480.*

80. *D. A.: C 158.* Diesem Brief hat Carossa drei Gedichte beigefügt: »Morgengang des Künstlers« und — auf die erwähnten Eintrittskarten geschrieben — folgende Verse:

An Richard Dehmel

Hätt ich mein Herz nicht überwunden
und keine fernere dunkle Welt
zum Ziele meines Lichts gefunden
ich wäre längst an Dir zerschellt . . .

Zauber

Morgen werden viel Sterne scheinen,
morgen wirst du nach mir weinen
und ins tote Fenster spähn . . .
Dann hinauf zum Glanz der Ferne
wirst du fliehn, und tausend Sterne,
all die stillen kleinen Sterne
wirst du durch zwei helle Tränen
groß wie Sonnen zittern sehn . . .

81. *D. Br. Nr. 482.*

82. *D. A.: D 2123. Campagnolle:* Roger de Campagnolle, Arzt und Schriftsteller, mit Carossa und D. befreundet. Vgl. Carossa, Ges. Werke Bd. I. Wiesbaden 1949. S. 634.

83. *D. A.: C 169.*

84. *D. A.: Z 101.*

85. *D. Br. Nr. 573.*

86. *D. A.: Z 102.*
87. *D. Br. Nr. 845. »Jeremias«:* Erschienen 1917.
88. *D. A.: Z 116.*
89. *D. A.: 09,33.* Becher war damals noch Schüler des Wilhelm-Gymnasiums in München, woraus sich die jugendlich-überschwengliche Diktion des Briefes erklärt.
90. *D. Br. Nr. 591. »Anschlag«:* Becher wollte zu D.'s fünfzigstem Geburtstag (1913) einen Essayband veröffentlichen. Er bat in seinem Brief v. 11. 3. 1910 D. um einige charakteristische Kritiken über sein Werk und eine Lebensbeschreibung. Vgl. auch Bechers »Rede über Dehmel«. In: »Die neue Zeit«. München 1912, S. 31—42.
91. *G. E. 346. Kleiststiftung:* S. Zeittafel 1912 S. 304. Vgl. hierzu auch Julius Bab, »Richard Dehmel«, S. 310 f. Leipzig 1926 u. Br. Nr. 92 u. 93.
92. *D. A.: E 34. Besuch bei Ihnen:* Vgl. G. E. S. 25 f. Dehmel gab Engelke die Bestätigung seines Künstlertums und erklärte später einmal von dem Jüngeren: »Genial, größer als wir alle!«
93. *D. Br. Nr. 693. neue Zeitschrift:* Zech gab damals heraus: »Das neue Pathos«.
94. *D. A.: Z 4. Blass.* Ernst Blass (1890—1939). Vgl. Paul Zech, »Ernst Blass«. In: »Die neue Kunst«. 1 (1913/14), S. 215—217. — *Quadriga:* Erste Zeitschrift der Werkleute auf Haus Nyland (1912—1914). — *Dichter der »Eisersernen Sonette«:* Josef Winckler.
95. *D. A.: S. 1486. Tragik und Drama:* D.'s Abhandlung. In: Ges. Werke, 1906 bis 09, Bd. 9, der Tragikomödie »Der Mitmensch« vorangestellt.
96. *D. Br. Nr. 641.*
97. *D. A.: S 1487. mein Stück:* Der Bettler. Eine dramatische Sendung. Fünf Aufzüge. Berlin 1912. Dafür verlieh ihm D. als erster Vertrauensmann der Kleist-Stiftung den Kleistpreis.
98. *D. A.: S 1489. das erste Buch:* Guntwar. Die Schule eines Propheten. Kempten 1914.
99. *D. A.: 12,312. meine Arbeit:* Vermutlich handelt es sich um das 1911 erschienene Drama »Offiziere«.
100. *D. A.: 12,154. Briefe Goethes:* S. Br. Nr. 101. — *Spielereien einer Kaiserin:* »Spielereien einer Kaiserin« von Dauthendey wurde Anfang Oktober 1911 im Theater an der Königgrätzer Straße in Berlin mit Tilla Durieux in der Hauptrolle uraufgeführt. Großer Erfolg. Ebenso die Aufführung in Hamburg am 19. Oktober 1911.
101. *D. Br. Nr. 682. Haupt- und Staats-Aktion:* Revision des Verwaltungsprinzips der Schillerstiftung. — *Briefwechsel Goethes und Friederikens:* Über die von Dehmel mitgeteilten Umstände ist nichts Näheres bekannt. Es ist nur ein Brief Goethes an Friederike vom 15. 10. 1770 erhalten.
102. *D. Br. Nr. 905.*
103. *A. S. Nr. 11. Wenn doch Dehmel:* D. lehnte sehr freundlich ab, weil er nur schreiben könne, wenn es ihn zu einer Sache dränge.
104. *Veröffentlicht in:* »Musikforschung« 11 (1958), S. 279 f. Hier gedruckt nach der Handschrift im D. A.: S. 628.
105. *D. A.: W 305.*

106. *D. Br. Nr. 683.* D. antwortete auf einen sehr langen Brief vom 21. 2. 13, in dem Winckler die Gründungsgeschichte, die Absichten und Ziele der literarischen Gemeinschaft »Werkleute auf Haus Nyland« darlegt (D. A.: W 308).

107. *D. A.: G 80.*

108. *D. Br. Nr. 691.*

109. *D. A.: G 79. Jung Schuck:* »Jung Schuck«. Roman. München 1913.

110. *D. Br. 698. kühnes Buch:* »Die Höhe des Gefühls«. Szenen, Verse, Tröstungen. Leipzig 1913.

111. *D. A.: 13,37.*

112. *D. Br. Nr. 720. Ihr Drama:* »Die Retterin«. Schauspiel. Leipzig 1914.

113. *D. A.: B 886. die Dehmel-Nummer:* Es ist keine ganze Dehmel-Nummer geworden. »Neue Blätter«. Fünftes Heft, Berlin 1913, enthalten u. a.: Else Lasker-Schüler, »Richard Dehmel« (Siehe S. 259) und Max Brod, »Ein Versuch über das Ethos Richard Dehmels«.

114. *D. A.: B 901. Drama in Christo:* »Der ewige Mensch«. Drama in Christo. München 1919.

115. *D. Br. Nr. 885.*

116. *D. A.: B 902.*

117. *D. A.: B 903.* »*Die Schlacht der Heilande«:* »Die Schlacht der Heilande«. Ein Schauspiel. München 1920. — »*Mißbrauch der Gliedmaßen«:* Vgl. Brief Nr. 102.

118. *D. A.: S 269.* Als Zeugnis der Lebensfreundschaft zwischen Wilhelm Schäfer und Richard Dehmel liegt der gesamte Briefwechsel, von Dr. Eberhard Galley (Düsseldorf) bearbeitet, druckfertig bereit.

119. *D. A.: W 431. Kneip:* Jakob Kneip (1881—1956) gründete mit J. Winckler und W. Vershofen die Dichtergemeinschaft der »Werkleute auf Haus Nyland«. — *Merlin:* D. wurde von Winckler ›Merlin‹, Winckler von D. ›Laurin‹ genannt.

120. *Insel Almanach 1960, S. 89 f.*

Zu den Zitaten S. 5:
Stefan Zweig: Brief an Richard Dehmel vom 11. 9. 1917, s. Brief Nr. 88.
Hans Carossa: Ges. Werke. Bd. 1. Wiesbaden 1949. S. 625.
Theodor Heuß: Die Hilfe. Nr. 8. Berlin 19. 2. 1920. Vgl. auch: Vor der Bücherwand, Tübingen 1961. S. 212 ff.

Zitat S. 7:
Richard Dehmel: Brief an Paul Reiniger vom 5. 7. 1910. Ausgewählte Briefe. Bd. 2. Nr. 606.

Zitat S. 131:
Richard Dehmel: Brief an Max Griesbacher vom 3. 7. 1919. Ausgewählte Briefe. Bd. 2. Nr. 894.

Die Richard-Dehmel-Porträts neben dem Titelblatt stammen von Karl Bauer. Die Radierung wurde uns freundlicherweise von der Staats- und Universitäts-Bibliothek Hamburg zur Verfügung gestellt.

Zeittafel zu Dehmels Leben und Schriften

1863 18. November	Richard Dehmel in Wendisch-Hermsdorf in der Mark Brandenburg geboren. Vater Förster.
1869—1882	Volksschule in Kremmen, Gymnasium in Berlin und Danzig, dort Abitur am 12. 9. 82.
1882 im Oktober	Student an der Berliner Universität (Philosophie, Naturwissenschaften, Staatswissenschaften, Wirtschaftslehre).
1883—1885	In der Redaktion einer Jagdzeitung in Berlin und Redakteur eines Kreisblattes in Neunkirchen (Saar).
1886 im Frühjahr	Erste Begegnung mit Paula Oppenheimer, seiner »Erlöserin«. Die ersten wirklichen Gedichte entstehen.
1887 im April	Promotion zum Dr. phil. an der Universität Leipzig.
1888 am 1. 12.	Sekretär beim Zentralverband Deutscher Privater Feuerversicherungen.
1889 am 4. Mai	Hochzeit mit Paula Oppenheimer.
1891 im Herbst	»Erlösungen. Eine Seelenwanderung in Gedichten und Sprüchen« erscheint bei Göschen in Stuttgart.
1893 im Frühjahr	Umzug mit seiner Familie aus der Lothringer Straße im Norden Berlins nach Pankow.
1893 im Sommer	»Aber die Liebe« erscheint bei Albert & Co in München. Damit beginnt die eigentliche Wirkungsgeschichte Dehmels.
1893 Anfang November	Nervenkrise. Flucht zu Liliencron nach Hamburg.
1893 17. Nov. bis Mitte Dezember	Urlaub. Fahrt nach Italien. Durch schwere Erkrankung Frau Paulas Mitte Dez. zurückgerufen. Beginn des Tagebuchs, das bis zum 26. Mai 1894 geführt wird.
1894 am 1. Mai	Gründung der Kunstzeitschrift PAN zusammen mit Otto Julius Bierbaum, Julius Meier-Graefe und Eberhard Freiherr von Bodenhausen.
1894 Ende des Jahres	Aufgabe des bürgerlichen Berufes. Freier Schriftsteller.
1895 am 19. März	»Der Mitmensch«, sein erstes Drama, vollendet.
1895 im Frühsommer	Die »Lebensblätter« erscheinen im Verlag der Genossenschaft PAN.
1895 Mitte August	Erste Begegnung mit Frau Konsul Auerbach, geb. Ida Coblenz. Die Liebe zu dieser ungewöhnlichen Frau löst schwere Konflikte aus, die sich über Jahre hinziehen. Schöpferisch fruchtbarste Jahre.
1896 im Herbst	»Weib und Welt« erscheint bei Schuster & Loeffler in Berlin.
1897 im Sommer	Anklage gegen »Weib und Welt« wegen Verletzung der religiösen und sittlichen Gefühle in »Venus Consolatrix«.

	Das Gedicht wird verurteilt. Leidenschaftliche literarische Auseinandersetzungen über Jahre hinaus. Dehmels Name wird in ganz Deutschland bekannt.
1899 Mitte Mai bis Mitte Juli	Allein in Rantum auf Sylt. Ringen um Klarheit im Liebeskonflikt zwischen Frau Paula und Frau Isi (Ida Auerbach). Wesentliche Teile der »Zwei Menschen« entstehen.
1899 ab Mitte Juli	Mit Frau Isi auf Reisen durch Deutschland. Längerer Aufenthalt in Spezgart bei Überlingen am Bodensee.
1900 Ende März	Reise mit Frau Isi nach Italien und Griechenland.
1900 Juli bis August 1901	Wohnhaft in Heidelberg, im damaligen »Schloßparkhotel«. Kontakte mit der Künstlerkolonie in Darmstadt.
1901 am 22. Oktober	Eheschließung mit Frau Isi in London.
1901 ab November	Wohnsitz in Blankenese bei Hamburg.
1902 am 30. Oktober	»Zwei Menschen« nach siebenjähriger Arbeit vollendet.
1902	»Kartell lyrischer Autoren« auf Anregung von Arno Holz zusammen mit anderen Autoren geschaffen zum Schutz gegen unberechtigten und unbezahlten Abdruck.
1903 Anfang März	»Zwei Menschen. Roman in Romanzen« erscheint. Erste Auflage 2100 Exple.
1904 im Herbst	Der »Buntscheck«, ein illustrierter Sammelband mit Dichtungen verschiedener Autoren für Kinder, von Dehmel ausgewählt, erscheint bei Schaffstein in Köln.
1905—1909	Arbeit an der zehnbändigen Gesamtausgabe bei S. Fischer. Völlige Umgestaltung der bisherigen Einzelausgaben. »Die Verwandlungen der Venus« entstehen aus den wesentlichen erotischen Dichtungen und dem Venus-Zyklus (in »Aber die Liebe« 1893). Die Dichtungen für Kinder werden in dem »Kindergarten« zusammengefaßt. — Vortragsreisen durch ganz Deutschland, auch nach Wien und Prag.
1907	Beginn der alljährlichen Hochgebirgstouren mit seinem Freund Charles Simon.
1908 im Mai	Reise nach Paris.
1909 am 22. Juni	Liliencron stirbt. — Dehmel ordnet den literarischen Nachlaß, sorgt für die Hinterbliebenen, arbeitet an der Ausgabe von Liliencrons Briefen. Vorbereitende Arbeiten an der Gesamtausgabe von Liliencrons Werken.
1911 am 11. Nov.	Die Komödie »Michel Michael« in Hamburg uraufgeführt. Beifall des Publikums, Ablehnung durch die Kritik.
1912	Kleiststiftung gegründet unter wesentlicher Beteiligung Dehmels, der als erster Vertrauensmann des Kunstrates den ersten Kleistpreis verleiht an Hermann Burte für »Wiltfeber« und an Reinhard Sorge für das Drama »Der Bettler«.
1912 Anfang April	Einzug in das jetzige »Dehmelhaus« in Blankenese, das

nach Dehmels Vorstellung gebaut und ihm von Freunden zum fünfzigsten Geburtstag geschenkt wurde.

1913 im Sommer	»Schöne wilde Welt« erscheint.
1913 im Herbst	»Gesammelte Werke« in drei Bänden erscheinen.
1914 Mitte Juni bis Mitte Juli	Reise mit Frau Isi nach Norwegen. Anschließend allein in die Schweiz zu einer Hochgebirgstour.
1914 Anfang August	Kriegsausbruch. Meldung als Kriegsfreiwilliger.
1914 am 24. August	Soldat beim Inf. Regt. Nr. 31 in Altona. Mitte Oktober zum Einsatz an der Westfront.
1915 Mitte Juni	Lazarettaufenthalt wegen Venenentzündung. Anschließend Kur in Langenschwalbach. Von da zur Vogesenfront.
1916 Anfang September	Versetzung nach Kowno ins Hauptquartier vom Oberkommando Ost. Tätigkeit in der Zensurstelle für Bücher. Am 15. Nov. Zurückversetzung zum Ersatzbataillon nach Altona.
1917 am 10. Nov.	»Die Menschenfreunde« werden gleichzeitig in Berlin, Dresden und Mannheim uraufgeführt. Überall ein großer Erfolg. Nach einem halben Jahr bereits von dreißig Theatern gespielt.
1918 am 14. Juli	Paula Dehmel stirbt.
1918	»Schöne wilde Welt« erscheint in erweiterter, völlig veränderter Auflage.
1918 vor Weihnachten	»Warnruf. Eine Kundgebung deutscher Dichter.« Mit der Unterschrift von dreißig Dichtern von vielen Zeitungen veröffentlicht.
1919 am 5. Januar	Rede »Vom Geist der Empörung« bei der Revolutionsfeier im Theater der Volksbühne in Berlin.
1919 im Herbst	»Zwischen Volk und Menschheit. Ein Kriegstagebuch« erscheint. — Arbeit an der kosmopolitischen Komödie »Die Götterfamilie«, die erst 1921 als Buch erscheint, auch an einem Dramenplan »Drei Helden« (Saul, David, Jonathan) — seit fünfundzwanzig Jahren beschäftigt ihn dieser Stoff. Nur wenige Aufzeichnungen sind überliefert.
1919 im November	Erneute Erkrankung, die Venenentzündung führt zur Thrombose.
1920 am 8. Februar	Richard Dehmel stirbt.

Verzeichnis der Briefschreiber und -empfänger

Becher, Johannes R. (1891—1958) Brief Nr. 89

Brod, Max (1884, lebt in Tel Aviv) Brief Nr. 111, 113

Brust, Alfred (1891—1934) Brief Nr. 114, 116, 117

Carossa, Hans (1878—1956) Brief Nr. 78, 80, 83, 120

Dauthendey, Max (1867—1918) Brief Nr. 60, 61

Dehmel, Ida geb. Coblenz, Dehmels zweite Frau (1870—1942) Brief Nr. 49, 51, 52, 55, 57

Dehmel, Paula geb. Oppenheimer, Dehmels erste Frau (1862—1918) Brief Nr. 2, 5

Dehmel, Richard (1863—1920) Brief Nr. 1, 3, 4, 6, 11, 14, 16, 17, 18, 21, 23, 26, 29, 32, 34, 35, 39, 40, 42, 43, 45, 47, 48, 50, 53, 54, 56, 58, 59, 62, 64, 69, 73, 75, 77, 79, 81, 82, 85, 87, 90, 93, 96, 101, 102, 106, 108, 110, 112, 115

Engelke, Gerrit (1890—1918) Brief Nr. 91, 92

Goering, Reinhard (1887—1936) Brief Nr. 107, 109

Hofmannsthal, Hugo von (1874—1929) Brief Nr. 20, 22, 24

Holz, Arno (1863—1929) Brief Nr. 15

Köster, Prof. Dr. Albert (1862—1924) Brief Nr. 100

Lasker-Schüler, Else (1876—1945) Brief Nr. 70, 71, 72

Liliencron, Detlev von (1844—1909) Brief Nr. 7, 8, 9, 10, 12, 13

Mann, Thomas (1875—1955) Brief Nr. 36, 37, 38

Mombert, Alfred (1872—1942) Brief Nr. 25, 27, 28, 30, 31, 33

Rilke, Rainer Maria (1875—1926) Brief Nr. 63, 65, 66, 67, 68

Schäfer, Wilhelm (1868—1952) Brief Nr. 41, 44, 46, 118

Schönberg, Arnold (1874—1951) Brief Nr. 103, 104

Sorge, Reinhard (1892—1916) Brief Nr. 95, 97, 98

Thoma, Hans (1839—1924) Brief Nr. 19

Unruh, Fritz von (1885, lebt auf Hof Oranien in Diez/Lahn) Brief Nr. 99

Wassermann, Jakob (1873—1934) Brief Nr. 74, 76

Winckler, Josef (1881, lebt in Bensberg bei Köln) Brief Nr. 105, 119

Zech, Paul (1881—1946) Brief Nr. 94

Zweig, Stefan (1881—1942) Brief Nr. 84, 86, 88

1. Hilfsmittel

Frels, Wilhelm: Dehmel-Literatur. In: Die Schöne Literatur 25 (1924), S. 265 bis 274.

Richard Dehmel zum Gedächtnis. 10. November 1863 bis 8. Februar 1920. Ausstellung zum 10. Todestag des Dichters. Mit 4 Tafeln. Hamburg: (Hamburger Staats- und Universitäts-Bibliothek) 1930. 46 S.

2. Gesamtausgaben und Gedichtsammlungen

Gesammelte Werke. Bd. 1—10. Berlin: S. Fischer 1906—09.

Gesammelte Werke. Bd. 1—3. Berlin: S. Fischer 1913.

Hundert ausgewählte Gedichte. Berlin: S. Fischer 1908. 196 S.

Richard Dehmel. Eine Auswahl aus seinem Werk. Herausgegeben und eingeleitet von Ida Dehmel. Berlin: Deutsche Buchgemeinschaft 1929. 362 S.

3. Einzelausgaben

Erlösungen. Eine Seelenwandlung in Gedichten und Sprüchen. Stuttgart: Göschen 1891. 210 S.

Aber die Liebe. Ein Ehemanns- und Menschenbuch. Mit Deckelzeichnung von Hans Thoma und Handbildern von Fidus. München: Albert 1893. 242 S.

Lebensblätter. Gedichte und Anderes. Mit Randzeichnungen von Josef Sattler. Berlin: Verl. d. Genossenschaft PAN 1895. 172 S.

Der Mitmensch. Drama. Berlin: Storm 1895. 104 S.

Weib und Welt. Gedichte. Berlin: Schuster & Loeffler 1896. 149 S.

Zwanzig Gedichte mit einem Geleitbrief von Wilhelm Schäfer und dem Bild des Dichters. Berlin: Schuster & Loeffler 1897. 89 S.

Lucifer. Ein Tanz- und Glanzspiel. Berlin: Schuster & Loeffler 1899. 126 S.

Ausgewählte Gedichte. Berlin: Schuster & Loeffler 1901. 154 S.

Zwei Menschen. Roman in Romanzen. Berlin: Schuster & Loeffler 1903. 234 S.

Der Buntscheck. Ein Sammelbuch herzhafter Kunst für Ohr und Auge deutscher Kinder. Köln: Schaffstein 1904. 55 S.

Fitzebutze. Traumspiel in fünf Aufzügen. In Musik gesetzt von Hermann Zilcher. 1. u. 2. Tsd. Berlin: S. Fischer 1907. 53 S.

Die Verwandlung der Venus. Rhapsodie. Leipzig: Drugulin 1907. 111 S.

Betrachtungen über Kunst, Gott und die Welt. Berlin: S. Fischer 1909. 218 S.

Der Kindergarten. Gedichte, Spiele und Geschichten für Kinder und Eltern jeder Art. Berlin: S. Fischer 1909. 191 S.

Der Mitmensch. Tragikomödie. Nebst einer Abhandlung über Tragik und Drama. (2. Ausg., sehr veränd. u. erw.) Berlin: S. Fischer 1909. 168 S.

Die Gottesnacht. Ein Erlebnis in Träumen. München: Weber 1911. 92 S.

Michel Michael. Komödie in fünf Aufzügen. Berlin: S. Fischer 1911. 152 S.

Blinde Liebe. Eine Geschichte aus höchsten Kreisen, sehr frei nach dem Engl. des Laurence Housman. Berlin-Charl.: Lehmann 1912. 58 S.

Schöne wilde Welt. Neue Gedichte und Sprüche. Berlin: S. Fischer 1913. 125 S.

Volksstimme — Gottesstimme. Kriegsgedichte. Hamburg: Herold 1914. 5 Bl.

Kriegs-Brevier. Leipzig: Insel-Verl. 1917. 51 S.

Die Menschenfreunde. Drama in drei Akten. Berlin: S. Fischer 1917. 494 S.

Zwischen Volk und Menschheit. Kriegstagebuch. Berlin: S. Fischer 1919. 494 S.

Mein Leben. (Herausgegeben von Gustav Kirstein, Alfred Mombert und Robert Petsch.) Leipzig: Geschäftstelle d. Dehmel-Gesellschaft 1922. 45 S.

Die Götterfamilie. Kosmopolitische Komödie. Berlin: S. Fischer 1921. 108 S.

Lieder der Bilitis. Freie Nachdichtung nach Pierre Louys. Berlin: Euphorion Verl. 1923. O. Pag.

Der Vogel Wandelbar. Ein Märchen mit farb. Bildern und Umrahmungen v. I. Gleitsmann. Wiesbaden: Pestalozzi-Verl.-Anst. 1923. 17 S.

Der kleine Held. Eine Dichtung für wohlgeratene Bengels und für Jedermann aus dem Volk. Ill. v. Fini Skarica. Wiesbaden: Pestalozzi-Verl.-Anst. 1924. 26 S.

Bekenntnisse. Berlin: S. Fischer 1926. 206 S.

4. Tagebücher und Briefe

Tagebuch 1893—1894. Herausgegeben von Gustav Kirstein, Walter Tiemann, E. R. Weiß. Leipzig: Drucke der Dehmel-Gesellschaft 1921. 84 S.

Ausgewählte Briefe. Bd. 1—2. Berlin: S. Fischer 1923.

Unbekannte Briefe Richard Dehmels. Mitgeteilt von Helmut Henrichs. In: Euphorion 28 (1927), S. 470—484.

Birke, Joachim: Richard Dehmel und Arnold Schönberg. Ein Briefwechsel. In: Musikforschung 11 (1958), S. 279—285.

Mombert, Alfred:
Briefe an Richard Dehmel und Ida Dehmel. Ausgewählt und eingeleitet von Hans Wolffheim. Mainz: Verl. d. Akad. d. Wiss. u. Lit. 1956. 187 S.

Grimm, Reinhold: Liliencron, Dehmel, George. Seven unpublished letters to Karl Klammer. In: German Life & Letters 14 (1961), S. 170—174.

5. Gesamtdarstellungen

Moeller van den Bruck, Arthur: Richard Dehmel. Berlin: Schuster & Loeffler 1900. 98 S.

Bab, Julius: Richard Dehmel. Berlin: Gose & Tetzlaff 1902. 60 S.

Kühl, Gustav: Richard Dehmel. Berlin: Schuster & Loeffler 1906. 60 S.

Ludwig, Emil: Richard Dehmel. Berlin: S. Fischer 1913. 147 S.

Bab, Julius: Richard Dehmel. Die Geschichte eines Lebenswerkes. Leipzig: Haessel 1926. 432 S.

Slochower, Harry: Richard Dehmel. Der Mensch und der Denker. Dresden: Reissner 1928. 289 S.

6. Untersuchungen

Furcht, Walther: Richard Dehmel. Seine kulturelle Bedeutung, sein Verhältnis zu Goethe, Lenau und zur Moderne. Minden: J. C. C. Bruns 1899.

Schaukal, Richard: Richard Dehmels Lyrik. Versuch einer Darstellung der Grundzüge. Leipzig: Verl. f. Lit., Kunst u. Musik 1908. 48 S. (Beiträge zur Literaturgeschichte Heft 50.)

Kunze, Kurt: Der Zusammenhang der Dehmelschen Kunst mit den geschichtlichen Strebungen der jüngsten Vergangenheit. Leipzig: Voigtländer 1913. XIII, 120 S. (Diss. Leipzig 1913.)

Kunze, Kurt: Die Dichtung Dehmels als Ausdruck der Zeitseele. Leipzig: Voigtländer 1914. 120 S. (Beiträge zur Kultur- und Universalgeschichte Heft 25.)

Krueger, Theodor: Richard Dehmel als religiös-sittlicher Charakter. Studie zur Neu-Mystik. Tübingen: Mohr 1921. 41 S.

Pamperrien, Rudolf: Das Problem menschlicher Gemeinschaft in Richard Dehmels Werk. Tübingen: Mohr 1924. III, 103 S.

Müller, Hans: Studien zur Wortwahl und Wortschöpfung bei Dehmel, Liliencron, Nietzsche. Diss. Greifswald 1926. 101 S.

Hösel, A.: Dehmel und Nietzsche. Diss. München 1928.

Oppert, Kurt: Bindung und Freiheit in Dehmels Theorie der lyrischen Sprache. In: Zeitschrift für Ästhetik 23 (1929), S. 231—257.

Lorenz, Wilhelm: Die religiöse Lebensform Richard Dehmels. Osterwieck: Zickfeldt 1932. VI, 70 S.

Wilhelm, E. Th.: Richard Dehmels »Zwei Menschen«. Diss. Marburg: Hamel 1930. 153 S.

Reichert, Ernst: Das Naturgefühl in der Lyrik Richard Dehmels. Brandenburg (Havel): Böttcher 1931. 147 S., 5 gez. Bl. (Diss. München 1931.)

Vogel, Hans: Die Frau in Richard Dehmels Dichtung. Hamburg: Christians 1931. 91 S. (Diss. Leipzig 1931.)

Hagen, Paul von: Richard Dehmel. Die dichterische Komposition seines lyrischen Gesamtwerks. Berlin: Ebering 1932. 279 S. (Germanische Studien 115.)

Horn, Fritz: Das Liebesproblem in Richard Dehmels Werken. Berlin: Ebering 1932. 79 S.

Rademacher, Helmut Albert: Richard Dehmels Drama und Bühne. München: Huber 1933. 104 S. (Diss. München 1931.)

Oetter, Karl: Richard Dehmel als Übersetzer romanischer Dichtungen. Würzburg: Triltsch 1936. VII, 68 S.

Dietz, Edith: Richard Dehmels dramatisches Werk. Diss. Wien 1937. 162 Bl.

Wingelmayer, Helene: Richard Dehmel als Dramatiker und Erzähler. Diss. Wien 1949.

Kromar, E.: Das Weltbild Richard Dehmels. Diss. Innsbruck 1950. [Masch.]

Fürnsinn, Ingrid: Licht und Farben in der Dichtung Richard Dehmels. Diss. Wien 1956. [Masch.]

Liebold, Rosemarie: Dehmels Gedichte und ihre Umarbeitungen. Diss. Tübingen. 1956. [Masch.]

Müller, Manfred: Optische Bildmotive in der Lyrik Richard Dehmels. Diss. Würzburg 1957. [Masch.]

Burmeister, Rolf: Claudel als Übersetzer Richard Dehmels. In: Libris et Litteris 1959. S. 338—349.

Überschriften und Anfänge der Gedichte

Inhalt